Innovation Accounting

A Practical Guide For Measuring Your
Innovation Ecosystem's Performance

イノベーション・アカウンティング

挑戦的プロジェクトのKPIを測定し、新事業に正しく投資するための実践ガイド

著 ダン・トマ　エスター・ゴンス

訳 渡邊 哲　安田 剛規

Innovation Accounting:

A practical guide for measuring your innovation ecosystem's performance

by Dan Toma and Esther Gons

Copyright © 2021 Dan Toma, Esther Gons and BIS Publishers.

First published in English
by BIS Publishers on September 9, 2021.

Japanese translation rights arranged with BIS Publishers, Amsterdam,
through Tuttle-Mori Agency, Inc., Tokyo

本書内容に関するお問い合わせについて

このたびは翔泳社の書籍をお買い上げいただき、誠にありがとうございます。
弊社では、読者の皆様からのお問い合わせに適切に対応させていただくため、
以下のガイドラインへのご協力をお願い致しております。
下記項目をお読みいただき、手順に従ってお問い合わせください。

• ご質問される前に

弊社 Web サイトの「正誤表」をご参照ください。これまでに判明した正誤や追加情報を掲載しています。

正誤表 **https://www.shoeisha.co.jp/book/errata/**

• ご質問方法

弊社 Web サイトの「刊行物 Q&A」をご利用ください。

刊行物Q&A **https://www.shoeisha.co.jp/book/qa/**

インターネットをご利用でない場合は、FAXまたは郵便にて、下記"翔泳社 愛読者サービスセンター"までお問い合わせください。電話でのご質問は、お受けしておりません。

• 回答について

回答は、ご質問いただいた手段によってご返事申し上げます。ご質問の内容によっては、回答に数日ないしはそれ以上の期間を要する場合があります。

• ご質問に際してのご注意

本書の対象を越えるもの、記述個所を特定されないもの、また読者固有の環境に起因するご質問等にはお答えできませんので、予めご了承ください。

• 郵便物送付先および FAX 番号

送付先住所　〒 160-0006　東京都新宿区舟町 5
FAX 番号　03-5362-3818
宛先　（株）翔泳社 愛読者サービスセンター

＊本書に記載されたURL等は予告なく変更される場合があります。
＊本書の出版にあたっては正確な記述につとめましたが、著者や出版社などのいずれも、本書の内容に対してなんらかの保証をするものではなく、内容やサンプルに基づくいかなる運用結果に関してもいっさいの責任を負いません。
＊本書に記載されている会社名、製品名はそれぞれ各社の商標および登録商標です。

日本の読者の皆さまへ

前著『イノベーションの攻略書（原題："The Corporate Startup"）』と本書『イノベーション・アカウンティング（原題："Innovation Accounting"）』の狙いはともに、製造業における生産管理プロセス改善のコンセプトをイノベーションによる新事業創造活動に適用し、イノベーション活動の品質および生産性の向上を図るというものです。

この製造業における生産管理プロセス改善のコンセプトは、品質管理の大家である米国のW・エドワーズ・デミング博士（以下、デミング博士）が提唱したものです。生産プロセスや他の企業活動をシステムとして捉え、システムが全体としてうまく機能するように継続的に改善します。その際には測定可能かつ重要な指標を測定し、システム改善につなげます。

興味深いことに、このコンセプトを積極的に取り入れて成功したのは、米国でなく日本の製造業でした。第二次世界大戦後の日本の製造業の飛躍的な発展の根幹に、デミング博士のコンセプトがあると言っても過言ではないでしょう。

本書では、イノベーション活動をシステムとして捉え、データに基づくイノベーション活動の品質および生産性の向上を実現するべく、測定可能かつ重要な指標の典型例を紹介しています。これは欧米企業にとっても先進的なコンセプトであり、イノベーション管理の一環として各社が取り組みを推進していますが、容易に導入できるものではありません。

これは私の個人的な見解ですが、デミング博士のコンセプトをもとに製造業の分野で飛躍的な成功を収めた実績のある日本企業には、イノベーション・アカウンティングを活用して「イノベーション」分野でも飛躍的な成長を遂げる大きなチャンスがあるように思います。

最後に、デミング博士の言葉を紹介したいと思います。

“Eighty-five percent of the reasons for failure are deficiencies in the systems and process rather than the employee. The role of management is to change the process rather than badgering individuals to do better.”
W. Edwards Deming

「失敗原因の85%は従業員でなくシステムやプロセスの欠陥である。経営陣の役割は個人を問い詰めることでなくプロセスを変更することである」
W・エドワーズ・デミング

本書が、イノベーション分野における日本企業の発展に少しでも寄与することを心より願っております。

2022年10月
ダン・トマ
エスター・ゴンス

訳者まえがき

「新事業開発を担当するチームを適切に評価する方法がわからない」「従業員向けにイノベーション教育を実施しているが、実際に自社の人材のイノベーション力が強化されているのかどうかわからない」「イノベーション投資の効果を予見できない」など、イノベーションの評価測定に関する悩みに応えるために執筆されたのが本書『イノベーション・アカウンティング（原題："Innovation Accounting"）』です。

本書はイノベーションのKPI（重要業績評価指標）を取りまとめた書籍であり、「イノベーション・アカウンティング（イノベーション会計）」と呼ぶことに疑問を持たれるかもしれません。なぜこの書籍がイノベーション「会計」なのか、具体的にどのような内容なのかを、まえがきに代えてここで説明します。

「会計」という言葉で皆さんが思い浮かべるのは、損益計算書（P/L)、貸借対照表（B/S)、キャッシュフロー計算書（C/F）で構成される財務会計だと思います。実は「会計」にはもう1つ、収益向上を目指して企業を適切に経営するための管理指標である「管理会計」があります。財務会計と異なり「管理会計」には決まったフォーマットはすでに確立された事業モデルを念頭に、財務諸表の各種項目に加えて、将来の「キャッシュ」、製品の「在庫」、店舗や工場などの「設備投資」等を予測する指標を設定し、売上拡大や利益の最大化を図ります。この「管理会計」の対象を新事業の創造や研究開発投資を通じたイノベーションにまで拡張したのが、本書のテーマである「イノベーション会計」です。

データに基づく意思決定によって、イノベーション投資、新事業創造、イノベーション人材開発、その他の活動の質と効率を向上するのです。本書ではイノベーションに関するさまざまな側面から各種の指標を紹介しています。その中でも中心となる戦術的イノベーション会計（第4章)、管理的イノベーション会計（第5章)、戦略的イノベーション会計（第6章）の前提となる概念について、ここで簡単に紹介します。

「戦術的イノベーション会計」は、個別のイノベーション・プロジェクトや、それに携わるチームを評価し、適切なアクションにつなげるための各種指標です。プロジェクトの成長段階に応じた適切な指標を設定し、個々のイノベーションプロジェクトを適切に評価・推進します。また、プロジェクトだけでなく、各チームの活動内容を評価することで、たまたま成功案件に携わっていたから評価された、あるいは逆に優れたスキルを持ち、素晴らしいパフォーマンスを上げていたにもかかわらず、案件そのものが失敗したために評価されなかった、という運不運を人的評価からなるべく排除します。それに加えて、スキルの不足しているチームに適切な指導やサポートを提供できます。

「管理的イノベーション会計」は、イノベーション・プロジェクト全体の推進状況や、イノベーションへの投資や撤退の意思決定の実施状況を評価するための各種指標です。指標を活用して、全社あるいは事業部門全体でのイノベーション活動の効率や質を高めます。本書では、全社的なイノベーション推進の中核基盤として、段階的にイノベーションプロジェクトを実行・管理する「製品ライフサイクル（イノベーション・ファネル）」とイノベーション・プロジェクト案件の投資や撤退を判断する「イノベーション投資委員会」を紹介しています。これらの仕組みや組織を有効に機能させるための判断基準となる各種指標が管理的イノベーション会計です。

「戦略的イノベーション会計」は、会社の将来を見据えた戦略的な事項を評価するための各種指標です。自社ではイノベーション投資に1円使ったら新たにどれだけの売上が生み出されるのか、個別に開始したイノベーション・プロジェクトが持続的に売上・利益を生み出す事業に成長するまでの期間はどの程度か、既存の事業モデルと異なる事業にどの程度投資しているのか、といった評価指標に基づいて経営視点からの意思決定を行います。

さて、本書で登場するいくつかのキーワードのうち、日本ではあまり使われないものについてもここで解説しておきましょう。「ファネル」「パイプライン」の2つです。

基本的なイメージとして、「ファネル（漏斗）」はアイデア、プロジェクト案件、潜在顧客等を一連のプロセスを通して絞り込んでいき、最終目標に到達するという流れを表します。入口にたくさんの案件候補を入れ、それが絞り込まれていくという点がポイントです。

もう1つの「パイプライン（水道管やガス管などの導管）」も同じように、案件一覧を目標達成するまで進捗管理していく流れを表します。こちらはファネルのように絞り込むというニュアンスでなく、途中で目詰まりが起きているところがあれば目詰まりを解消して、最終ゴールまでスムーズに流すというイメージとなります。

最後に、本書の本質を捉えた素晴らしいメッセージをお寄せくださった関西学院大学経営戦略研究科の玉田 俊平太教授に心より感謝の意を表したいと思います。また今回の『イノベーション・アカウンティング』翻訳プロジェクトでは、読者目線でレビューしていただくことで本書をより読みやすいものにすべく、公募した一般レビュアーの皆さまに校正にご協力いただきました。この場を借りてレビュアーの皆さまのあたたかいご協力にお礼申し上げます。

【ご協力いただいたレビュアーのみなさま（順不同・敬称略）】
奥原 隆之／関根 宏／江島 忠博／藤田 正典／藤田 紹一／橋本 誠／結城 衛／天野 達郎／元吉 章博／梅原 祥平／皆地 恵実／藤井 秀夫／渡邉 貴道／中村 俊之／手塚 大

本書の翻訳を進めるうえでさまざまな助言、サポートをいただき、訳者のリクエストにも快くご対応いただいた翔泳社の小場様、秦様をはじめとして、本プロジェクトに携わっていただいた皆さまには感謝の念に堪えません。

訳者らは微力ながら日本の未来をよくすることに少しでも貢献できればとの思いから、顧客中心の事業創造を提唱した『アントレプレナーの教科書』、55種類のビジネス・パターンによるアイデア創造法『ビジネスモデル・ナビゲーター』、イノベーション戦略・実行・管理を組織で実現するための指南書『イノベーションの攻略書』、DXによる両利き経営の実践書『DX(デジタルトランスフォーメーション)ナビゲーター』（以上、すべて翔泳社刊）など、シリコンバレーや欧州のイノベーション書籍の翻訳、日本への紹介を行ってきました。

また、日本企業のイノベーション力を高めるためのコンサルティング活動を行っています。それらに加えてシリコンバレーの米国人コミュニティと日本との人的交流を促進するために北カリフォルニア・ジャパンソサイエティ日本事務所の運営にも携わっています。これらの活動にご興味をお持ちの方は株式会社マキシマイズ（https://www.maximize.co.jp）までご連絡ください。

本書は、スタートアップがイノベーションの主役を担うシリコンバレーでなく、既存事業を持つ企業を対象に欧州で書かれた書籍であり、日本企業の参考になる部分も多いのではないかと考えています。紹介されている各種の指標はあくまでも典型例ですが、それらを参考に各社に合った形で活用いただければ幸いです。本書が日本のイノベーション力強化に少しでも役立つことを、心より願っています。

2022年10月 東京にて
渡邊 哲
安田 剛規

Contents

日本の読者の皆さまへ ……… 4
訳者まえがき ……… 6
イノベーション・アカウンティングとは？ ……… 20

イントロダクション 23

イノベーション会計の世界へようこそ ……… 24

第1章 イノベーションの定義 27

イノベーションの4つの種類 ……… 29
イノベーションとデジタル・トランスフォーメーション ……… 33
Worksheet 自社におけるイノベーションの定義を策定する ……… 35
Point ……… 37

第 2 章

イノベーションと会計の対立 39

財務会計が抱える難問 42

Point 50

第 3 章

イノベーションの定量評価に関する迷信と原則 51

イノベーションの定量評価についての迷信 52

イノベーション会計システムの原則 61

イノベーション会計システムの導入に当たって 67

Point 69

イノベーション対談
トーマス・フォグス-エリクセン 70
DNV グループ CFO

第 4 章

戦術的イノベーション会計 75

自社独自のフレームワークの重要性 77

発見 解決する価値のある問題を特定したか？ 80

探索 私たちのソリューションで顧客の問題を解決できるか？ 82

THE TEAM DASHBOARD 86

Column コンセプト解説 ランウェイと学習速度の関係 92

採算性 顧客が自社のソリューションを購入してくれるかどうか？ 92

拡大 ソリューションを規模拡大できるか？ 96
ビジネスモデルの指標 102
ECサイトのビジネスモデル
例 ザランド、アマゾン 104
サブスクリプションのビジネスモデル
例 ドロップボックス、Zoom、T-モバイル、ネットフリックス 106
マッチング・プラットフォームのビジネスモデル
例 イーベイ、ウーバー 108
ユーザー生成コンテンツ（UGC）プラットフォームのビジネスモデル
例 ミーディアム、ツイッター、フェイスブック 110
無料スマホアプリのビジネスモデル 112
メディア・娯楽プラットフォームのビジネスモデル
例 ニューヨーク・タイムズ、ユーチューブ 114
対面販売のビジネスモデル
例 販売代理店、小売店舗、銀行窓口、歯科クリニック 116
自社独自の海賊指標フレームワークを作ろう 118
持続 通常のビジネスへ 124
Exercise 自社独自の製品ライフサイクルの作成 126
Point 135
イノベーション対談
クラリッサ・エヴァ・レオン 136
デンマーク鉄道（DSB）デジタル部門責任者

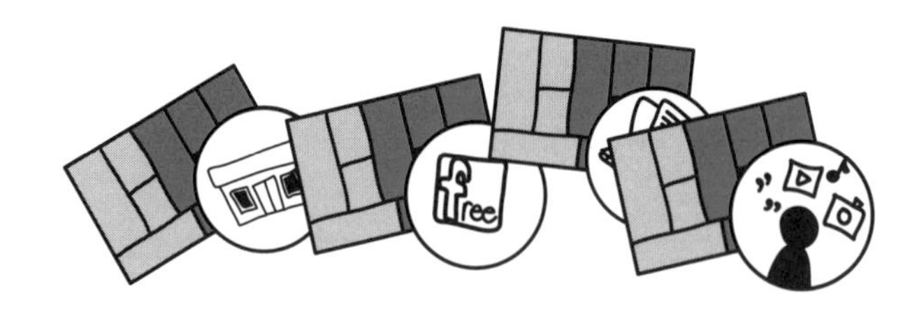

第5章 管理的イノベーション会計 141

迅速な意思決定をかなえる管理的イノベーション会計 142
イノベーションへの投資 144
投資委員会の役割 148
投資委員会のメンバー構成 149
投資員会の落とし穴 154
Column コンセプト解説 イノベーション投資方針 164
何を定量評価するのか? 165
推定値の計算方法 170
ベンチャーボード・ダッシュボード 177
VENTURE BOARD DASHBOARD 178
ファネル・ダッシュボード 186
FUNNEL DASHBOARD 188
Column コンセプト解説 機会費用 195
Column 解説メモ リアルオプション 196
Point 200

イノベーション対談
スサナ・ジュラード・アプルゼーゼ 201
アカデミア・テレフォニカ　オープン・イノベーション部門長

第6章 戦略的イノベーション会計 207

イノベーション会計の経営幹部用ダッシュボード 209
Column コンセプト解説 ポートフォリオとファネル 211
STRATEGIC DASHBOARD 212
ポートフォリオと投資分布 214
DASHBOARD INNOVATION FUNNEL LENSES 218

新製品活力指数がイノベーション力を示す 224
イノベーションをはかるその他の指標 228
指標の活用方法 237
新事業の歩みをはかる指標 241
導入の際の注意点 244
各指標についての結論 244
Worksheet ポートフォリオの概要図を作成する 246
Point 252

イノベーション対談
アレクサ・デンベク 253
デュポン チーフテクノロジー&サステナビリティオフィサー（最高技術・持続可能性責任者）

第 7 章
スタートアップ企業との協業の定量評価 259

未来のシナリオは思い描けているか？ 260
企業とスタートアップの協業形態 261
なぜ協業をするのか？ 263
協業の課題とリスク 267
COLLABORATION CHECKLIST STARTUPS 274
COLLABORATION CHECKLIST CORPORATES 276
スタートアップ協業を定量評価する方法 278
有償および無償のパイロット・プロジェクト
パイロット・プロジェクトの各段階 280
共同事業 共同事業の各段階 281
スタートアップ投資 スタートアップ投資の各段階 283
買収 買収の各段階 284
一言アドバイス 286
個々の投資を定量評価する方法 286

買収する前に検証する 296
Worksheet スタートアップ協業に関する成熟度 300
Point 306

イノベーション対談
デビッド・ラッソン 307
INGベルギー／オランダING　センター・オブ・エキスパートリード・イノベーション

第8章 イノベーション人材の能力の定量評価 313

イノベーション・スキルはどのように計測するのか？ 314
能力の特性の定量評価と理解 318
能力開発プログラムの定量評価 320
能力開発プログラムの評価指標 324
能力開発の成果を定量評価する 326
イノベーション・チーム イノベーション人材の結果指標 328
投資委員会 投資委員会の人材の結果指標 329
経営陣 経営陣の結果指標 330
能力の定量評価についての結論 331
Worksheet 自社のイノベーション人材の能力の定量評価 333
Point 335

イノベーション対談
クリスチャン・リンドナー 336
エアバス・ヘリコプター　プログラム・マネージャー

第 9 章

イノベーション文化の定量評価 341

イノベーション文化とは？ 342
しかし文化は定量測定できるのか？ 343
イノベーション文化の開発活動を定量評価する 347
イノベーション文化の定量評価の指標 352
イノベーション文化の定量評価についての結論 353
Worksheet あなたの会社のイノベーション文化を定量評価する 354
Point 356

イノベーション対談
ポール・コバン 357
DBS銀行 データ・変革最高責任者

第 10 章

CFOと株主のための イノベーション会計 361

長期的な視点でイノベーションを評価する 362
イノベーションが機能していることを示す 365
INNOVATION REPORT FOR FINANCE 368
報告書テンプレートは何を表すのか？ 370
財務部門との上手な付き合い方 371

イノベーション対談
バルーク・レブ教授 373
ニューヨーク大学スターン・ビジネススクール会計・金融専攻

第 11 章
明日からはじめよう 379

やるか、やらないかだ！　試しにやってみる、ではダメだ 380

おわりに 382
謝辞 383
参考資料 384
索引 392
著者紹介 398
訳者紹介 399

『イノベーション・
アカウンティング』の
実施ガイドは
ここからダウンロード
英語版
日本語版

イノベーション・アカウンティング

ìnə-véi-ʃən ə-káu-nt-iŋ/名詞

（イノベーション会計）

既存の財務会計システムを補完するために、企業のブレイクスルー・イノベーションや破壊的イノベーションの取り組みに関するデータを収集、分類、分析、報告するための原則や評価指標を体系化したシステムとして規定したもの。

イノベーション・アカウンティングとは?

ビジネススクールではこれまで、正味現在価値（NPV：ネット・プレゼント・バリュー）、回収期間、ハードル・レートなどを、投資プロジェクト意思決定時の指標として採用し教育してきました。ところが本書で後述するように、イノベーションの捉え方や定量評価の方法は、それぞれの組織の特性や事業分野によって異なります。

つまり現在の財務諸表は、投資プロジェクトや物的なプロジェクトの投資採算性の評価には適している一方、デジタル企業のイノベーティブな事業の評価には適していません。このような企業にとって最も価値ある資源は、企業文化やプロセス、さらには研究チーム、ソフトウェア・エンジニア、製品開発チームの時間だからです。

その結果としてデジタル企業は、既存の事業活動に対するバランスよい資金配分、資金不足への対処だけでなく、買収費用や優秀な従業員の賃金増額に使うことも念頭において、金融資本を調達します。そして、このような用途で資金調達することが株式市場で一般的に認められているからこそ、事業で利益を上げていないスタートアップのIPOが可能なのです。

したがって、デジタル企業のCEOにとって最大の関心事は、優秀な研究チームや人材を最も有望なプロジェクトに集中配置し、もしプロジェクトの見通しが悪くなったら速やかに人材を再配置することであり、必ずしも金融資本のバランスよい配分が最優先事項ではないのです。[1]

「**イノベーション・アカウンティング**」（以下、イノベーション会計）という言葉は、エリック・リースの著書『リーン・スタートアップ』（2012年、日経BP）の中ではじめて登場しました。イノベーションの定量評価の意義について私たちの理解が進んだのは、すべてそれ以降です。エリックの著書が出版されて以降に収集した起業家や社内起業家の話に基づき、私たちは「イ

ノベーション会計とは、企業のブレイクスルー・イノベーションや破壊的イノベーションの取り組みに関するデータを、収集、分類、分析、報告するように規定された原則や評価指標を体系化したシステムであり、既存の財務会計システムを補完するものである」と考えています。

イノベーション会計システムでは、各チームのパフォーマンスだけでなく、企業の戦略、ポートフォリオ、能力、文化を明確に見通すことが可能な、イノベーションの全体観を示す必要があります。この点については、以降の章で詳細を説明していきます。

民間企業であれ公共機関であれ、組織を運営している管理職で、正式な起業家教育を受けた人は、ほとんどいないと言っても過言ではないでしょう。したがって、イノベーション会計システムの開発と導入に並行して、能力開発を実施する必要があります。つまりイノベーションの効率的かつ効果的な実施や、職場環境の醸成が、どのように財務的な成果につながるかを、経営陣や管理職が理解できるように教育する必要があるのです。

私たちの経験上、経営幹部のリーン・スタートアップやアジャイル開発に関する知識や理解度が高いほど、イノベーション部門が財務的な正当性を説明する苦労が小さくなるという、逆相関の関係性が成り立つようです。だからといって、「イノベーションに熟達した企業にイノベーション会計は必要ない」と考えるのは早計です。

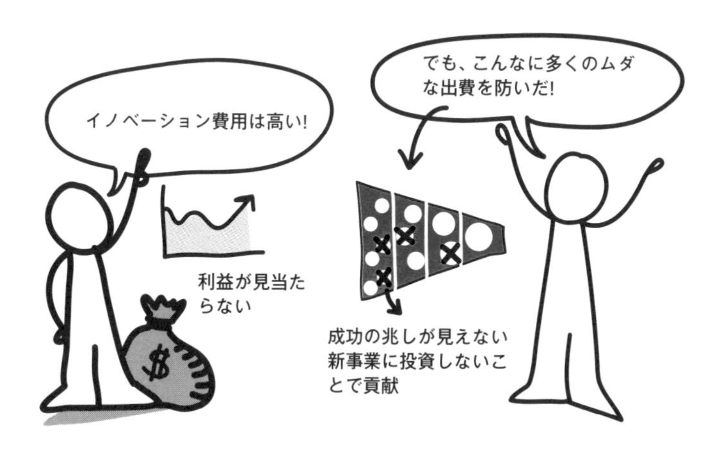

イントロダクション

Introduction

イノベーション会計の世界へようこそ

あなたがアイスホッケーの試合を見に行ったとして、スコアボードに試合の詳細情報がまったくなく、結果の表示だけだったらどう思いますか？　スコアボードにはすでに終了したピリオド[※1]の結果である反則数と得点しか表示されず、ゴールした時刻や得点者、選手ごとのペナルティ回数、現在ペナルティで拘束されている選手と拘束解除までの残り時間など、現在の状況に関する有用な情報が一切なかったらどうでしょう？　普段通りに試合を楽しめますか？　この瞬間に自分の応援しているチームが優勢なのか、それとも何か手を打つべきなのか見当がつきますか？

では今度はあなたがコーチの立場だったとして同じ状況を想像してください。唯一の情報源は何十年も前から使い続けている必要な情報が全然足りないスコアボードです。どうやって指揮をとればよいのでしょう？　今まで通り勘と経験だけに頼りますか？　あるいは何か別の情報源を探しますか？

何を馬鹿げた話をしているのだと思われるかもしれませんが、実はビジネスの世界もこれと大差ないのです。

会計の起源は何世紀も前にまでさかのぼることができます。ところが現代社会の事業活動が指数関数的に複雑化しているにもかかわらず、企業の財務報告は1494年にイタリアの修道士ルカ・パチョリが書籍に著した複式簿記の会計システムからほとんど変わっていないのです。

しかし昨今では企業文化や従業員のスキルなど、無形資産が企業の成功に及ぼす影響が高まっています。また、利益拡大の源泉としてのイノベーションへの依存度も高まっています。このような傾向により、有形資産のみを取り扱う財務会計システムの欠点がますます明らかになってきています。

※1 訳注：アイスホッケーでは第3ピリオドまでの3回で試合を実施する。

財務会計システムの欠点を緩和し、補完する新たな会計システムを開発、導入することが、ビジネス上の必須事項となりつつあるのです。特に、イノベーションを成長の原動力とする企業にとっては重要命題です。

非常に多くの企業経営者が、すぐに利益を生まなかったというだけの理由で、新たなプロジェクトを早々に中止しています。非常に多くの大企業の投資方針が、リスクの低いプロジェクトに偏っています。非常に多くの投資家が、ソーシャルメディアの情報に頼って次に投資する先を決めています。非常に多くのケースで、企業文化が成功の唯一の鍵だと考えられています。これらすべてにおいて、有形資産のみを取り扱う財務会計が、いまだに「一律」の判断基準として利用されているのです。

これから本書の各章を通して、**イノベーション・エコシステム**[※2]のあらゆる場面に対応できる会計システムを、自社で開発、導入、利用する旅にご案内します。現在の財務会計システムを補完し、イノベーションに関する最も正確でタイムリーな情報を提供するシステムです。ようこそ、イノベーション会計の世界へ。

※2 訳注：イノベーションを促進するビジネス生態系のこと。

第 1 章

イノベーションの定義

Defining Innovation

“ イノベーションの定義について
全員の理解が一致しなければ、
イノベーションの定量評価はできません。”

イノベーション会計の話をはじめる前に、まずイノベーションとは何なのか、すなわちイノベーションの定義について議論してください。これは重要な議論です。というのも、何でもかんでもイノベーションとしてしまってはお互いの話がかみ合わなくなるからです。一方で「イノベーションという言葉にさまざまな側面がある」ことを理解するのも重要です。なぜなら、それは次章以降で説明するイノベーション定量評価システムの設計に不可欠な知識だからです。

「イノベーション」のようにいつまでも新鮮味を持ち続ける言葉はめったにありません。ところがイノベーションは人類の発展と非常に密接に関わっているため、いつまでも古臭くならないのです。今日のデジタル社会において、「イノベーションか死か（Innovate or Die）」と宗教戦争のように叫ぶ人がいても、何ら不思議ではありません。企業が成功すると、人々はその成功物語を「優れたイノベーションのおかげだ」と結論づけたがります。一方で失敗した企業は「イノベーション力がなかった」というレッテルを貼られます。

しかし残念ながら、流行の言葉には問題がつきものです。「イノベーション」という言葉が拡大解釈されていると、私はしばしば感じます。政治家の議論、企業の取締役会、スタートアップ、さらには広告で、耳に心地よく響く「イノベーション」という言葉を誰もが口にしすぎている気がします。

このような状況下で「イノベーション」という言葉を安易に使うのは、少なくとも「イノベーションを定量評価する」という文脈においては非常に危険です。誤解や混乱を招いたり、誤った期待をいだかせてしまったりする恐れがあるからです。

展示会の企画会社でのプロジェクトにおいて、本書の著者の1人であるダンは、参加者全員にイノベーションの定義を明確にしてもらうことの重要性を痛感しました。

ダンの役割はモデレーターとして、この会社の経営幹部が中期戦略ロードマップを検討する合宿の司会進行と取りまとめをすることでした。合宿の冒頭にCEOが、「新たな1歩を踏み出そう。我が社はこれまで以上にイノベーティブな企業になる必要がある」と全員に語りかけ、舞台を整えました。ところが何人かの事業部長は、「私の部署はすでに十分イノベーティブです」と反論したのです。その後が大変で、いくつかの事例をあげて時間をかけて討論した末に、やっと両者は共通認識を持つことができました。あやうく、合宿全体を脱線させかねない事態に陥るところでした。

結局のところ、事業部長たちにとっては、イベント会場の案内を紙媒体からスマホアプリとスマホに搭載されたセンサーによるデジタルソリューションに移行することがイノベーションだったのです。しかし、CEOにとっては、それは単なる時代への追従でした。CEOが本当に期待していたのは、バーチャルリアリティなどの最新技術を活用して、新しいビジネスモデルや、少なくとも新しい収益源を生み出す「破壊的イノベーション」だったのです。ところが、その会社にはイノベーションの明確な定義や分類がなかったため、既存事業のシェアを維持するために「漸進的なイノベーション」を実施していた事業部長たちとの間に認識のずれが生じてしまったのです。

イノベーションの4つの種類

グレッグ・サテルは、著書『Mapping Innovation』(2017年、McGraw Hill)の中で、イノベーションには4つの種類があるとしています。グレッグはまた、さまざまな種類のイノベーションに、同一のプロセス、戦略、KPIを画一的に当てはめることに反対の立場を示しています。

1種類目のイノベーションは、既存の業界内での地位を維持する「**持続的イノベーション**」です。一般的に、この種類のイノベーションが最も広く行われています。というのも、企業は常日頃から現状の事業活動を改善したいと考えているからです。既存市場における既存の能力を向上させたいのです。対象顧客の「問題」と、その「解決方法・技術領域」をすでに十分に理解していることが、この種類のイノベーションの特徴です。成功を収めている既存商品の改良活動が、まさに漸進的な持続的イノベーションです。例えば家庭用洗剤メーカーの場合、持続的イノベーションとは、特定の洗剤成分を10%増やしたり、洗剤に新しい香りを組み合わせたりすることです。

// 図1-1 // イノベーションの4つの種類

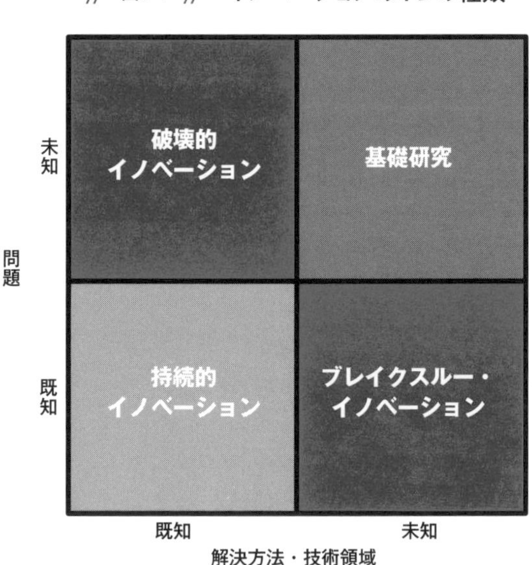

2種類目は、「**ブレイクスルー・イノベーション**」です。解決すべき「問題」はよくわかっているにもかかわらず、「解決方法・技術領域」についての理解が不明瞭なことが、この種類のイノベーションの特徴です。

例をあげてみましょう。スマートフォンの普及に伴い、「画面が割れる」という新たな問題が発生しました。問題自体は明白ですが、解決は容易でなく、消費者もメーカーも、かさばるスマートフォン用ケースくらいしか解決策を見つけられませんでした。そこに登場したのが、米コーニング製の「ゴリラガラス」でした。ニューヨークに本社をかまえるコーニングは、これまでもガラス業界でブレイクスルー・イノベーションを起こしてきた老舗企業です。同社は1879年、トーマス・エジソンのために最初のガラス製電球を製造し、また宇宙船フレンドシップ7号に宇宙船用窓ガラスを供給し、ジョン・グレンによる米国初の有人宇宙飛行に貢献しました。インターネット接続に使う光ファイバーの原料になる高純度溶融シリカを1932年に偶然発見したのも同社のフランク・ハイドです。

同社が成しとげた最近のブレイクスルー・イノベーションの1つが、ゴリラガラスの開発です。市場における最高強度のガラスというだけでなく、0.5mmから2mmという驚異的な薄さを実現しました。ガラスが薄いことで機器全体が軽量化され、メーカーの輸送コスト削減にもつながりました。[2]

2011年までに、ゴリラガラスは当時の全世界の携帯電話の約20%に相当する2億台の機器に搭載されました。[3]

3種類目のイノベーションは、既存業界を破壊する「**破壊的イノベーション**」です。私たちがイノベーションと聞いてすぐに思い浮かべる、大きなインパクトのあるイノベーションのことです。破壊的と呼ばれるのは、現在の市場における各社の事業活動を破壊するからです。破壊的イノベーションは価値基準を一変させ、既存の解決方法を陳腐化させるとともに、これまでわき役だった顧客層や新たな企業を主役の座に押し出します。音楽コンテンツの買い方や聴き方を根本的に変えたiPodは、その典型例です。[4] 他にもウーバーやネットフリックス、エアビーアンドビーなどがあげられます。

一言で言うと、競争の根底を一変させるのが、破壊的イノベーションです。市場における技術進歩やそれ以外の変化に伴い、企業は顧客が特に求めていないことに関して、自社の製品技術や能力をどんどん向上させ続けてしまう可能性があります。このような場合には、製品のイノベーションを行っても意味がなく、ビジネスモデルのイノベーションが必要です。[5]

最後の4種類目のイノベーションは、「**基礎研究**」です。グレッグによれば、基礎研究は、問題（あるいは市場）が何なのかも、解決方法・技術領域が何なのかも十分に把握できない分野で必要とされます。基礎研究が必要とされるのは、草分け的なイノベーションがはじめから完全に整った形で登場することはめったになく、何の役に立つのかわからない新たな現象の発見からはじまるのが、世の常だからです。[6]

このように、自分が対象としているイノベーションの種類を明確にすることで、議論が研ぎ澄まされ、お互いの認識のずれがなくなり、進捗状況をはかる適切な指標を見極めやすくなります。

長年の問題を解決するブレイクスルー・イノベーションや、既存業界を破壊する破壊的イノベーションは、漸進的な持続的イノベーションとは大きく異なるため、異なるやり方で定量評価する必要があります。[7] 漸進的な持続的イノベーションでは、プロジェクトがパイプラインをいかに効率的に進んでいるか、財務リターンの予算に対する実績の推移はどうかなど、「効率性」に焦点を当てた指標が適切です。一方で、「**ブレイクスルー・イノベーションや破壊的イノベーション**」では、新しいことにつきものの不確定性に適応するため、異なる測定方法が必須となります。これこそが「**イノベーション会計の目的**」なのです。

1歩離れて眺めると、イノベーションを未達成の事業機会と未解決の事業機会に分類できます。一般的に、未達成の課題を達成するのは骨が折れることですが、各種の法則や対処法を使って取り組み可能です。また、例えば階層構造化するなど、体系化したり特定の手順に落とし込んだりすることで達成できる可能性があります。解決方法・技術領域がわかっている漸進的な持続的イノベーションがこれに該当します。一方、解決方法あるいは解決すべき問題がわかっていない未解決の課題は未知の要素が非常に多く、また相互に関連する要素が非常に多いため、特定の型や手順に落とし込むことができません。

例えば、ブロックチェーンを活用した認証ソリューションを自社の顧客のために導入することは、容易には達成できない煩雑な問題ですが、優れたプロジェクト管理能力と適切な技術力があれば実現可能です。ところが、ウーバーやエアビーアンドビーのような革新的なビジネスモデルを持つ競争相手の参入にどう対処すべきかという問題は、未解決の複雑な問題です。対処方法を教えてくれるアルゴリズムはありません。[8]

// 図1-2 // 4つのイノベーションの分類

問題 ＼ 解決方法・技術領域	既知	未知
未知	**破壊的イノベーション** 未解決の事業機会	**基礎研究** 未知の事業機会
既知	**持続的イノベーション** 未達成の事業機会	**ブレイクスルー・イノベーション** 未解決の事業機会

イノベーションとデジタル・トランスフォーメーション

話を先に進める前に、企業の成長に寄与する別の施策である「デジタル・トランスフォーメーション（DX）と、イノベーションとを混同すべきでない」という事実を明確にしておきたいと思います。[9]これら2つの活動を明確に区別することで、これらの進捗状況を把握する定量評価の指標が異なることがわかります。

端的に言えば、イノベーションとは新たな価値を創造するプロセスであり、その意味で企業におけるイノベーション施策とは主にブレイクスルー・イノベーションや破壊的イノベーションの施策を指します。一方でDXとは顧客満足度の向上や事業運営コストの削減を実現しつつ、既存のビジネスモデルと事業運営の価値をデジタル時代においても維持しようとするプロセスで、一種の持続的イノベーションと言えます。

会計的には、破壊的イノベーションやブレイクスルー・イノベーションは市場の創出によって企業の売上成長に寄与し、DXは事業運営コストの削減で利益に寄与すると定義できます。

あなたの地域の銀行を例に考えてみましょう。DXの取り組みとして、手書きの署名を代替するオンラインの生体認証を導入するかもしれません。一方でイノベーションの取り組みは、例えば1枚のクレジットカードに紐づくすべてのサブスクリプション契約を簡単に管理できる新たなソリューションの提供でしょう。

イノベーションとDXには、顧客中心、反復的な開発、最先端技術の活用といった共通点がありますが、評価方法は異なります。

破壊的イノベーションやブレイクスルー・イノベーションの評価方法は、不確定性の高い状況に対処できるように設計されており、新事業への投資や売却の判断を証拠に基づいて実施するのに役立ちます。一方、DXの評価は不確定性の低い状況で実施され、企業が旧型ソリューションから効率的に移行することや、移行により直接的な成果を出すことが、評価のポイントとなります。[10]そしてほとんどの場合、その成果は事業運営コストの削減額として財務会計に直接表れます。

ただし「イノベーション会計システム」の設計・導入は、たやすいことではありません。なぜなら、著名なコラムニストのウィリアム・ブルース・キャメロンの有名な言葉のように、「重要なものすべてが計測可能とは限らない。計測可能なものすべてが重要とは限らない」からです。

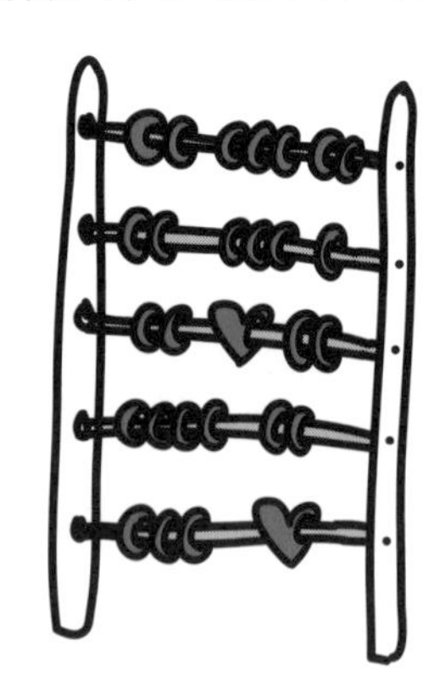

Worksheet

自社におけるイノベーションの定義を策定する

イノベーション会計システムを構築し、導入するための第1歩は、自社内のすべての関係者のイノベーションに関する認識を共通にすることです。「イノベーションとは何か」と質問すると、あまりに多岐にわたる答えが返ってくることに驚くでしょう。大きなグループになればなるほど、答えはいくつかの方向に収れんしていきます。人によってイノベーションへの期待が違うのですから、これは当然です。イノベーションの効果を、ある人はプロセスの観点で、ある人は最終利益の観点で、また別の人はコスト削減の観点で期待し、人によってはイノベーションを新たな収入源の探索手段と捉えています。

企業内でイノベーションの定義を統一するために、私たちはワークショップ用のシンプルな合意形成ワークシートを作成しました。次ページをご覧ください。

このワークショップでは、合意形成ワークシート、付箋、サインペンを使います。

このワークシートを、左から右に水平方向に進めていき、右端まで行ったら次の段に移って同様に繰り返します。

ワークショップでは、まず参加者に自分の言葉でイノベーションを定義してもらいます。それぞれ付箋に定義を書いてもらい、似たものをまとめます。おそらく、いくつかの固まりができるので、ワークシートの最初の質問の下にある「反復1」欄に貼り付けます。

参加者にはあれこれ聞かず、残り4つの質問も同じ方法で作業を続けます。

質問に対する「反復1」の回答が出そろったら、「反復2」をはじめます。

「反復2」では、各質問について「反復1」欄の回答を読み上げ、なぜそう思うのか、具体例があるか、より詳細な定義はどんなものか、などの質問を参加者に問いかけます。
「反復2」の作業の目標は、全員が納得する新たな答えを作って、固まりの数を半分に減らすことです。
すべての質問に対して、このプロセスを繰り返します。

「反復2」が終わったら、「反復3」をはじめます。「反復3」の目標は、それぞれの質問に対する答えを1つに絞り込むことです。
このプロセスを通じて、関係者間の合意形成を確実に進めることができ、また自社におけるイノベーションの意味が明確になります。

過去の経験に基づくと、15人以上のグループで全員が納得する答えを得るには、平均3回の反復作業が必要です。グループの人数やメンバー構成によって、より多くの回数が必要な場合もあれば、少なくて済む場合もあるでしょう。

// 図1-3 // **定義の統一　ワークシート例**

自社にとってのイノベーションの定義は何か?	この業界で成功するために必要なものは何か?	イノベーションに関して、自社にとって重要なことは何か?	自社で高レベルのイノベーションが起こっている場合、どのようにすればそれを認識できるか?	自社のイノベーションの方法に名前をつけるとしたら、何と呼ぶか?
反復1	反復1	反復1	反復1	反復1
反復2	反復2	反復2	反復2	反復2
反復3	反復3	反復3	反復3	反復3

Chapter 1 Point

・イノベーション会計システムを導入する前に、まずイノベーションの定義について全社的に合意形成する必要があります。

・ブレイクスルー・イノベーションや破壊的イノベーションのような、不確定性が高い新プロジェクトには、イノベーション会計システムが必要です。

・イノベーションとDXは違います。

・DXは、イノベーションの代わりにはなりません。DXは、旧型のビジネスモデルの有効期限を延ばすことで企業の利益に寄与します。一方で、イノベーションは新たなビジネスモデルを生み出すことで売上高の拡大に寄与するのです。

第 2 章

イノベーションと会計の対立

Innovation vs. Accounting

“これまでの会計は死んだ。
しかし会計の概念は不滅だ。”

「投資家がデータを重視しない」、あるいは「経営陣が自社の将来を左右する意思決定の際にデータを見ない」と文句を言うのは的外れでしょう。データがあっても、質が悪いから使わないのです。

法律により、すべての企業に財務会計の記帳が義務づけられています。会計帳簿のない企業は、法的義務（納税義務、金融商品取引上の信用のための業績開示義務、など）を果たしているとは言えません。財務会計の「**スコアボード**」を構成する主要な文書は、損益計算書、貸借対照表、キャッシュフロー計算書の3つです。

しかし、この「スコアボード」には、企業の半面しか表示しないという問題があります。表示されるスコアは旧来の対面販売型の事業を前提としており、現代のデジタル・サービス企業には不利に働きます。現代の株式市場において、この時代遅れの「スコアボード」は刷新されるべきです。そして、それを誰よりもよくわかっているのは投資家です。

今日の投資家は情報の入手方法を見つけること、すなわち過去の統計数字を深く掘り下げ、その企業の将来を予測する方法を見つけることに、やっきになっています。しかし結局のところ、過去の業績を深く解析しても、将来の成果は保証されません。そのため今日の投資家は、1年前の利益額にはそれほど興味を示しません。それよりも投資先を判断するための材料として、これから起こることを知りたいのです。[11]

どんな手法で発信するにせよ、企業が発するメッセージは、投資してくれる可能性のある人たちに、自社の将来性についての信頼を与えるものでなければなりません。これに反した例として、2018年に産業界の巨人GEの時価総額が下落し、ダウ・ジョーンズのインデックスから外されたことを考察してみましょう。組織を変革し、従業員のスキル強化をはかったにもかかわらず、同社が将来の方向性を明確に示せなかったために、投資家の評価が下がったのです。[12]

興味深いことに、かつてダウ・ジョーンズが最初に選定したインデックス企業の中で、最後まで残っていた企業がGEでした。さらに面白いことに、かつてダウ・ジョーンズ・インデックス企業は創業数百年の老舗企業が主体でしたが、現時点の入れ替え率から換算すると、現在のS&Pダウ・ジョーンズ・インデックスのS&P 500企業は10年以内に半分が入れ替わる計算になります。[13]

では、このように過去とは対照的に企業が短命化したという事実は、私たちに何を物語っているのでしょう。「古を捨て、新しきを迎えよ」という話なのでしょうか？　簿記をもとにした現金会計の時代が終わったということでしょうか？　おそらく、既存の財務報告書すべてを捨てないにせよ、企業会計に表れていない部分を表に出し、企業の将来の方向性をより正確に描く、将来シナリオを追加した会計システムに目を向けるべきときが来たのでしょう。

納得するための材料が欲しければ、ニューヨーク大学スターン校のバルーク・レブ教授が1993年から2013年にかけて20年間にわたって実施した調査の結果があります。これによると、投資家にとって財務報告書の価値が下がっていることがわかります。[14]

// 図2-1 // 投資家の参照情報の変遷

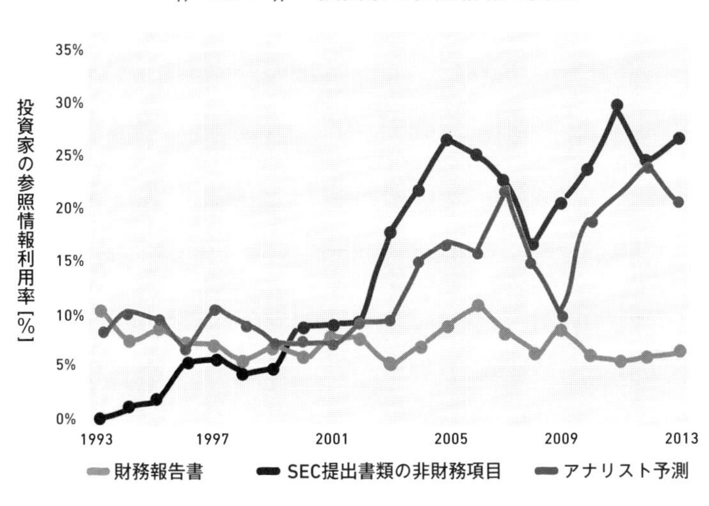

1993年時点で投資家が参照した情報のうち財務報告書の占める割合はおよそ10%でしたが、20年後の2013年には財務報告書の占める割合はほぼ半減しています。一方で、アナリスト予測や米国証券取引委員会向け財務諸表および公式文書（SEC提出書類）の会計以外の情報を参照する割合は指数関数的に高まっています。

ちなみに偶然かどうかは別にして、投資家にとってのアナリスト予測やSEC提出書類の会計以外の情報の有用性が急激に上昇しはじめたのは、インターネット系ビジネスの時代が到来した2000年代初頭からです。

財務会計が抱える難問

財務報告書の有用性が低下した背景には、財務会計が抱える4つの難問があります。

難問1 » 過去の事実に基づくことが財務会計の絶対的な強みである一方、新しい企業や既存企業の新事業アイデアの潜在価値を把握するための道具としては役に立たない

現実に目を向けましょう。近年のIPO（新規株式公開）や大規模出資案件の中には、将来的な潜在価値を深く理解し、その価値を信じなければ、検討すらされなかったであろうものがいくつもあります。例えばウーバーです。それまでの2年間に赤字を計上し続けていたにもかかわらず、ウーバーの2019年5月のIPOでは、同社の評価額は824億ドルもの規模になったとニューヨーク・タイムズ紙が報じています。[15]そして上場後の同社の評価額は、当初はIPO時より下がったものの、同社が2020年第4四半期のEBITDA黒字化を予測したこともあり、本稿執筆時点（2020年2月）では株価が復活しています。

同様に、ツイッターはIPO前に7,900万ドルの損失を計上しましたが、2013年のIPO時の評価額は240億ドルでした。[16]これもまたイノベーションに強く根ざしたテクノロジー企業の話であり、「従来型」会計指標だけで判断するなら、そもそも上場できなかったでしょう。

同じことが、2016年のマイクロソフトによるリンクトインの買収や、2014年のフェイスブックによるワッツアップの買収にも当てはまります。このような買収における「スコアボード」の主な表示内容は、従来型の会計手法によるスコアでなく、買い手企業にもたらされる将来的なメリットであったはずです。

これらの企業のCFO自身も、従来指標だけでは自社の時価総額を正当化できないことを認めています。従来指標の代わりに、進行中のプロジェクトのオプション価値（第5章の解説メモ「リアルオプション」を参照）の合計額、あるいは最良シナリオの期待利益の合計額を、自社の市場価値と見てほしい、というのがこれらのCFOの考えです。あるCFOにいたっては「自社の企業価値を、株価収益率ではなく、事業アイデアに基づいて考えていただきたい」と述べています。[1]

これらのことから、企業が既存のビジネスモデルを実行しつつ、同時に新たな成長機会を模索しているかどうかを理解するための道具として、従来の財務会計は適切でない、と結論づけてよいのではないでしょうか。

難問2 » 会計に基づく財務報告書には、資産投入の最終結果である売上と利益しか記載されない

財務会計では、投入した資産がお金に戻るまでの途中段階に一切触れません。特定の売上目標を達成するために企業が用いる価値創造プロセスや、イノベーション・プロセスについて、財務会計は何も語ってくれません。

非常にわかりやすいのがデルの事例です。デルは純資産収益率（RONA）を追求した結果、業務機能の大半を台湾のエイスースにアウトソースしました。クレイトン・クリステンセンは著書『イノベーション・オブ・ライフ』（2012年、翔泳社）の中で、デルとエイスースの物語をギリシャ悲劇になぞらえて解説しています。はじめに、デルは回路やマザーボードの製造をエイスースに委託しました。その後は次第に、部品仕入先の管理やコンピューターの設計業務なども委託するようになりました。デルがエイスースに新たな業務機能を委託するたびに、RONAの数値が上がっていきました。より少ない資産でより多くの収益を上げたので、株式市場はデルの高収益率に沸き立ちました。そしてある日、エイスースが自社製PCの発売開始を決め、状況は一変しました。エイスースの決定はデルにとって大打撃でしたが、もはやデルには迅速に対処する手段がありませんでした。なぜなら、デルは将来の競争相手に業務機能のほぼすべてをアウトソースしていたからです。

デルの話は、企業のリーダーにとって重要な教訓と言えます。財務的な成果を追い求めすぎると、自社の価値創造システムを理解していなかったことが露呈し、自身の無能ぶりを市場にさらけ出す羽目になりかねないという教えです。

また、企業文化、パートナーや製品エコシステム、主力事業のネットワーク効果や口コミ効果などが企業の利益の源泉だったとしても、会計に基づく財務報告書には、それらの価値はまったく記載されません。アップルのアップ・ストア、ザッポスの顧客サービス文化[17]、ウーバー、エアビーアンドビー、スポティファイなどの口コミ効果など、これらにどれだけの価値があるかを考えてみてください。

多くのデジタル企業の最重要命題は市場リーダーとしての地位を獲得し、「勝者総取り」[18]の利益構造に到達することですが、財務会計報告書ではそのような活動の進捗状況を表現できないのです。

それ以外にもいろいろと問題があり、例えば資源の利用回数が増えるほど価値が高まるという概念は、財務会計の論理ではありえない話です。本来は老朽化による資産価値の減少分を1年ごとに減価償却費として費用計上するはずが、資産価値が増加するため逆に利益が発生します。それはつまり会計用語で言うと「マイナスの減価償却費が発生すること」になるのです。ですからデジタル企業の成功を支える根本的な考え方である1度確立したデジタル資産を使いまわすことによる「収穫逓増モデル」は、「資産を使用すれば価値が減る」という財務会計の基本思想に反するのです。[19]

難問3 » 会計システムでは、まだ起きていないことを定量評価できない

この問題はイノベーション・プロセスに直接影響します。アイデアを事業化するのは一筋縄ではいきません。試行錯誤で小さな失敗や費用計上を数多く繰り返した末に何らかのきっかけをつかみ、好転するのです。これら試行錯誤は無形資産とも考えられるのですが、財務会計的な観点では、試行錯誤を繰り返した費用だけが計上されます。それが問題なのです。

その費用を使って得た知見で、間違った方向に進むのを未然に防いだことに伴う費用の節約分は計上されません。イノベーション活動の管理に財務会計を使おうとして、試行錯誤から得た学びを金額換算して計上しようとしても、深みにはまるだけです。

良いことも悪いことも含め、財務会計では起こったことしか定量評価できません。これは、イノベーション部門だけで起きる問題ではありません。製造部門ではムダを撲滅していくリーン生産方式を採用することで大きな費用削減効果が得られます。ところが費用削減活動の良し悪しは財務諸表には表現されないのです。[20]

難問4 » 企業の中で最も高い価値を持つ資産が、会計上の資産として認識されない

オスカー・ワイルドは、「皮肉屋とはあらゆるものの値段を知っているが、価値については何も知らない人間のことである」という言葉を残しています。世の中のほとんどの財務担当役員もそうではないか、という人がいます。

企業の貸借対照表を見てみましょう。無形資産を除けば、貸借対照表に計上される資産には有形の実体があり、自社が所有している必要があります。しかしながらデジタル企業には、本質的に無形の資産がいくつもあることが多いのです。しかも、多くの企業は所有することよりもアクセスできることを重視し、有形固定資産を所有せずに設備をレンタルしています。また、多くの企業は自社の企業ブランドを超えた広がりを持つエコシステムを形成しています。例えば、アップルのアップ・ストア向けにアプリを開発・提供する開発者のエコシステムがあげられます。

製品在庫資産についても、デジタル企業には有形の実体を持つ製品はゼロもしくは少ししかなく、在庫もほとんどありません。そのため、アナログ企業とデジタル企業の貸借対照表にはまったく異なる姿が描かれます。資産が1,600億ドルで企業価値が3,000億ドルのウォルマートと、資産が90億ドルで企業価値が5,000億ドルのフェイスブックの対比がよい例です。

技術や製造能力の発達により、会計上の資産はどんどん汎用品となっていきます。建物、生産設備、車、船、飛行機などの資産は、競争相手の誰もがおおむね同じように入手できます。例えば物流会社は、会計上の資産だけでは競合他社に勝てません。使用する飛行機やトラックの能力は、自社も同業他社も（まったく同じではないにしても）たいして変わらないからです。[21]

では企業がどこで差別化するのかと言えば、これら資産を活用し、価値を生み出す（人的）資源や（イノベーションのような）価値創造プロセス、となります。ところが、これらの資源やプロセスは、無形資産だったり、まったく計上されていなかったり、場合によっては負債として計上されていることすらあるのです。

このように考えると、投資家にとって財務諸表の利用価値が低下したのは当然と言えます。投資家は売上や利益への道筋を把握することで、企業の戦略や実行力をよりよく評価し、将来の業績予測の精度向上につなげたいと考えているからです。[22]

長年の試行錯誤や利用実績にもかかわらず、財務会計システムでは価値創造プロセスの重要な側面が見落とされているのです。財務会計上の資産はどれも、人間の関与なしには顧客価値を創造できず、収益性を高められません。例として、よくイノベーション・ラボに設置されている3Dプリンターを見てみましょう。このプリンターは、会社の帳簿に有形固定資産として計上されています。しかし、プリンターだけでは何の価値も生み出せません。将来的に自社の次世代の主力製品となる可能性のあるプロトタイプを設計する人間が、プリンターには必要なのです。これと同じことが、他のすべての財務会計上の資産にも当てはまります。

ここでの大きな問題は、会計上の資産から顧客価値を生み出すための人的資源、時間、プロセスが、財務会計システムではOPEXすなわち事業の運営費用として計上されていることです。つまり、基本的にCFOの視点では、すべての社員は負債なのです。「社員が我が社の最大の資産です」というよくある美辞麗句とはかけ離れているのが実態です。

「社員が我が社の最大の資産です」という決まり文句は建前で、実際には経営者が財務会計システムの数字をもとに仕事をしている何よりの証拠は、費用削減が必要なときに経営者が最初にとる行動が解雇や賃金カット、研修費の削減であることです。

従業員、企業文化、プロセスなどを資産として計上することができれば、その資産の価値を高めることが企業の最大の関心事になるでしょう。企業は研修、メンタリング、研究開発、工程改善に時間とお金を投資し、資産価値を高めようとするでしょう。自分が大切にされていると感じれば、従業員の仕事への満足度も高まります。その結果として、従業員の貢献意欲が増し、欠勤率や離職率が低下し、優秀な人材が確保できるので、生産性の向上につながり、雇用主にも恩恵が生じます。

すでに人材を資産として扱い、帳簿に計上している優良企業があります。どんな組織かといえば、プロのサッカークラブです。マンチェスター・ユナイテッドPLC[※1]が、ニューヨーク証券取引所に提出した2014年の年次報告書[23]によると、選手が貸借対照表で資産として扱われていることがわかります。

この報告書によると、選手の資産計上に関する会計処理は、他の資

※1 訳注：PLC（公開有限会社）とは英国の会社形態の1つであり、日本の株式会社に相当する。

本資産と何ら変わらないことが見て取れます。[24] 具体的には、選手の獲得費用を資産とし、その選手との契約期間にわたって定額法で減価償却しています。[25]

ただそうは言っても、例えばエネルギー会社が、サッカークラブのように従業員を扱うようになるかと言うと、そんなことを今さら期待するのは現実的ではないでしょう。しかし、取締役会にできることが1つあります。それは、財務会計システムを補完し、その弱みを軽減する新たな会計システムを設計・導入することです。そうすれば、これらの戦略的資源は財務会計上の資産と同様に、より高い価値を生み出す優良資産へと育成・開発されていくでしょう。

自社の資源を効果的に運用し、継続的にイノベーションを続ける企業は、競争の場で常に相手の一歩先を行くことができます。現在および将来の競争相手を、自社を追いかける立場に常に追いやることで、持続的な競争力を獲得できるのです。[26]

産業界全体で無形資産に基づくデジタル企業の存在感は増しており、また旧来の有形資産に基づく企業のデジタル化も進展していることから、もはや会計学と会計基準の改善は必須と言えます。イノベーション主導のデジタルな経済社会に適合するためには、既存の財務会計システムを補完する手段が必要なのです。今こそイノベーション会計の出番です。

Chapter 2 Point

・財務会計は、企業の半面しか表現しません。というのも、財務会計は最終結果のみを定量評価し、そこに至るまでのプロセスや費用削減の取り組み、学習効果などは定量評価しないからです。

・過去の事実に基づくことが財務会計の絶対的な強みである一方、新しい企業や既存企業の新事業アイデアの潜在価値を把握するための道具としては、財務会計はあまり役に立ちません。

・人的資源、企業文化、エコシステム、プロセスは、財務会計では資産として認識されません。

第 3 章

イノベーションの定量評価に関する迷信と原則

Myths and Principles of Measuring Innovation

“原理原則は世界共通で例外なく当てはまる。
残念なことに、根拠の薄い社会通念、
いわゆる迷信も同じである。”

イノベーションの定量評価は、長年にわたりイノベーション管理の要諦と考えられてきました。2019年のレポートでガートナー社は、イノベーションを正確に定量評価できないことが、企業のリーダーがイノベーションへの投資を躊躇する最大の理由だと指摘しています。[27]

本章では、効果的なイノベーション会計システムの原則を詳しく見ていきます。その前に、イノベーションの定量評価ついて、現代の企業が誤解している点を見てみましょう。

イノベーションの定量評価についての迷信

企業のイノベーション測定について、広く信じられている迷信がいくつもあり、イノベーション測定の方法や実施の判断に影響を与えています。残念なことに、これらの迷信は現実世界とかけ離れていて、実情を反映していません。このような迷信を根拠に意思決定すれば、自社事業に害を及ぼしかねません。ここでは、イノベーションの定量評価についてよく耳にする迷信の矛盾を暴いてみたいと思います。

迷信1 » 研究開発費は イノベーションのよい指標である

企業が研究開発費をイノベーションと同一視したり、研究開発費の額がその企業の革新性の程度と相関すると考えたりするのは、一見論理的に思えます。しかし、たとえ研究費であっても、支出とイノベーションは同じではないのです。ある種の常識として研究開発とイノベーションを同一視しそうになりますが、データの示す事実は異なります。

プライス・ウォーターハウス・クーパースのストラテジー&ビジネス部門は、世界で最も革新的な企業1,000社を12年以上にわたって毎年発表しています。彼らの分析の結果、研究開発費と企業の持続的な業績には統計的に有意な相関性はないと判明しました。[28]

研究開発費の総額に対しても、売上高に対する研究開発費の比率に対しても、結果は同じでした。[29][30] 同社が発行したすべての年次報告書において、最も革新的な10社と、研究開発費の上位10社は異なることが多いのです。

研究開発に費用を投じれば、確かに企業の保有特許数は増加しそうです。特許数が増えればそれだけイノベーションの可能性が広がるのかもしれませんが、未使用の特許の山に囲まれていても、まったくイノベーティブとは言えません。仮に1つひとつの特許が新たな用途や事業機会を生み出し得るとしても、市場に送り出さずにせっせと特許を積み上げているばかりなら、単なる自己満足にすぎません。

実例で考えてみましょう。1970年代後半、ゼロックスはパロアルト研究センター（PARC）でコンピューター用のマウスを発明し、さらにマウスで動作するコンピューターを発明しました。そのときまで、コンピューターの操作はキーボードでコマンド入力していました。しかし、この新発明によってクリックやドラッグ、ウィンドウの開閉など、まったく新しい方法でユーザーがコンピューターを利用できるようになったのです。

それではなぜ、ゼロックスはこの技術を生み出した企業として有名でないのでしょう。その理由の1つはゼロックスには自分たちの生み出した技術の素晴らしさを認識できなかったためです。そしてもう1つの理由は、他の人、すなわちスティーブ・ジョブズという名の若い起業家には、この技術の素晴らしさを認識できたためです。少なくとも、伝説ではそう伝えられています。

ある日、ゼロックスを訪れたジョブズはマウスのデモを見て衝撃を受けました。あまりの衝撃にジョブズは慌ててアップルに戻り、マウス、ウィンドウ、そしてコンピューターの新しい操作方法の開発を技術チームに即座に要求しました。しばらくして、アップルはマッキントッシュを作り上げました。その後は皆さんご存知の通りです。

ジョブズがゼロックスを訪れたのは1回でなく2回だとか、すでにアップルは同じ時期に類似技術の研究をしていたなど、この話の詳細については諸説がありますが[31]、いずれにしてもこの伝説は重要な教訓を示しています。特許を取得したり、新しいアイデアを思いついたりするだけではイノベーションでなく、それらを使って何かを実現してはじめてイノベーションだということです。もしもゼロックスにその天才的な開発力を商業的な成功に結びつける能力があったなら、「ゼロックスは、IBMとマイクロソフトと今のゼロックスを合わせた規模の、世界最大のハイテク企業になっていたに違いない」と、ジョブズ自身が語っています。[32]

迷信2 » イノベーションは定量評価できない。なぜならイノベーションは創造力であり、創造力は定量評価できないからだ

イノベーションと創造力は混同されがちです。[33] 経営者たちは素晴らしい新製品を市場に投入して成功したスタートアップ企業を見て、同じようにかっこよく、新しく、キラキラ輝く新製品を夢見がちです。

企業は毎回この罠に陥ります。大勢の「クリエーター」を1つ屋根の下に集めて、次の大ヒット商品を考えてもらうことが、イノベーション力を強化する最良の方法だと考えてしまうのです。誤解のないように明記しますが、確かに素晴らしいアイデアはイノベーションの重要な創出源です。しかし、自己主張の強いクリエイティブ人材をたくさん集めたところで、素晴らしいアイデアを生み出す必勝法にはならないのです。それだけではありません。企業がアイデア創出だけで満足していると、結局は大きな失望を味わうことになります。スコット・アンソニーは、著書『The Little Black Book of Innovation』（2011年、Harvard Business Review Press）の中で、「イノベーションとは、事業機会を見つけ、それをものにする事業アイデアを描き、その事業アイデアを実現して成果を達成するまでの一連のプロセスである。現実に価値を生んではじめてイノベーションだと肝に銘じよ」と述べています。

その意味で、イノベーションはある種の規律であり、習得し管理するものと言えます。労力のかかる大仕事なのです![34] しかし、もしイノベーションが創造力というより規律や手順であるなら、企業の他の活動と同様に定量評価できるはずです。

迷信3 » 実際に市場に投入しなければ、画期的な新事業の成否ははかれない

これはまったくの見当違いです。事業アイデアの成長過程にはさまざまな手がかりが存在し、手がかりを見れば正しい道を進んでいるかどうかを見分けられます。

例えば、あるチームが1つの具体的な問題を解決する新製品を開発しているとします。チームが潜在顧客にこの問題についての体験談をインタビューしたところ、実際には1人としてこの問題に悩んでいないようでした。つまり、このインタビュー結果を見る限り、チームが解決しようとしている問題は実在しないようでした。もしこの手がかりに気づかずそのまま開発を進めれば、このチームは実在しない市場向けにソリューションを開発してしまった、という結末を迎えかねません。

ベンチャー・キャピタルが利益を上げているのは、これらの手がかりを把握し、適切に対応しているからです。イノベーションによる成長を目指すなら、企業はすぐに研修プログラムをはじめ、自社のマネージャーたちが、これらの手がかりを認識し、適切に対応できるようにする必要があります。

迷信4 » すべてがKPIである

指標として適切かどうか、重要かどうかにかかわらず、どんな指標でもKPI（重要業績評価指標）と呼びがちです。

まず、KPIとKRI（重要結果指標）は異なります。イノベーション・チームの日々の活動状況を評価するのが業績評価指標で、財務数字ではありません（例：解約率、来月分のコーチング・サービスの顧客からの予約時間数の状況、来月分の顧客インタビューの確定件数など事業の状況を金額以外で示す数値）。一方で結果指標は、実施済みのプロセスの結果をまとめた数値です（例：純利益、使用資本利益率、累積顧客満足度、従業員満足度など）。[35]

迷信5 » 社内の事業アイデア数を測定すれば、イノベーションを定量評価したことになる

事業アイデアの定量評価は、イノベーション会計システムの根幹で

す。川上に事業アイデアがなければ、川下でのリターンはまったく期待できません。しかし、アイデアリストにたまっている未検討の事業アイデア数や、現在実行中のプロジェクト数を測定するだけでは、到底十分とは言えません。

会社によっては新事業チームの活動を定量評価していますが、多くの場合には全社の新規事業ポートフォリオ全体を評価していません。また、検討を開始した事業アイデア数を測定している会社もありますが、2年後の事業アイデアの生存率や、既存の事業部門への事業アイデアの導入率を測定している会社はほとんどありません。

このようなことから、ほとんどの会社では、イノベーションについて断片的な情報しか得られていません。特定の事業部門や特定の指標に集中的に取り組み、その状況を把握しているのですが、自社のイノベーションの全体像を把握できていないのです。

より広い視野を持たなければ、企業のイノベーション・エコシステムを定量評価できません。つまり、2、3カ所を部分的に測定するのでなく、全体を定量評価する必要があるのです。

迷信6 » どんな企業でも同じやり方でイノベーションを定量評価できる

誤解が多いのですが、どんな企業でも同じやり方でイノベーションを定量評価できるわけではありません。なぜでしょうか？ 第一に、企業は多種多様だからです（B2B企業とB2B2C企業ではまったく異なります）。そして第二に、イノベーションの意義や重要度が、企業ごとに異なるからです。企業向けソフトウェア会社でのイノベーションと、一般消費者向けオンライン販売事業でのイノベーションでは、意味合いが異なります。対面型のサービス業でのイノベーションとなれば、まったく別物です。

イノベーション会計の原則は普遍的ですが、実際のイノベーション定量評価は状況に合わせて変える必要があるのです。各企業の独自性や特殊性を反映したものでなければなりません。他社のやり方を単純にコピーしてもダメなのです。

迷信7 » どんな種類のイノベーションでも、同じ方法でうまく測定できる

イノベーションには複数の種類がありますが、異なる「イノベーション」をひとまとめにして考えがちです。第1章で説明したように、既存の製品やプロセスを少しずつ改善していく持続的イノベーションと、一夜にして業界全体を覆すようなブレイクスルー・イノベーションや破壊的イノベーションとは異なります。異なるイノベーションには異なる定量評価が必要です。持続的イノベーションでは、効率性の観点に焦点を当てて測定する必要があります。具体的には、「それぞれのプロジェクトがどれだけ効率的に進捗しているか?」「収支計画に対する実績の積み上げ状況はどうか?」といった指標を評価します。それに対してブレイクスルー・イノベーションや破壊的イノベーションの場合には、新たな挑戦につきものの不確定性を踏まえて定量評価の方法を変えなければなりません。[6]

迷信8 » イノベーションを定量評価する唯一の理由は、イノベーション投資に対する経営陣や関係者の不安解消である

私たちは、世界中のさまざまなイベントやカンファレンスで、「イノベーション会計」というテーマで講演を行っています。そして、講演終了後にほぼ毎回、同じ相談を受けます。上層部に対して自分たちのチームやラボの存在理由を正当化するために、イノベーションの定量評価を実施したいので手伝ってほしいと言うのです。

イノベーションの定量評価が経営陣を納得させるためにのみ存在するという考えは、おそらく最大の迷信の1つでしょう。同時に、これはイノベーション会計の最大の落とし穴の1つでもあります。

確かに経営陣や関係者にとってイノベーション定量評価は重要ですが、彼らのニーズを満たすためだけに設計するべきではありません。仮に経営陣のニーズだけに基づいて設計すると、イノベーションの財務面に焦点を絞った視野の狭いものになりがちです。しかし、イノベーションの定量評価の対象は、一部（ここでは財務指標）でなく、イノベーション・エコシステム全体とそのプロセス全体とすべきです。なぜなら、イノベーション定量評価を社員の行動変化の起点とし、継続的な改善の基盤とすることが最終目的だからです。

迷信9 » イノベーション定量評価にインセンティブを紐づけることで、より多くの、よりよい成果が得られる

従業員を動かすのは何といってもお金であり、よりよい成果を達成するには、金銭的なインセンティブ制度が必須である、という話は迷信です。実際には、認められ、尊敬され、自己を実現できることが、より重要な動機づけとなります。組織形態を問わず、KPIを機能させるためにはKPIと個人給与の連動が必要だと考えがちです。しかし、KPIをボーナスに連動させると、個人的な利益を目的としたつじつま合わせになってしまう危険性が大いにあります。

そもそも、どんなKPIでもつじつま合わせ的になる可能性があるのですが、金銭的な利益に直結すると悪影響を受けやすくなります。あらゆる定量評価には、負の側面、逆効果、あるいは想定外の行動がつきものであり、業績低下につながりかねません。[37]

一例として、私たちがエンジニアリング会社のアクセラレーター・プログラムで、イノベーション・チームを指導したときの話をご紹介します。仮説検証実験の実施回数の重要性を知っていた私たちは、より多く実験してもらうためにチーム間で競争させることにしました。ところが、毎週の実験回数を測定すると伝えたとたん、各チームがすべての作業を何でもかんでも実験だと言いはじめたのです。こうなると、まったく別次元の問題です。実施内容のどれが実験で、どれが実験でないかを、チームごとに確認する羽目に陥ったのです。おかげで莫大な時間を浪費してしまいました。

これはエンジニアリング会社だけの話ではありません。別のプロジェクトで政府機関の社会福祉事業員を、完了した案件数で評価することになりました。ところが実際にプロジェクトを進めると、経験豊富なスタッフたちが自分たちで簡単な案件を大量に処理し、難しい案件を経験の浅いスタッフに任せる、という結果になってしまいました。[38]もちろん、望んでいた結果ではありません。

ここまでさまざまな迷信を紹介しましたが、イノベーション定量評価にまつわる迷信はこれですべてではありません。他にもたくさんの迷信があります。ここでご紹介した迷信は、自社のイノベーションを定量評価したいという企業のマネージャーたちと接してきた私たちの経験に基づくものです。逆にこれらの迷信を言い訳にして、イノベーション定量評価をまったく実施しようとしないマネージャーを目にしたこともあります。

プロジェクトの状況にかかわらず、イノベーションを定量評価できなければ、イノベーションの取り組みを支援するためのデータや証拠は得られません。そして、イノベーションの取り組みを支援するデータや証拠がないと、いくら有望な取り組みでも途中で棚上げにされてしまうことが多いのです。

イノベーション会計システムの原則

企業それぞれでイノベーションの中身は異なりますが、イノベーションの定量評価が必要という点はどの企業も同じです。業界ごとの特別なルールやしきたりに左右されない、普遍的な原則に根ざしたシステムでなければ、イノベーション会計システムは役に立ちません。

原則1 » 全社的なシステムであること

第一に、イノベーション会計システムは、新事業の成功可能性を予測する重要指標が連鎖した全社フレームワークでなければいけません。すべてが連鎖していることが重要です。鎖が切れていれば、取り組み全体に赤信号がともります。

このシステムを全社展開すれば、社内の複数の新事業を同じ基準で比較できるようになります。評価する側は、どの新事業が継続投資に最もふさわしいかを判断できます。[39]さらに、このシステムを使うことで、自社のイノベーション・ポートフォリオの各プロジェクトを金融オプションとして見るための視点を得られます（第5章の解説メモ「リアルオプション」参照）。具体的には、金融オプションとしての期待収入、ボラティリティ[※1]、付随費用が明確になります。

全社システムとして運用するために、経営陣からイノベーション・チームのメンバーまで、イノベーション部門から財務担当者まで、社内のすべての人にイノベーション会計システムを理解してもらい、内容に同意してもらう必要があります。

原則2 » 情報を抽象化できること

イノベーション会計システムは「情報を抽象化」できる必要があります。抽象化は本来コンピューターサイエンスの概念ですが、友人のマット・カーの指摘でイノベーション会計にも通ずると思い至りました。抽象化とは本質的な特徴を抽出し、詳細な背景情報や説明を省く行為です。コンピューターサイエンスでは、抽象化の原理は複雑さを軽減するために用いられ、複雑なソフトウェアシステムの設計と実装の効率向上に寄与しています。[40]

イノベーション管理に当てはめると、「抽象化」は各イノベーション・プロジェクトの日次や週次の報告書をもとに、経営陣が四半期や年単位で戦略的な意思決定を行うために必要な要点を抽出・整理することを意味します。例えば、経営陣や株主には、個々のチームの学習速度

※1 訳注：期待収入の変動の大きさのこと。

を詳しく見ることに時間を使わせるべきではありません。しかしチームの学習速度は、事業アイデアの市場投入までの時間やアイデアの生存率に重大な影響を与えます。したがって、イノベーション会計システムを適切に設計・導入し、実務上必要なデータが新事業開発チームから取締役会に滞りなく流れるようにする必要があります。

原則3 » 無形資産を可視化できること

イノベーション会計システムは、会計上認識される資産から利益を生み出すための戦略とともに、自社の成長資産の具体的な活用方法を説明できるものでなければなりません。[22]

この3つ目の原則により、バルーク・レブ教授の指摘（第2章図2-1参照）した、イノベーション定量評価における財務報告書の有用性の低下が軽減され、同時に人やプロセスといった無形資産や会計上認識されない資産をより重視できるようになります。

常にトップを走っている企業は、持続的な競争優位性を確立することで、競合他社との差別化をはかっています。そのためには、特許、ブランド、組織文化、独自のプロセスなどの戦略的資源を重視する必要があります。例えばネットフリックスは、独自の顧客別推奨アルゴリズムを他の要素と組み合わせて、他のコンテンツ・ストリーミング企業との差別化をはかっています。

皮肉なことに、このような戦略的資源や成長資産のほとんどは、財務会計システムに資産として計上されません。[41]なぜかというと、これらへの投資は直ちに費用（主に事業運営の費用：OPEX）として計上されるからです。

イノベーション会計システムの役割は、これらの支出を可視化し、単なる「費用」でなく「投資」として分類できるようにすることです。そうすることで、潜在的なムダも見つけられるようになります。

原則4 » 自社が破壊的イノベーションにさらされるリスクを明示できること

イノベーション会計システムを設計する際には、自社の事業が破壊されるリスクを明確に示せるようにする必要があります。

ハイエンド技術の低コスト化と技術進歩の高速化が相まって、旧来型のさまざまな産業が頻繁に破壊されるようになりました。

クレイトン・クリステンセンは、著書『イノベーションのジレンマ』（2001年、翔泳社）の中で、はじめて「破壊理論」を提唱しました。スタートアップや小企業がデジタル技術を駆使した代替製品・代替サービスや、新たなビジネスモデルを既存業界に持ち込み、巨大企業が統べる既存業界を破壊する、というのが破壊理論の基本的な考え方です。その過程において、慢心している既存事業者は地位を脅かされたり奪われたりします。このような現象は経済界[42]だけでなく、政界[43]、さらには国家間紛争[44]においてすら見られます。大まかに言えば、破壊とはより便利な、（たいていは）デジタル進化した選択肢を提供し、業界に進歩をもたらすことで、非効率な業界慣習や不透明な既得権益を得ている企業を排除する現象です。

破壊理論は、それを裏付けるような成功例だけを取り上げた偏った理論だという批判もあります。[45]しかし破壊理論を支持するか否かにかかわらず、変化は避けられません。変化が避けられないどころか、インダストリー4.0 が世界全体に影響しつつある状況を考えると、すべての産業に変化が差し迫っていると言えます。ウーバーが従来型の資産（車両）を持たずに業界のリーダーとなった事実は無視できません。

しかし、業界の破壊にはスタートアップ企業が既存企業から市場シェアを奪うという以上の意味があります。破壊とは「当たり前だったビジネス」が変化を遂げることです。お金の流れや提供価値が変わるのです。破壊によって停滞していた市場に新たな競争の波がもたらされ、インダストリー4.0へと移行していくのです。

破壊理論は、過去の説明にも将来の予測にも利用できます。イノベーション会計システムの助けを借りて、自社が破壊される脅威にさらされていることを企業のリーダーに理解させ、イノベーション・ラボを超えた全社的な対策を早急に講じる必要があるのです。

原則5 » イノベーション・エコシステムの改善に貢献できること

「エコシステム改善の意思決定に役立つ情報源」として、イノベーション会計システムを設計すべきです。イノベーション・エコシステムの構成要素は、プロセスと事業アイデアのポートフォリオだけではありません。イノベーション・エコシステムには、人材開発、パートナーシップ、文化も含まれます。つまり、イノベーション会計システムの役割は実施した施策と結果の因果関係を明らかにすることです。そうすることで、イノベーション会計システムから得られる知見に基づいて、効果の低い活動への投資を防げるようになります。

イノベーション会計はイノベーション管理の一部ですが、管理の対象はイノベーション・エコシステム全体に及びます。イノベーションにはさまざまな側面があることを常に忘れないでください。イノベーション会計システムは、どの新事業に投資すべき、どの取り組みをお蔵入りにするべき、といったことを判断するためだけに存在するのではありません。

スタートアップとの協業を強化すべきか、M&Aを倍増すべきか、スキル開発研修への投資を増やすべきか、といったことも、イノベーション会計システムのデータを根拠に判断すべき対象だ、ということです。

チーム、マネージャー、あるいはCEOのよりよい意思決定に役立つことが、イノベーション会計システムの究極の目的なのです。

// 図3-1 //　イノベーション・エコシステムの概要図

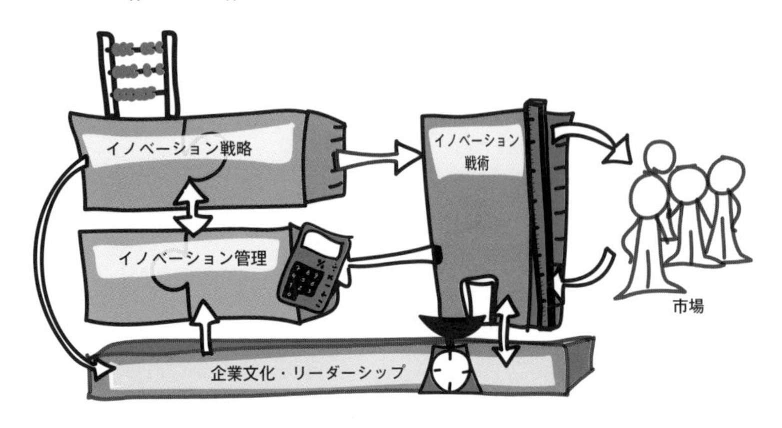

原則6 » イノベーションの重要な成功要因に注意を集中できること

データを扱う限り、膨大なデータに溺れることはありえますし、むしろ簡単に溺れてしまうでしょう。現代ではほとんど何でも測定可能なため、測定可能なものをすべて測定しようというのは、進むべき道ではありません。イノベーション会計システムでは「重要なものだけを見る」姿勢が重要です。

これは新事業開発チームのレベルでも、全社レベルでも同じです。データに溺れることは、データがまったくないのと同じくらいまずいことです。なぜでしょうか？　なぜならデータのないチームや組織は、短絡的な行動を起こす傾向があるからです。その行動は正しいか、直感以外の何に基づいているのか、といった議論はそっちのけです。そして、あまりに多くのデータを収集したチームや組織も、膨大な数の選択肢、すなわち可能性の幅広さに圧

倒されて、思考停止に陥りかねません。

その意味では、イノベーション会計システムの主な役割は、適切なことだけ、必要なことだけを定量評価することであり、選択したすべての測定指標に存在理由があるべきです。それぞれの測定指標が、企業、製品、あるいは個別プロジェクトの重要な成功要因（KSF）に紐づいているべきなのです。[46]

// 図3-2 // イノベーション会計の6原則

イノベーション会計システムの導入に当たって

イノベーション会計システムを設計し、自社に導入する際には、複雑になりすぎないように気をつけてください。私たちが経験上言えるのは、優れた定量評価システムは、行動の変化や前向きな行動を維持促進するという点です。

これ以降の章では、イノベーション会計システムの設計、導入方法を、より詳しく説明していきます。前述したイノベーション・エコシステムの構成要素からはじめて、個別の新事業取り組みの定量評価方法、イノベーション・ファネル（第6章「ポートフォリオとファネル」のコンセプト解説を参照）の定量評価方法、社内のイノベーション投資の効率性と効果の定量評価方法、能力開発と企業文化の定量評価方法に、それぞれ焦点を当てていきます。また、外部との協業の定量評価方法にも触れます。

現代は、企業イノベーション革命の初期段階です。本章に列挙した原則は、イノベーションを通じた成長という新たな経営手法の基盤となるものです。この経営手法は、信念よりも事実に基づく方法であり、意思決定プロセスの中心に事実情報をおく方法であり、イノベーション測定に関する財務会計システムの欠点を補完すべく設計された方法です。

// 図3-3 // イノベーション会計の全体図

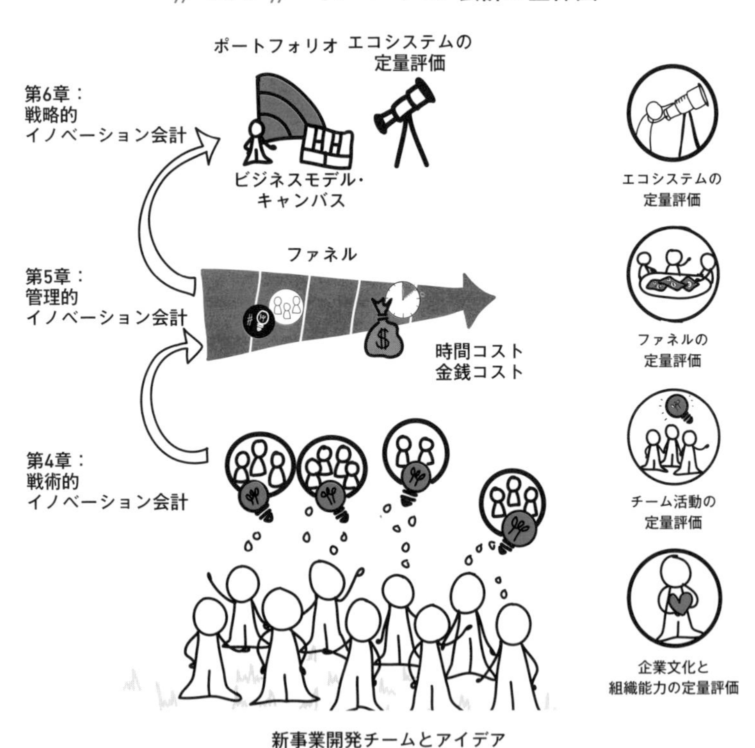

Chapter 3 Point

イノベーション会計システムには、順守すべき6つの基本原則があります。

1 全社的なシステムであること。
2 情報を抽象化できること。
3 無形資産を可視化できること。
4 自社が破壊的イノベーションにさらされるリスクを明示できること。
5 イノベーション・エコシステムの改善に貢献できること。
6 イノベーションの重要な成功要因に注意を集中できること。

イノベーション対談

トーマス・フォグス-エリクセン

DNV グループCFO

トーマス・フォグス-エリクセンは8年以上にわたりDNVのCFOを務めています。世界100カ国以上で活動し、12,000人の従業員を擁する独立系の保証・リスク管理サービス企業であるDNVは、その幅広い経験と深い専門知識を生かして、安全性と効率性の持続的な担保、各種規格・標準の策定、新ソリューションの創造・開発に邁進しています。

筆者：現代社会において、大企業は既存の業界内だけでなく、スタートアップ企業や大手テック企業など他業界からの参入者との競争に直面しています。このような状況下で、CFOの役割はどのように変化しているのでしょうか？

トーマス・フォグス-エリクセン（以下、TVE）：私は2012年からDNV GL（現在はDNVに社名変更）のCFOを務めています。それほど長い年月でないように思われるかもしれませんが、実は今日のデジタル世界では、7年はかなり長い期間と言えます。我々の業界は変わりました。特にいくつかの分野では、他よりも速く変化が進みました。

しかしながら、最大の変化はおそらく「変化のスピード」が変わったことです。これまでにも増して、そういった状況が進んでいます。ですので、新たな競合や潜在的な競合が本当に突然現れ、驚くことになるかもしれません。

何よりも増して、「変化が常態化」しています。したがって、世の中が変化し続けることを見越しておくべきなのです。

私がもう1つ思うのは、DXが時間単価と原料費にマージンを乗せた価格設定の古いビジネスモデルを、やがては「淘汰する」であろうということです。だからといって、組織に人がいなくなると言っているのではありません。間違いなく組織に人は存在し続けますが、時間単価と原料費をベースに製品やサービスの費用を請求できる時代ではなくなったのです。

筆者：イノベーションはコスト、あるいは少なくとも、未知の長期的リターンのための短期的コストと見なされています。CFOはイノベーション投資に対する「不安」にどう対処すればよいのでしょうか？

仮に何か見返りが得られるとしても、最終利益につながるのは将来であり、2年、3年、あるいは5年後には多少投資回収できるかもしれない、といった投資案件を、CFOはどのようなレンズ越しに見るべきでしょうか？

TVE：私が思うに、これはまさに的を射た質問です。従来型のCFOが直面するリスクは、彼らが過去に重きをおきすぎる点です。会計帳簿でわかるのは過去に起きたことだけです。歴史から学ぶことはできますが、変えることはできません。ポイントは素早く安く学び、未来に適応することなのです。

変化が常態化しており、自分たち自身を常に刷新しなければならないと知れば、イノベーション投資に対する「不安」を軽減できるかもしれません。しかしながら、我々にとっての最大の課題は、既存事業にも将来事業にも同じように投資をする必要がある点です。

だからこそ、将来を見据えてイノベーションを実行する際には、複数年度のアプローチをとらなければなりません。自社のイノベーション・プロセスと、新規開発を進める人々を信じられる限り、我慢は美徳と言えます。一般的に、CFOは敢えて失敗する必要があります。それというのも、失敗から学ぶことが市場や消費者を知る唯一の方法だからです。このような市場と顧客の学習を系統的かつ科学的に実施する必要があるのは明白です。会社を前進させるには、これしか方法がないのです。

イノベーション投資が短期の設備投資（CAPEX）にマイナスの影響を及ぼすことは、私もわかっています。しかしまったく投資をしなければ、2、3年後、あるいはその先に新たな収益を見込めないのです。

筆者：現代のCFOは、既存のビジネスモデルの深掘りと利益貢献を重視する短期の視点と、新規ビジネスモデルの開発と継続的な成長を重視する長期の視点という、相容れない2つの視点をどう扱うべきなのでしょうか？

TVE：ご質問の時間に関する2つの視点ですが、私は2つの別の部屋で、違う話をするイメージで捉えています。1つの部屋は業績の部屋で、この部屋では業績の指標について話をします。もう1つの部屋はイノベーションの部屋で、こちらの部屋ではイノベーションの指標について話をするのです。

1つ目の短期視点では、業績に関する既存の各種指標を通常通り適用できるので、どの指標を使うかの議論に時間をかける必要はありません。しかし、ときには2つの部屋の境界があいまいになり、例えば業績ミーティングの途中で、イノベーションについても議論しなければならない場合もあります。したがって、異なる評価指標を適用するために、2つの異なる時間的視点を素早く切り替える頭の柔軟性が必要です。例えば初期段階のイノベーション・プロジェクトを売上で評価することはありませんから。

しかし、例えば初期段階のデジタル製品の場合でも、私たちが問いかけるすべての質問は、将来的なプロジェクトの商業的成功の可能性に紐づく質問であるという点は、強調しておきたいと思います。どんなイノベーション・チームでも、最終的な目的は商業的成功だからです。しかし、例えば自社のソリューションで解決しようとしている特定の問題を、本当に顧客が抱えているか知りもしないうちに、価格の議論はしません。基本的には時間的視点の違い、すなわち2つの部屋に、議論の内容を合わせるのです。

筆者：イノベーションやDXを支援する気になれないCFOへのアドバイスはありますか？　イノベーションやDXを、まだはじめていない企業のCFOにもアドバイスをお願いします。

TVE：まず何より先に、鏡に向かって自分を見つめ、「自分は変える側に立つか、変えられる側になるか」ということをよく考えた方がよいと思います。あなたやあなたの会社の許しがなくとも、世の中はどんどん変わってしまうのです。昔ながらのExcelシートで過去データの分析に力を注ぎ、何とかやり過ごそうとしても、それでは後れをとる可能性が高いのです。

そうしたら次に、社内の誰もが納得するイノベーションのフレームワークを作らなければなりません。これまでとは異なる、さまざまなツール、能力、顧客との接し方、仕事の進め方などからなるフレームワークです。

そして、投資を通じて、特に能力開発や人材への投資を通じて、このフレームワークを機能させる必要があります。従来のやり方にとらわれない、イノベーターや起業家的な人材が必要です。

私の視点では、どんなプロジェクトでも結果は3通りになります。2つは成功で1つは失敗です。もちろん1番目は商業的な成功です。しかし2番目の成功は、速くて良質な失敗です。そもそもこれを失敗と呼ぶべきではなく、よい学習機会と呼ぶべきです。もしも顧客から興味深く貴重なフィードバックをたくさんもらい、有意義な学習機会になったのであれば、新サービスや新製品が実現しなかったとしても、プロジェクトから多くの学びを得られたわけです。そのこと自体は成功と言ってよいでしょう。

残りの1つ、すなわち失敗とは、動きの止まったプロジェクトを指します。こういうプロジェクトでは、何も起きず、どこにも到達しません。その場合には、即刻中止すべきです。
最後に、CFOは取締役会メンバーに「長期的な視点はビジネスにとってよいことだ」と宣言すべきだと思います。これはイノベーションだけの話ではなく、日々の既存事業でも同じです。数年前に私はDNV GLに「15カ月ローリング・フォーキャスト」という仕組みを導入しました。これを使って5四半期先までの将来予測を四半期ごとに見直します。私がこの仕組みを導入した意図、そして他社の皆さんにお伝えしたいのは、取締役会では会議時間の半分を過去（会計帳簿）の議論に、もう半分を未来への準備に費やすべき、ということです。残念ながら、我が社でもまだ時間配分の目標を達成できていませんが、最高デジタル責任者（CDO）や最高人材責任者のおかげで、だいぶ目標に近づいてきています。
CFOは資金面で自社の将来に貢献するだけでなく、取締役会メンバーに受け身の議論をやめさせ、前向きな議論をさせることに関しても貢献すべきです。過去はどうせ変えられないのですから、過去にとらわれていても意味がありません。過去から学び、未来に備えることの方がもっと重要なのです。

第 4 章

戦術的
イノベーション会計

Tactical Innovation Accounting

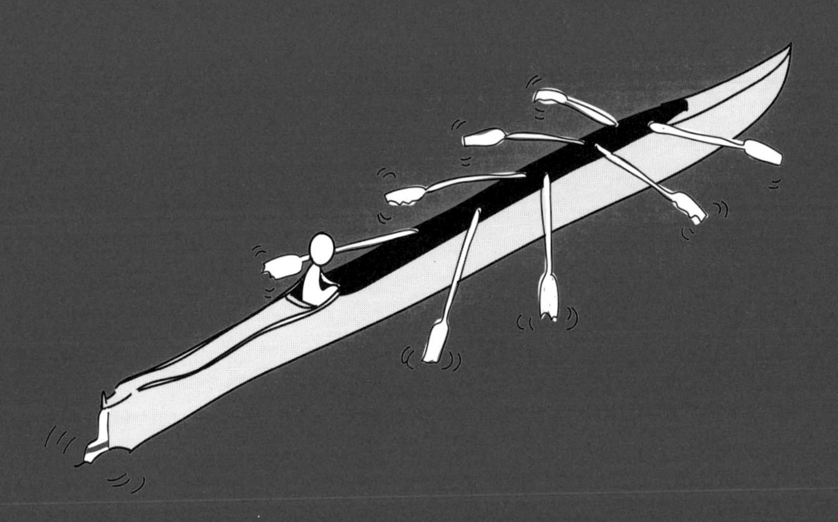

“そもそもアイデアをテストする
チームがいなければ、
チームの舵取りをしたくてもできません。”

イノベーター、特に大企業にいるイノベーターは、彼らが担当するプロジェクトの背後にある具体的な数字や金額にしか興味のない人たちといつも対峙しています。そして、「定量評価できなければ管理できない」と呪文のようにしつこく攻撃されます。あからさまにそう見えるかどうかは別として、こういうことを言ってくる人は、次のタイプの指導者です。

- **イノベーションよりも管理を優先する指導者**
- **あるいは、イノベーションの価値を理解しておらず、汗水垂らして「本当に働いている」人を尻目に、イノベーターはおしゃれなオフィスでクッションに座り、カジュアルな格好をして、ソフトドリンクを飲み、ポストイットを貼って遊んでいるだけだと思っている指導者**

これに対して、これまで私たちが付き合ってきたイノベーション・マネージャーや新事業開発チームのリーダーのほとんどは決まり文句で反論します。「定量評価できるものすべてが有用なわけではないし、有用なものすべてを定量評価できるわけではない」[※1]と言うのです。この言葉はある面では的を射ています。しかし、だからといって、イノベーションチームをまったく管理せず、何の定量評価もしないというのでは困ります。そんなことでは、無秩序に新事業開発をして経営資源を浪費することになるからです。

こうなると、自分が正しいと言って双方譲らず、膠着状態に陥っても何の不思議もありません。問題点は明白で、質問のタイミングや内容が適切でないことです。既存事業部門の人々は、「よちよち歩きの」事業アイデアを定量評価するために、売上や利益といった財務指標に基づく評価指標を使おうとしています。一方で、イノベーション・マネージャーは、将来時点まで具体的な成果は期待できないのに、未来の成功可能性を示唆する初期段階の証拠についての話をして、管理よりも実績だと言っているのです。

この状況はコミュニケーションの改善で打開できます。必要なのは

※1 訳注：「どうせ完璧に定量評価して管理できないのだから、行動して結果を出すことを優先すべきだ」という意味。

// 図4-1 // 戦術的イノベーション会計

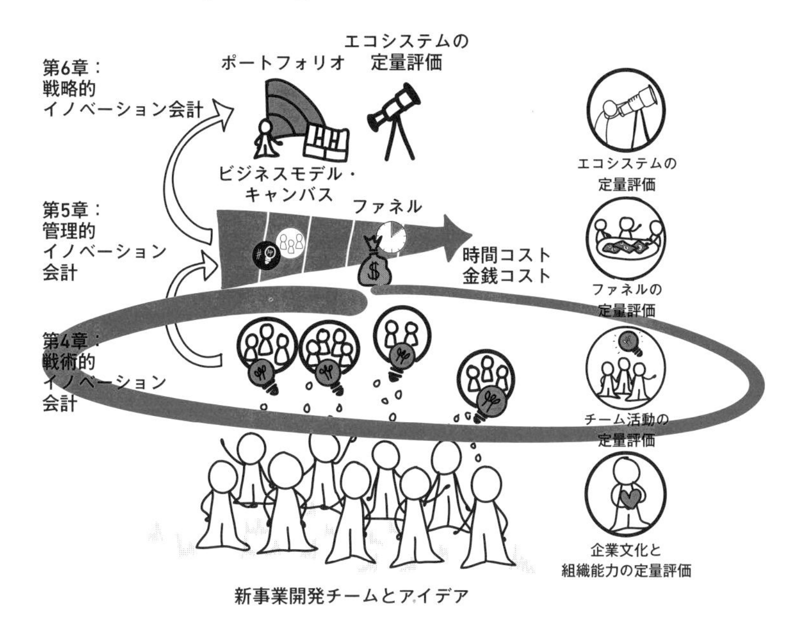

両者が共通言語で話すことに同意するだけです。その共通言語で、「科学でなく芸術に近い」と思われがちなイノベーション・プロセスの背後にある具体的な数字や金額を語るのです。共通言語を開発する第1歩は、フレームワークに合意することです。全社で合意した明確な事業開発フレームワークや製品ライフサイクルを共有すれば、間違ったタイミングで間違った質問をすることを防げます。なぜなら、各事業アイデアの成長段階や、その段階にふさわしい質問を、関係者全員が把握できるからです。

自社独自のフレームワークの重要性

近年では、世界中の多くの企業が独自のフレームワークを開発しています。イノベーション・プロセスの恩恵を受けている企業をいくつかあげてみましょう。例えば、テレフォニカ（スペインの通信会社）、DNB（ノルウェーの銀行）、ピアソン（英国の出版・教育会社）、DNV

GL（ノルウェーの認証・船級協会）、コニカミノルタ（日本の技術会社）、DHL（ドイツの物流会社）などです。各社のイノベーション・フレームワーク（製品ライフサイクルとも呼ばれます）は、企業の特徴や業界の特性により、それぞれ異なります。

前著『イノベーションの攻略書』（2019年、翔泳社）で大きく取り上げたピアソンの例を見てみましょう。同社のフレームワークは、発想、探索、実証、成長、持続、退出の6段階で構成されています。

これに対し、DHLのフレームワークは「アイデアから成功までの3段階」と呼ばれています。このフレームワークの3段階とは、実証（問題が存在し、解決可能であることを事実に基づき証明する）、検証（自社ソリューションで問題を解決できることを試す）、収益（顧客が自社ソリューションにお金を払うことを証明する）の3つです。

// 図4-2 // ピアソンのイノベーション・フレームワーク

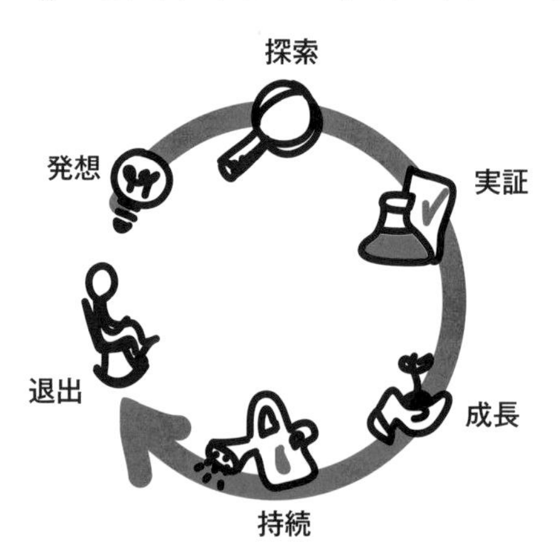

上記の例からわかるように、企業ごとに製品ライフサイクル（イノベーション・フレームワーク）の成長段階の呼び名が異なります。各社の仕事のやり方に合わせてフレームワークを設計し、会社全体への共通言語の導入を推進しているのです。しかし、どんな呼び名をつけようと、すべてのフレームワークの目的は同じです。共通のイノベー

ション・フレームワークですべての事業を管理することで、各プロジェクトや既存のビジネスモデルがどの段階にあるか、誰にでもわかるようにすることです。製品ライフサイクルは、経営資源の配分や投資判断を管理・定量評価するための触媒の役割を果たします。さらに重要なのは、このフレームワークでイノベーションの取り組みを支える人々を1つにまとめ、変革の実現に巻き込むことです。

ここで忘れないでほしいのは、フレームワークを効果的に機能させるためには、フレームワークを自社に合わせて設計することが重要だという点です。したがって、ここで紹介するフレームワークは、すべての企業に有効な万能の解決策でなく、あくまでも参考指針と考えてください。

もしも、まだ自社に全社で合意済みの製品ライフサイクルがない場合は、本章の最後に紹介する作成方法を参考にしてください。

自社のフレームワークに全社で合意したら、次のステップはフレームワークの各段階の重要成功要因について合意形成し、各チーム用のイノベーション会計システム（**戦術的イノベーション会計**）を構築することです。そうすれば、各段階における成功の姿が明確になり、各事業アイデアがフレームワークの次の段階に進むための達成条件を定義できます。

これ以降、本書では、「**発見**」「**探索**」「**採算性**」「**拡大**」「**持続**」の5段階で構成されるファネル型のフレームワークを代表例として使用します。

// **図4-3** // **ファネル型イノベーション・フレームワーク**

1 発見

解決する価値のある問題を特定したか?

実際の問題の解決がイノベーションの主目的の1つであることを念頭におくと、「**発見**」の段階のチームにとって重要な成功要因は「解決する価値のある問題を特定すること」と言えます。だとすれば、発見の段階の目標は「顧客企業や最終ユーザーに共感し、潜在的な問題を深く理解すること」となります。したがって、新事業開発チームが発見の段階で注力すべき主な領域は以下と考えてよいでしょう。

- 問題を抱えていそうなのは誰で、それはどんな分野の問題かを特定する。
- その問題が、その人たちにどんな影響を及ぼすかを理解する。
- 費用対効果と顧客のひっ迫度の両面から「解決する価値のある問題かどうか」を分析する。

解決する価値があるかどうかの判断には、潜在的な顧客層が変化を支持するかどうかという観点も含まれるため、以下についても検討します。

- その問題で苦しんでいる顧客数はどの程度か、そしてその数は対象とする市場において意味のある規模の数かを理解する。
- 現時点で顧客はその問題の解決に取り組んでいるか、またどのように取り組んでいるかを確認する。

次の測定方法を用いて、その結果をイノベーション会計システムに反映します。

活動実績の定量評価

- **発見の段階に関係する仮説の数**：発見の段階に関係する仮説、すなわち「問題」と「対象顧客」に関する仮説をいくつ特定したか、あるいはビジネスモデル・ナビゲーターの「Who」の軸。[※2]
- **学習速度**：発見の段階に関係する仮説を明らかにするような学びを、一定の時間内にいくつ得たか。

- **学習費用：**1つの学びを得るためにチームが費やした費用。費用としては、1件の学びを得るために費やした時間を金額換算する場合が多い。加えて、顧客に対する共感を得るために使った費用を含めてもよい。具体的には、旅費、エスノグラフィー調査[※3]の費用、ワークショップや研修教材の費用などが考えられる。

実施結果の定量評価

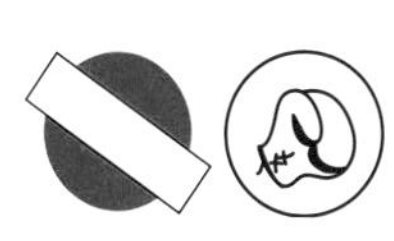

- **確信度（腹落ち感）：**チームの活動成果として、「自分たちは解決する価値がある問題を特定した」という一定レベル以上の確信（腹落ち感）を得る必要があります。したがって、毎週毎週、顧客インタビュー結果などをもとに、自分たちが見出した問題が実際に重要な問題なのか、あるいは単にあったらいいなという程度の話なのかを、チームはじっくりと話し合う必要があります。一般的に、この段階での確信度の評価は定性的な洞察にすぎません。しかし適切に利用すれば、確信度の分析に基づいて採算性の低いプロジェクトを早期に中止し、見込みのあるプロジェクトを優先できます。どちらも保有する経営資源のより効果的な配分につながります。

さらなる指針が欲しいという皆さんには、この発見の段階で最も効果的な方法論として、デザイン思考とリーン・スタートアップをおすすめします。[※4,※5]

話を続ける前に「学びを失敗の言い訳とみなしてはいけない」という点を強調しておきます。学びはイノベーション会計システムに不可

※2 訳注：通常はビジネスモデル・キャンバスの「価値提案」と「顧客セグメント」のブロック、あるいはビジネスモデル・ナビゲーターの「Who」の軸に相当する。なお、ビジネスモデル・キャンバスとは、ビジネスの構造を9つのブロック（パートナー、主要活動、リソース、コスト構造、価値提案、顧客との関係、チャネル、顧客セグメント、収益の流れ）で可視化したフレームワークのこと。参考：『ビジネスモデル・ジェネレーション』（2012年、翔泳社）。一方、ビジネスモデル・ナビゲーターでは、ビジネスモデルを「Who」「What」「How」「Why」の4軸で定義している。参考：『ビジネスモデル・ナビゲーター』（2016年、翔泳社）。

※3 訳注：コミュニティの内側に入り、観察やインタビューなどを通して話を聞き、その集団の在り方や歴史を調査すること。

欠な要素です。イノベーション会計システムでは、事業アイデアの進展に合わせて学びを蓄積することを前提としており、学びの認知を事業アイデアが市場で成功する見込みの評価方法として位置づけています。適切に利用すれば、学びによって事業アイデアが明確になり、また思いがけない事業アイデアの発展を見出すことができます。

2 探索

私たちのソリューションで顧客の問題を解決できるか?

先に進みましょう。発見の段階を通過したチームが次に到達するのは「**探索**」の段階です。この段階での主要成功要因は、対象顧客層が問題解決を強く望むだけでなく、チームが提案したソリューションを採用したいと強く思うかどうかです。したがって、答えなければならない主な質問は以下になります。

- 顧客は、問題をどのように解決したいのか?
- 顧客は、我々が提案するソリューション、もしくは将来的に我々が提供する製品やサービスに強い関心を持っているか?

探索の段階におけるチームの進捗状況を把握するために、私たちが

※4 訳注：デザイン思考とは、デザイナーが創作する際に利用する5つのプロセスを、問題や課題に対する解決策を見出すことに利用する考え方と手法。(1) 観察・共感 (Empathize)、(2) 定義 (Define)、(3) アイデア創造 (Ideate)、(4) 試作 (Prototype)、(5) テスト (Test) のサイクルを繰り返す。

※5 訳注：リーン・スタートアップとは、最低限の要求に応える製品やサービスをまず提供し、顧客の反応を見ながら順次改良をはかることを繰り返す「ムダのない事業創出」の考え方と手法。「仮説構築 → 実験 → 学び → 意思決定」のサイクルを「顧客」に対して回し続ける。

推奨する測定方法は次の通りです。

活動実績の定量評価

- **特定した仮説の数：**探索の段階に関係する仮説をいくつ特定したか。
- **学習速度：**探索の段階に関係するビジネスモデル・キャンバスの各ブロック（通常は「顧客セグメント」と「価値提案」のブロック）の学習速度。[※6]
- **実験効率：**実施した実験のうち何回が学びにつながったか。
- **学習1件当たりの費用：**1つの学びを得るためにチームが費やした費用。

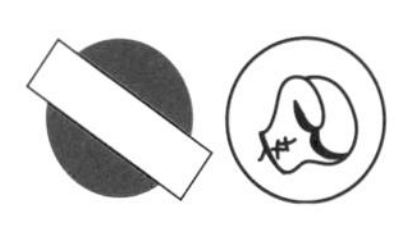

実施結果の定量評価

- **確信度（腹落ち感）：**すでに特定済みの「問題」を解決したいと顧客が本気で願っていることに対する確信度。

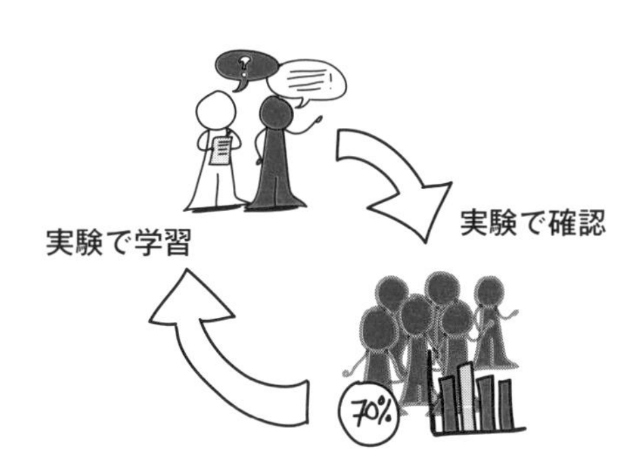

「どうしてこうなるのか?」という発生事象の原因把握には常に定性的な洞察が必要です。しかし製品ライフサイクルの後半段階に進むと初期段階に比べて接触する顧客の数も増えるため、定量的な検証の

※6 訳注：ビジネスモデル・ナビゲーターの「What」の軸に相当。

ための実験で洞察の正しさを確認できます。学習のための実験で得た洞察を、より定量的なデータで確認するという組み合わせが一般的です。したがって初期段階では学習のための実験が多く、後半の段階では検証のための実験が多くなります。

規律を保ちつつ学習サイクルを継続し続けるのは容易でありません。図4-4のようなダッシュボードを使えば、どんな意思決定がなされたかを、チームとマネージャーの両方が理解しやすくなり、規律を保つのに役立ちます。次章で説明しますが、ダッシュボードはイノベーション会計システムの他の場面でも役に立ちます。また、製品ライフサイクルの残りの段階でもダッシュボードは利用できます。

ダッシュボードは、チームが社内の関係者（例：コーチやマネージャーなど）に進捗状況を伝え、自分たちのビジネスモデルに残存するリスクの最新情報を提供するツールと位置づけるべきです。この段階になると、顧客の問題に共感するうえで大きな効力を発揮したデザイン思考の方法論から、実験重視でより多くの労力を伴うリーン・スタートアップ・システムへと、チームが利用する手法が徐々に変化していきます。ダッシュボードと一緒に実験追跡テンプレートも導入すると、ダッシュボードを理解しやすくなり、管理も容易になります。実験追跡テンプレートとしては、『イノベーションの攻略書』で紹介した「テスト・キャンバス」や、アレックス・オスターワルダーの著書『バリュー・プロポジション・デザイン』（2015年、翔泳社）にある「実験カード」と「学習カード」、ブラント・クーパーの「実験マップ」[47]をおすすめします。

私たちがダッシュボードを顧客企業と共同作成する際には、通常は次の3要素で構成し、ダッシュボード上で、各要素の単独表示と、全体の統合表示を切り替え可能にします。

A. **実験の概要：**チームもしくはコーチが、その週にチームが完了した実験の数を記録します。その下に実験の結果得られた意図的な学び（それを知るために実験を設計した学び）の数と、意図的でない学び（実験の狙いとは異なる想定外の学び）の数を記録します。ダッシュボードのこの箇所に、実験の費用を入力することも有用です。

B. 実験の詳細結果：ダッシュボードの2段目の部分には、完了した実験とその結果得られた学びの詳細情報を記載します。ビジネスモデル・キャンバスやリーン・キャンバス※7に従って、チームあるいはコーチが、ビジネスモデル・キャンバスのどの部分に関する学びを得られたかを記録します。一般的に、実証する必要のある事項のほとんどが、ビジネスモデル・キャンバスの右側にあります。段階ごとに、その段階に対応したブロックを確認するとよいでしょう。

C. チーム指標：ダッシュボードの下段には、上記の入力情報をもとにした集計データを記載します。ここに表示するKPIは次の通りです。

- **学習速度（週当たりの学びの数）**
- **実験効率（学びに結びついた実験の比率）：**チームが効果的な実験を実施する能力を示します。この指標でチームに対する能力開発の必要性が明確になるため、非常に重要な指標です。例えば実験効率が低いチームには、実験設計の個別指導を実施して、実験効率の改善をはかります。
- **実験速度（週当たりの実験回数）**
- **意図的な学習の速度（意図した学びを得られた実験の割合）**
- **学習費用（1件の実証済みの学びを得るためにチームが使った費用）**

このダッシュボードで、チームの活動実績をグラフィカルに表示し、社内の関係者、コーチ、チームメンバーと毎週情報共有します。グラフィカルにすることで、KPIをわかりやすく表示できます。

※7 訳注：リーン・キャンバスは、ビジネスモデル・キャンバスと同様に、9つの構築ブロック（課題、ソリューション、主要指標、コスト構造、独自の価値提案、圧倒的な優位性、チャネル、顧客セグメント、収益の流れ）で構成された見取り図。『リーン・スタートアップ』（2012年、日経BP）に登場する。

THE TEAM DASHBOARD

// 図4-4 // 新事業開発チームのダッシュボード例（10週目〜13週目）

A	実験の概要	10 週目	11 週目
	実験数		
	学びの数		
	- 意図した学び	1	0
	- 意図せず得た学び	0	0
	- 合計	1	0

B	本段階に関係するビジネスモデル・キャンバスのブロック	10週目	11週目

ビジネスモデル・キャンバス
9ブロック別の学びの数

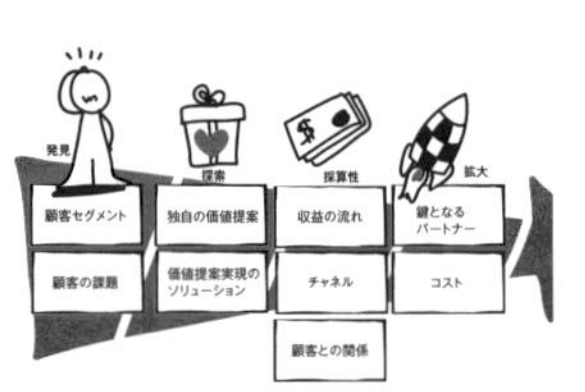

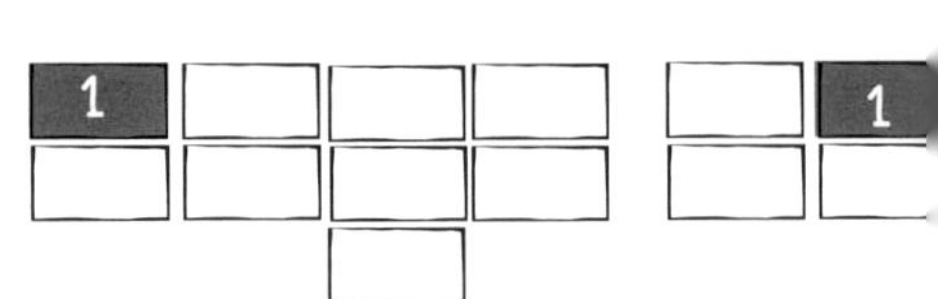

C チーム活動実績指標

実験効率
（学びに結びついた
実験の比率）

学びに結びついた実験の
うち、あらかじめ意図し
た学びを得た実験の比率

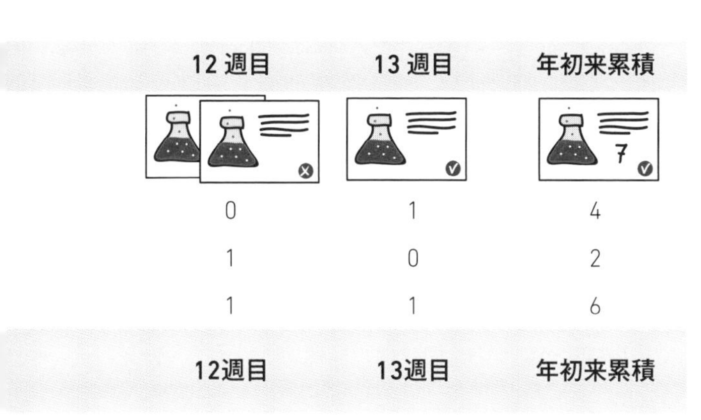

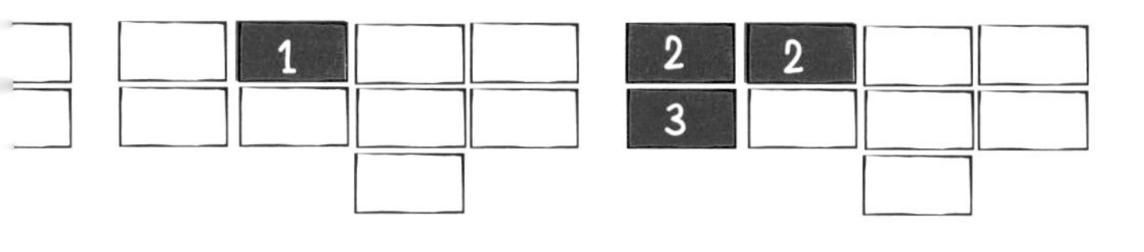

実験速度（週当たり実験回数）

0.75

学習速度（週当たりの学びの数）

0.88

原則6：イノベーションの重要な成功要因に注意を集中できること

6

製品ライフサイクルの次の段階に進む前に、チームの学習速度と実験速度の定量評価に関する議論に触れておきます。

リーン・スタートアップでは、製品やサービスを市場投入する前に、新事業に関する一連の仮説を検証することを推奨しています。[48]この考え方が企業に浸透しつつあることを踏まえると、実験速度は標準的なROIの代替として適切なKPIに思えるかもしれません。

では、実験速度の何が問題点なのでしょうか。

意図的か否かは別としても、そもそも実験速度はつじつま合わせ的になりがちです。実験速度が測定されると知ると、新事業開発チームは些細な作業をすべて実験だと言うかもしれません。新事業開発チームのモラルを信用するとしても、適切な実験の設計方法を知らなければ、速度ばかり速くて効果が小さい、ということになりかねません。

東南アジアの優良上場企業向けに、すべての新事業開発チームの業務手法としてリーン・スタートアップを導入するプロジェクトを実施した際、実験速度をイノベーション会計の指標とすると判断を誤りかねないことに私たちは気づきました。

グラフで2つのチームの活動実績を見てみましょう。

グラフを見れば、グレーのチームがオレンジのチームよりも多くの実験を行ったことは明らかです。グレー・チームの平均実験速度が週に2.1回であるのに対し、オレンジ・チームの平均実験速度はわずか1.3回でした。仮に実験速度だけを活動実績KPIとしていれば、間違いなくグレー・チームが勝者となったでしょう。

しかし、状況をよく調べたところ、まったく異なる結論に達したのです。これらの実験のうち、決定的な学びにつながった実験の数を見たところ、ご覧の通り両チームの平均学習速度は約0.75回/週で同じでした。このことから、「実験速度」がときとして誤った結論を導きかねないことがわかりました。

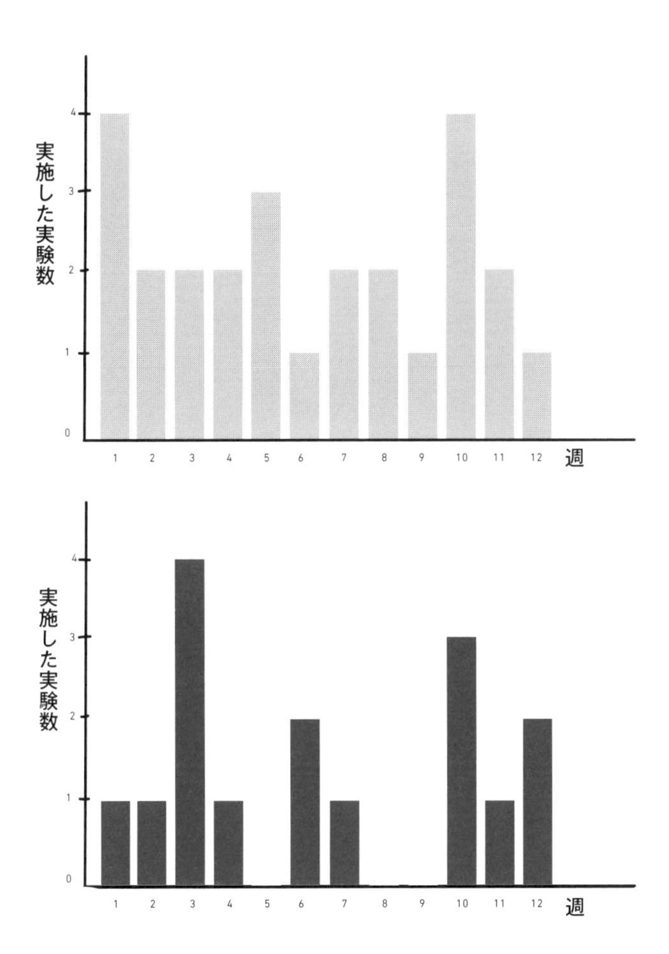

新事業開発チームの目標は、できる限り速く実証済みの学び[49]を得ることです。よって、学習速度を実験速度より優先すべきです。しかし、実験速度の代わりに学習速度だけを測定するというわけにもいきません。

実験が学びにつながることは事実ですが、実験をすれば必ず学びにつながるわけではありません。実験から決定的な学びを得られない原因はさまざまありますが、原因が何であれ、そのような実験は時間のムダです。

あるチームの実験に対する学びの比率を見れば、そのチームについて多くのことがわかり、支援が必要な場合には、どのような支援が必要かもわかります。

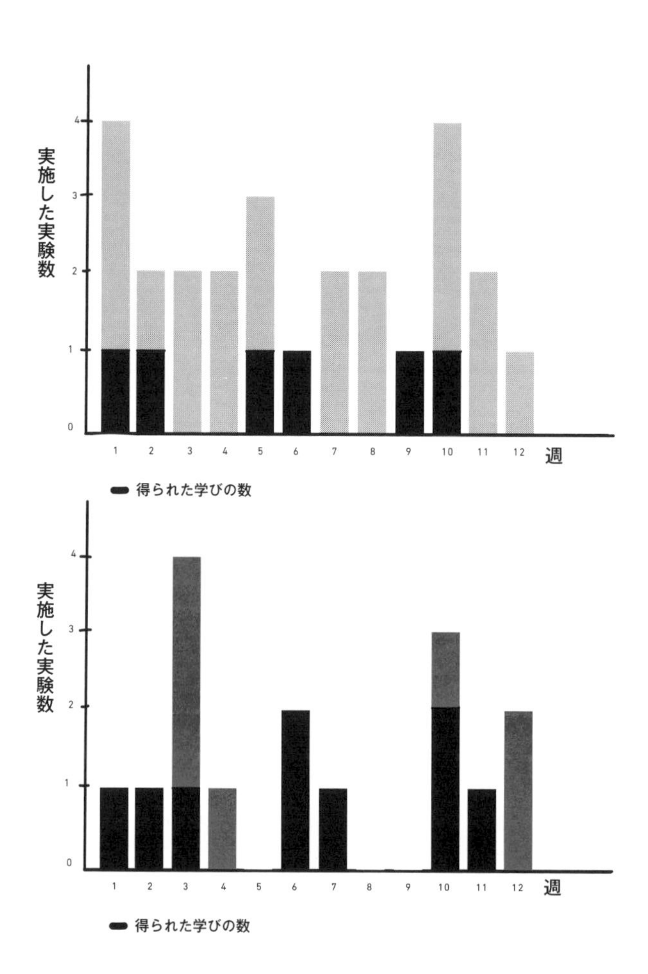

実験に対する学びの比率が1より低い場合を考えてみましょう。つまり対象チームが得た学びの数よりも実験の数が多い、ということです。その場合には、チームが効果的な実験を設計するのに苦労していると推測でき、チームに対する個別指導が必要かもしれません。あるいは最悪の場合、意図的に実験回数を増やして、つじつま合わせをしようとしているのかもしれません。

次に、実験に対する学びの比率が1よりも高い場合を考えてみましょう。もしかすると、このチームは、複数ステップで構成される実験を実施しており、ステップごとに学びを得ているのかもしれません。この場合に注意すべきことは、このチームが1つの実験で複数項目を同時に検証しようとして、多変数の実験を実施している可能性があることです。多変数の実験の実施には、変数同士の相関など注意が必要です。適切に実施しないと[50]誤解を招く結論を導きかねません。

実験に対する学びの比率が1なら、チームが行った実験の数と得られた決定的な学びの数が100%同じです。これが理想的なケースです。

新事業アイデアの進展に伴い、やがて実験速度が低下する、という点にも注意が必要です。これは、実験がどんどん複雑になり、そしておそらく、より多くの準備が必要になるためです。実験速度と学習速度を別々に測定するよりも、「実験効率」という比率を測定する方がより適切だという、もう1つの理由がこれです。

コンセプト解説

ランウェイと学習速度の関係

ビジネススクールでは、チームやスタートアップの「ランウェイ[※8]」とは、現時点で利用可能な手持ち資金を毎月のバーンレート[※9]で割ったものに等しいと教えられてきました。

しかし、これは本質を的確に捉えていません。経験豊富な起業家たちは、実際には「資金が尽きるまでの時間を、チームが市場で学習する速度で割ったもの」がランウェイであることを知っています。[51]

例えば、6カ月分の予算が残っていて、学習サイクルが通常2週間のチームを例に考えてみましょう。このチームのランウェイは、24週間を学習サイクルの2週間で割った12となります。簡単に言えば、このチームが持続可能なビジネスモデルを見つけるチャンスは12回あるということです。

3 採算性

顧客が自社のソリューションを購入してくれるかどうか?

「採算性」の段階における主要成功要因は、顧客に製品を購入または採用する意思があるかどうかです。したがって、チームは次の最重要の質問事項に対して、根拠となる証拠を示す必要があります。

- 顧客はお金を払ってでも、我々のソリューションで問題を解決したいと考えているか?
- 顧客が希望する課金形態は何か（年間契約などの定期契約、一括支払い、基本サービス無料＋オプション課金、完全無料など）?
- ソリューションの対価として、顧客が払ってもよいと考えているのはいくらか?
- 顧客に価値提供する際の最適なチャネルは何か?　顧客はどのチャ

※8 訳注：現状の資金で事業継続可能な期間のこと。
※9 訳注：毎月消費する資金量のこと。

ネルを好むか？

したがって、次のことが重要になります。

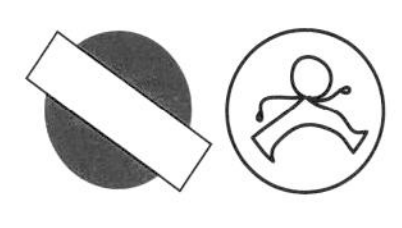

活動実績の定量評価

- **採算性の段階に関係する仮説の数：**採算性の段階に関係する仮説をいくつ特定したか？
- **学習速度：**採算性の段階に関係するビジネスモデル・キャンバスの各ブロック（ここでは「チャネル」と「収益の流れ」）の学習速度。
- **実験効率：**実施した実験のうち何回が学びにつながったか？
- **学習費用：**1つの学びを得るためにチームが費やした費用。

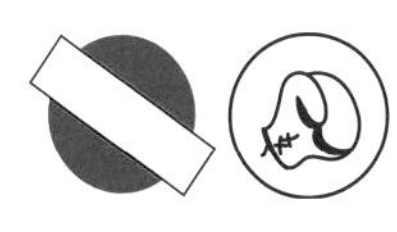

実施結果の定量評価

- **確信度（腹落ち感）：**想定ソリューションに顧客が間違いなくお金を払うという確信度。

活動実績指標を見ればわかりますが、製品ライフサイクルの「採算性」の段階は、1つ前の「探索」の段階と比べて実験の重点が異なるだけです。しかし、実験で収集する証拠の種類にも、ニュアンスの点で違いがあります。チームが製品ライフサイクルに沿って自分たちの事業アイデアを進展させていくにつれ、たとえ回答すべき質問が同じだとしても、定性的な知見が徐々に定量的な知見に置き換わります。例えば、すでに探索の段階で（顧客インタビューにより）定性的には確認済みの需要性[※10]の質問について、採算性の段階では（集客用ウェブサイトやテキスト広告で）広範に実験することで、より定量的な洞察を得られます。確認済みの定性的な洞察に定量的な証拠が加わることで、ビジネスモデルの将来の成功に対する確信度が増すのです。

※10 訳注：「想定ソリューションを顧客が心から求めているかどうか」の意。

また、この段階で実現性の検討をはじめるとよいでしょう。例えば、想定ソリューションを自社開発可能か、想定ソリューションは自社のコンプライアンス上の法務指針やリスク基準に合致するか、といったことです。ソリューションがまだ開発の初期段階で、ほとんどの場合にプロトタイプにすぎないとしても、後にソリューション開発や経営資源の提供に協力してもらうことになる社内関係者に、早いうちから（非公式に）話を通しておくのは、非常によい考えです。製薬会社や銀行のように規制の厳しい環境で活動するチームや、製造業・エネルギー産業など製品開発に多大な労力を伴うソリューションを提供するチームにとっては、特に重要です。

製品ライフサイクルのこの段階から、新たなビジネスモデルの開発に他の部門を巻き込んでいくことが、後々の利益につながるのです。

私たちの経験上、規制の厳しい業界のチームと仕事をするたびに繰り返される、お決まりのパターンがあります。リーン・スタートアップの実験をしている新事業開発チームに法務部門を参加させるように助言すると、ほとんどの場合、（控えめに言っても）その場の雰囲気が悪くなるのです。「我々」対「彼ら」という縦割り意識は、一方では企業文化を損ない、他方ではビジネスの実験（そして新事業開発の成功）に害を及ぼします。

ある製薬会社で複数チームと仕事をしたときのことです。私たちは早い段階から、法務部の人間を各チームにつけることを要望していました。チームが採算性の段階に入った時点で、法務部の人にフルタイムでなく週に何時間か参加してもらいたかったのです。

すると、結果にはっきりとした傾向が表れました。法務担当者が加わったチームは、法務担当者がいないチームよりも実験の速度が速かったのです。また、さまざまな事項への準拠や、合意形成も常に早かったのです。この段階で法務部の人間を事業アイデアの開発プロセスに参加させることには3つのメリットがあります。

1. 実験の実施可否の確認が早い：実験の実施可否の見解を、ほぼ瞬時に得られます。法務担当者が本社拠点の別棟にいるのでなく、同じテーブルで向かい合っているので、実施可否の判断に要する時間が劇的に短縮されます。

2. 法的制約を踏まえた実験改善に役立つ：法的制約で実験を実施できない場合にも、背景情報を理解している人がチーム内にいるため、その場で実験を適切に修正できます。

3. リーン・スタートアップの実験プロセスに対する社内のサポートが強化される：実験の法令遵守を担保することで、多くの人の信頼を得られます。役職者がビジネス実験の話に反発しなくなるだけでなく、今度はそれを支持するようになります。

ほとんどの場合、チームにおける協業の質は、各メンバーの個性に依存します。チームリーダーの影響力でチームの雰囲気はある程度変わるものの、やはり人間は人それぞれです。しかし、仮にどんなに頑固な人であったとしても、チームに法務担当者がいて、リーン・スタートアップの実験プロセスに参加してもらうことは有効だと思います。この経験から法務担当者に加わってもらうことを、すべての新事業開発チームに対しておすすめします。

4 拡大

ソリューションを規模拡大できるか?

製品ライフサイクルの「**拡大**」の段階まで進んだら、チームは最初に思いついた事業アイデアを、持続可能で、再現性があり、拡張性のあるビジネスモデルに変換できるという証拠を示す必要があります。したがって、チームは次の質問に答えなければなりません。

- そのビジネスモデルを規模拡大できるか?
- ビジネスモデルを規模拡大することは理にかなっているか?
- ビジネスモデルで想定しているチャネルは、規模拡大に耐えられるか?

拡大の段階では、財務指標と非財務指標を組み合わせて使います。注意すべき点は、製品ライフサイクルのここまでの段階ではビジネスモデルによらず同じ指標を使っていたのに対し、拡大の段階では各チームのビジネスモデルに特有のニーズを反映した指標を採用する必要があることです。しかしながら、各チームのビジネスモデルには不確かな部分が残っているため、学習速度などの非財務指標は引き続き有効です。特に学習速度については、学習サイクルが長くなるのに伴い、学習速度が落ちることが予想されます。データ収集に主眼をおいたプロジェクトの初期段階に比べて、拡大の段階では個々の結果を得るために、より多くの開発時間が必要となるからです。同様に、学習費用も増加が予想されます。

活動実績指標

事業アイデアが拡大の段階に達すると、ビジネスモデルの拡張性を証明するために、さまざまな経歴や専門知識を持つ人がチームに加わります。それに加え、ほとんどの場合にビジネスモデルにソフトウェア開発の要素が強く含まれるため、アジャイル開発手法※11を標準手法として採用しようとする企業が多く見られます。ソフトウェア開発のアジャイル・プロジェクト管理手法が登場したのは、1990年代です。今ではアジャイル開発を利用する企業は数千社にのぼります。2001年に発表された「アジャイルソフトウェア開発宣言」[52]は、「要求仕様は進化するため完全には事前に定義できない」ということを、ソフトウェア会社が認めた画期的な出来事でした。今日では、スクラム、リーン、カンバン、ユーザー機能駆動開発（FDD）、エクストリーム・プログラミング（XP）、クリスタル、動的システム開発手法（DSDM）など、アジャイル宣言の価値と原則を具現化するためのソフトウェア開発方法論、フレームワーク、プロセスが数多くあります。

各種機関の調査によると[54]、アジャイル手法を用いたプロジェクトでは、納期が早まり、変化に柔軟になり、成果物がより高品質になります。また、コミュニケーションの改善、協業の円滑化、柔軟性の向上により、チームや関係者の満足度が向上します。さらに、一般的にアジャイル・プロジェクトは、従来の方法論よりも早くビジネス上の成果を上げ、高い費用対効果を実現すると考えられています。

しかしながら、従来型の方法論の方がアジャイルよりも高い費用対効果をもたらすかもしれない、としている報告書もいくつかあります。平均すると、従来型のプロジェクトよりもアジャイル・プロジェクトの方が、期待されたビジネスメリットを達成したと報告している頻度が高いようです。ここでは、製品ライフサイクルの「拡大」の段階のチームが利用可能な活動実績指標を見ていきましょう。アジャイル開

※11 訳注：アジャイル開発手法とはチームを組み、要件定義→設計→開発→テスト→リリースといった開発工程を1つひとつの小さな機能単位で素早く行い、ユーザー評価をもとに機能を改善していく手法のこと。

発プロセスを利用すれば、これらの指標を「持続」の段階でも引き続き利用できる点は、注目に値します。実際に私たちが手がけたほとんどの事業アイデアがそうでした。

これまでに、私たちはアジャイル手法を何度も顧客に導入しましたが、自分たちがこの分野の専門家だとは考えていません。ですので、ここではアジャイル手法がプロジェクト遂行にどう役立つかを基礎レベルで理解いただけるように、アジャイルプロセスで使用する指標の概要を簡単に説明します。

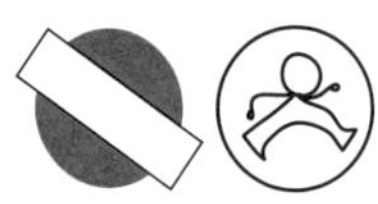

活動実績の定量評価

- **スプリント・ベロシティ：**ベロシティとは、開発チームが所定の期間内に実施可能な作業量（作業速度）を示す指標です。基本的には、要件定義書の記述内容をプログラミング・コードに変換完了するまでの速度を意味します。過去数回のスプリントで完了したストーリー・ポイント※12の数値からスプリント・ベロシティを算出し、今後のスプリントで実行可能な作業量を推定できます。スプリント・ベロシティは重要な指標ですが、これをアジャイルチームの能力や活動実績の指標としては使えません。また、定量的なアウトプットを測定する結果重視の指標である一方、開発品質については何の知見も得られないため、この指標単独では使用できません。[55]
- **リードタイム：**リードタイムとは、何かを要求してから実際に提供されるまでに要する期間のことです。製品完成までの全プロセスがリードタイムに含まれます。ビジネス要件の作成やバグ修正の期間も含まれます。[56]
- **サイクルタイム：**サイクルタイムはリードタイムの一部分で、あるタスクが「開始」または「作業中」から「完了」に至るまでの期間です。通常は、サイクルタイムはスプリントの半分程度の長

※12 訳注：ストーリーの大きさを表す単位のこと。要件すなわち特定ユーザーのストーリーを実現するのに必要な工数を見積もるために利用する。

さであるべきです。もしサイクルタイムがスプリントよりも長いなら、チームは約束した仕事を完了できないことを意味します。[57]

- **スプリント・バーンダウン**：スプリント開始前に、チームはスプリント期間中に実施可能なストーリー・ポイントを予測します。スプリント・バーンダウンとは、各スプリントにおけるストーリー・ポイントの完了状況を示す指標です。管理者であるスクラムマスターがチームの進捗を管理し、所定の期間内に予定範囲の作業を完了できることを確認するために利用します。[58]
- **エピック・バーンダウン、リリース・バーンダウン**：これらの指標で、スプリント・バーンダウンの範囲を超える大規模な作業の進捗管理を実施します。エピック・バーンダウン[※13]とリリース・バーンダウン[※14]の主な利点の1つは、スコープ・クリープ[※15]の管理に役立つことです。

実施結果の定量評価：分析フレームワーク

「拡大」の段階で注意すべき点は、たとえ財務指標が話題に上りはじめたとしても、比較可能な水準に達する見込みがないうちに、実際の数字とベンチマークや業界標準を対比して目標設定しないことです。現段階で重要なのは、その数字が何を物語っているのかを理解することです。この数字から「持続可能で再現性と拡張性のあるビジネスモデルだ」と読み取れるか否かがポイントなのです。

チームが規模拡大のアクセルを踏むべきタイミング、すなわちビジネスモデルが持続可能になるタイミングを見極める有力ツールとして、私たちはWPS（WOM/PROM Score）の導入をおすすめしています。WPSは2つの拡大指標の比率で、デビッド・ベネッティが考案しま

※13 訳注：エピックとは、関連する複数のユーザーストーリーを1つにまとめた作業単位で、エピック・バーンダウンはエピックの完了に向けたストーリー・ポイントの完了状況を示す指標。
※14 訳注：リリース・バーンダウンは、システムの次のリリースに向けたストーリー・ポイントの完了状況を示す指標。
※15 訳注：スコープ・クリープは、プロジェクトの対象範囲を1度決定した後で、新たな要件が追加されること。

した。[59] 第1の指標PROM（PROMotional marketing）は、販促、マーケティング、ニュース、ブログ、プロダクトプレイスメント[※16]などによってチームが集客したユーザー数のことです。第2の指標WOM（Word-Of-Mouth）は、口コミ、紹介、推薦などによって実際に集客したユーザー数です。

WPSの計算は非常に簡単です。例えば毎週など一定期間ごとの新規ユーザーのグループを選び、各ユーザー（あるいはサンプル抽出した各ユーザー）が、WOMとPROMのどちらに属するかを判定します。その期間のWOMの合計数をWOMとPROMの合計数で割ると、その期間のWPSが算出されます。

WPS = WOM / (WOM + PROM) × 100

言葉で表現すると、WPSとは口コミユーザー数の割合です。マイクロソフトのイントラプレナーシップ&インキュベーション部門のディレクターであるエド・エッセーによると、WPSが40%から60%の間であれば、そのビジネスモデルはそろそろアーリーマジョリティ（初期の主流ユーザー）が購入し、規模拡大が可能な段階にあると見なせます。一方で40%以下の場合には、そのビジネスモデルはキャズム[※17]を越えてアーリーマジョリティが購入しはじめる段階に達していません。[60]

まだ導入していなければ、この段階で分析フレームワークの導入を検討すべきでしょう。これまでよりチームの活動が複雑になるため、個々の指標を見るより、分析フレームワークを使う方が適切だからです。

利用可能なフレームワークは多数あります。例えば、デイブ・マクルーアの「海賊指標」、シーン・エリスの「拡大ピラミッド」、エリック・リースの「拡大エンジン」などです。デイブ・マクルーアのフレー

※16 訳注：映画やTVドラマに自社商品を登場させること。
※17 訳注：新製品を市場に普及させるために越えなければならない初期ユーザーと主流ユーザーの購買行動のギャップのこと。

ムワークはスタートアップ企業や製品管理で最も多く使われているように思います。実際に私たちもよく使っています。

海賊指標フレームワークという呼び名は、事業立ち上げを成功させるための5つの要素の頭文字が「アー!（AARRR!)」という海賊の叫び声に似ていることから来ています。具体的には、顧客獲得（Acquisition)、利用開始（Activation)、顧客維持（Retention)、紹介（Referral)、売上（Revenue）の5つです。これらの要素の順番は厳密にこの通りである必要はなく、各事業のビジネスモデルの顧客獲得プロセスに矛盾しないよう変更可能です。また、このフレームワークの各要素を1つの指標だけでなく、複数の指標で定量評価してもかまいません。指標の数は対象とするビジネスモデルの複雑さや特殊性に応じて決めます。

必ずしも要素がAARRRの順序でなくてもよいことを説明するために、アッシュ・マウリャは著書『Running Lean, 3rd Edition』（2022年、O'Reilly Media, Inc.）で、ハッピーカスタマー・ループを紹介しています。これを参考にすると、ビジネスモデルの種類や成長段階に応じて、検証すべき適切な指標を選択しやすくなります。

// 図4-5 //　ハッピーカスタマー・ループ

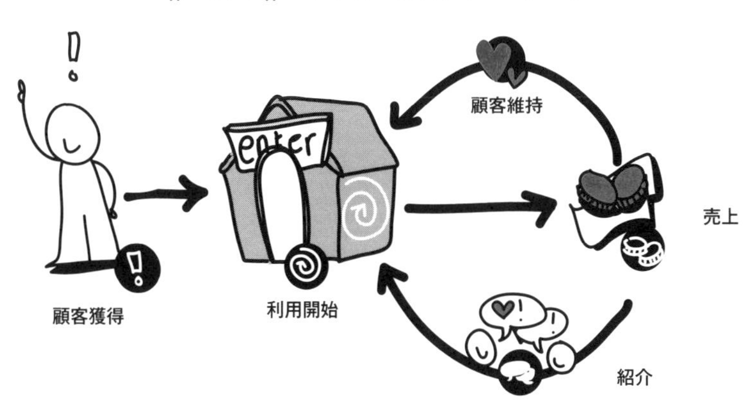

ビジネスモデルの指標

顧客獲得

このフレームワークの最初のAは「顧客獲得（Acquisition）」です。つまり潜在的な顧客を本物の顧客に変えるために、どうやって自社製品を目にしてもらうか、ということです。

利用開始

2番目のAである「利用開始（Activation）」は、自社にとって最も重要な活動を顧客に実行してもらうことです。つまりユーザー登録ではなく、ツイッターであればユーザーとしてツイートしてもらうこと、ECサイトであれば製品購入してもらうことです。

顧客維持

Rに移って最初のRは「顧客維持（Retention）」です。もし自社が十分に価値のある製品やサービスを提供していれば、顧客は再び利用したり購入したりするはずです。

紹介

次のRは「紹介（Referral）」、つまり「顧客を協力者に変えられるか?」です。ビジネスモデルによっては、もともと紹介への依存度が高い事業もあります。しかし成長手段としても、紹介は重点をおくべき重要なポイントです。

売上

最後のRは「売上（Revenue）」です。売上の最適化と拡大の方法を見つけることが肝要です。

AARRRフレームワークの具体的な測定指標はビジネスモデルによって異なりますので、ここでは一般的なビジネスモデルと、各ビジネスモデルに対するAARRRフレームワークの適用例を見てみましょう。実際に利用する際には、時間をかけて自社のビジネスモデルに合ったフレームワークを構築することをおすすめします。次の指標の例は、参考としてイメージをつかんでいただくためのサンプルにすぎません。

ECサイトのビジネスモデル（例：ザランド、アマゾン）

顧客獲得指標

- **ユニーク訪問者数：**一定期間（たいてい1週間）にサイトを訪れた正味の人数。延べ訪問数（セッション数）から重複を除いたもの
- **ユーザー獲得費用：**1人の新規ユーザーを自社サイトに集客するために費やしたコスト

利用開始指標

- **コンバージョン率：**自社サイトへの訪問者数に対する、はじめて何かを購入したユーザー数の比率
- **購買者獲得費用：**1人の購買者を新規獲得するために費やしたコスト
- **離脱率：**購買行動をはじめた後で購買を完了しなかった人の比率

顧客維持指標

- **リピート率：**初回購入後に再度来訪し2度目に商品を購入した顧客の比率

紹介指標

- **バイライリティ（伝播性）**：1人の訪問者が知人に紹介した商品の数

売上指標

- **年間購買数**：各顧客による年間購買数
- **顧客生涯価値**：顧客が自社サイトのユーザーアカウントを削除するまでに自社に支払う総額
- **平均購買額**：1回の購買金額の平均値

サブスクリプションのビジネスモデル
(例：ドロップボックス、Zoom、T-モバイル、ネットフリックス)

顧客獲得指標

- **ユニーク訪問者数**：一定期間（たいてい1週間）にプラットフォームを訪れた正味の人数。延べ訪問数から重複を除いたもの
- **訪問者獲得費用**：1人の新規訪問者を自社プラットフォームに集客するために費やしたコスト

利用開始指標

- **コンバージョン率**：自社プラットフォームへの訪問者数に対する、サブスクリプションの新規申し込み件数の比率
- **新規サブスクリプション獲得費用**：1件のサブスクリプションを新規獲得するために費やしたコスト
- **アップセル率**：基本会員のうちプレミアム会員あるいは有料会員に転換した比率（該当する場合のみ）

顧客維持指標

- **解約率**：サブスクリプションを解約した顧客の数（たいてい90日間単位で集計）
- **サービス利用頻度**：一定期間当たりのユーザーのサービス利用回数

紹介指標

- **バイラリティ**：全ユーザーのうち、自社サービスを知人に紹介したユーザーの比率

売上指標

- **顧客獲得費用**：1人の有料顧客を新規獲得するために費やしたコスト
- **顧客生涯価値**：顧客がサブスクリプション開始から解約までに自社に支払う総額
- **アップセル平均価格**：プレミアム機能への移行による平均収入増加額（該当する場合のみ）

マッチング・プラットフォームのビジネスモデル
(例：イーベイ、ウーバー)

顧客獲得指標

- **購買者の新規登録数**：一定期間内に新規登録された購買者アカウント数
- **購買者の増加率**：新規購買者数がどれだけ増加したか
- **購買者獲得費用**：1人の訪問者に購買者アカウントを作成させるために費やしたコスト
- **販売者の新規登録数**：一定期間内に新規登録された販売者アカウント数
- **販売者の増加率**：新規販売者数がどれだけ増加したか
- **販売者獲得費用**：1人の訪問者に販売者アカウントを作成させるために費やしたコスト

利用開始指標

- **購買開始率**：獲得した購買者アカウント登録者が実際に購買開始した比率
- **販売開始率**：獲得した販売者アカウント登録者が実際に販売開始した比率

顧客維持指標

- **購買者の訪問頻度**：一定期間（たいてい1週間）当たりの購買者のプラットフォーム訪問頻度
- **販売者の訪問頻度**：一定期間（たいてい1週間）当たりの販売者のプラットフォーム訪問頻度
- **在庫増加率**：販売者が掲載している品数の増加率
- **検索効率性**：購買者が何かを検索し、実際に購買に至った比率
- **成約数**：一定期間当たりの販売者・購買者間の取引成約数
- **購買者解約率**：一定期間中にプラットフォームを訪問しなくなった購買者数の全購買者数に対する比率（たいてい90日間単位で集計）
- **販売者解約率**：一定期間中にプラットフォームを訪問しなくなった販売者数の全販売者数に対する比率（たいてい90日間単位で集計）
- **購買数量**：一定期間当たりの購買数量
- **取引額**：一定期間当たりの取引額

紹介指標

- **シェアされた商品数**：自社プラットフォーム外にリンクや共有されている商品数
- **レビュー評価点数**：購買者と販売者、お互いのレビュー評価点数

売上指標

- **購買者生涯価値**：購買者が口座開設してからプラットフォームを訪問しなくなるまでに自社に入る収入総額
- **販売者生涯価値**：販売者が口座開設してからプラットフォームを訪問しなくなるまでに自社に入る収入総額
- **平均購買額**：一定期間における1件の取引の平均金額

ユーザー生成コンテンツ（UGC）[※18] プラットフォームのビジネスモデル

（例：ミーディアム、ツイッター、フェイスブック）

顧客獲得指標

- **ユニーク訪問者数：**一定期間にプラットフォームを訪れた正味の人数。延べ訪問数から重複を除いたもの
- **訪問者獲得費用：**1人の新規訪問者を自社プラットフォームに集客するために費やしたコスト
- **コンバージョン率：**自社プラットフォームへの訪問者数に対する、アカウントの新規開設件数の比率
- **ユーザー獲得費用：**1件のアカウント新規開設ユーザーを獲得するために費やしたコスト

利用開始指標

- **初回閲覧者率：**全閲覧者のうちコンテンツをはじめて閲覧したユーザーの比率
- **初回投稿者率：**全投稿者のうちコンテンツをはじめて投稿したユーザーの比率（例：写真のアップロード、コンテンツの投稿、記事の執筆）

顧客維持指標

- **一定期間当たりのサービス利用者数：**利用者のアクセス頻度、滞在時間
- **解約率**
- **通知効率性：**プッシュ通知、メールニュース、あるいは別の方法で何らかの指示を通知した際に実際に実施に応じたユーザーの比率

紹介指標

- **コンテンツ共有とバイラリティ：**他者に共有されるコンテンツ数、共有頻度、およびそれらの増加率

売上指標

- **生成されたコンテンツの価値：**広告や寄付という視点で見たコンテンツの金銭的な価値
- **ウェブページの表示回数：**一定期間内のページの合計数
- **広告の表示回数：**一定期間内に表示された広告の合計数
- **広告枠数：**プラットフォームに設けている広告枠の数
- **広告料率：**1つの広告枠当たりの収入
- **コンテンツ／広告バランス：**コンテンツと広告インベントリ[※19]の比率。収益を最大化するために管理する

※18 訳注：UGCとは、User Generated Contentの略のこと。
※19 訳注：広告インベントリ＝広告枠数×広告表示回数。

無料スマホアプリのビジネスモデル

顧客獲得指標

- **ダウンロード数**：一定期間にアプリがダウンロードされた数
- **アプリ起動率**：アプリをダウンロードした人のうち実際にアプリを起動した人の比率
- **アカウント作成率（必要な場合）**：アプリを起動した人のうちアカウントを作成した人の比率
- **ユーザー獲得費用**：1ユーザーを獲得するために費やしたコスト

利用開始指標

- **初回利用者率**：全利用者数に対する、アプリをはじめて利用開始したユーザー数の比率

顧客維持指標

- **アプリ起動回数**：一定期間内（たいてい1週間）のアプリ起動回数の全ユーザー合計
- **解約率**

紹介指標

- **バイラリティ**：1人のユーザーが招待する平均人数

売上指標

- **有料ユーザーへのコンバージョン率**：無料ユーザーのうちアプリ内購買や、有料版アプリに移行したユーザーの比率
- **有料ユーザー獲得費用**：1人の有料ユーザーを獲得するために費やしたコスト
- **アップセル平均価格**：プレミアム機能への移行による収入増加額の平均値（該当する場合のみ）
- **月次経常収益（MRR：Monthly Recurring Revenue）**：毎月継続的に得られる販売収入と広告収入の合計。どの画面やアイテムが最もユーザーの購買につながるかなど、たいていはアプリ特有の情報を踏まえて細かく区分して定量評価する。また、有料ユーザー1人当たりの平均売上（ARPPU：Average Revenue Per Paying User）も確認する。MRRを1年分集計すると年次経常収益（ARR：Annual Recurring Revenue）になる
- **無料ユーザー生涯価値**：無料ユーザーがアカウント開設してからアプリを削除するまでに自社に入る収入の総額
- **有料ユーザー生涯価値**：無料ユーザーが有料ユーザー化してからアプリを削除するまでに自社に入る収入の総額
- **広告表示合計数**：一定期間内に表示された広告の合計数（該当する場合のみ）
- **広告枠数**：プラットフォームに設けている広告枠の数（該当する場合のみ）
- **広告料率**：1つの広告枠当たりの平均収入（該当する場合のみ）

メディア・娯楽プラットフォームのビジネスモデル
（例：ニューヨーク・タイムズ、ユーチューブ）

顧客獲得指標

- **読者・視聴者規模：**一定期間（日・週・月）当たりのプラットフォーム訪問者数
- **読者・視聴者の獲得費用：**1人の読者・視聴者を獲得するために費やしたコスト

利用開始指標

- **初回閲覧者率：**全閲覧者のうちコンテンツをはじめて閲覧したユーザーの比率（例：プラットフォーム上の記事をはじめて読んだ、動画をはじめて見た、など）

顧客維持指標

- **ロイヤルティ：**プラットフォームを継続訪問している人数
- **訪問頻度：**一定期間内（たいてい1週間）に読者・視聴者がプラットフォームを訪問する回数

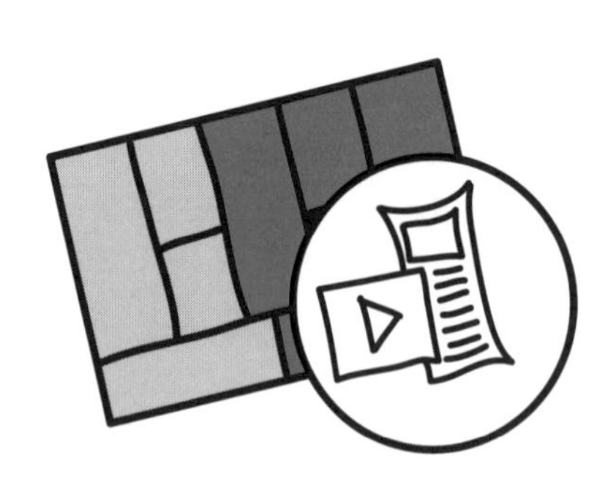

紹介指標

- **コンテンツ共有とバイラリティ：**他者に共有されるコンテンツ数、共有頻度、およびそれらの増加率

売上指標

- **広告インベントリ：**収益化可能な広告表示合計数（広告枠数×広告表示回数）
- **広告料率：**広告表示を通じていくらの収入が得られるかを提供コンテンツや訪問ユーザーごとに計算する。広告表示でなくエンゲージメント課金（サイトでの特定のユーザーの行動に対する課金）を計算することもある
- **クリックスルー率：**広告バナー表示回数のうち、実際にクリックされ、売上を生み出した回数の比率
- **コンテンツ／広告バランス：**収益を最大化するためのコンテンツと広告インベントリのバランス比率
- **有料ユーザーへのコンバージョン率：**無料ユーザーのうち有料ユーザーになった人の比率（該当する場合のみ）
- **有料ユーザー生涯価値：**無料ユーザーが有料ユーザー化してから解約するまでに自社に入る収入総額（該当する場合のみ）

対面販売のビジネスモデル
（例：販売代理店、小売店舗、銀行窓口、歯科クリニック）

顧客獲得指標

- **店舗などへの訪問者数**
- **オフラインのチャネル（例：看板、店頭など）で集客した訪問者数**
- **オンラインのチャネル（例：SNS、検索エンジンなど）で集客した訪問者数**
- **訪問者獲得費用**：1人の訪問者を集客するために費やしたコスト

利用開始指標

- **顧客コンバージョン**：実際に製品・サービスを購入した訪問者の数
- **購入者獲得費用**：1人の購入者を集客するために費やしたコスト

顧客維持指標

- **ネット・プロモーター・スコア（NPS：Net Promoter Score）**[※20]
- **ロイヤルティ・プログラム加入率**：ポイント会員などの入会率
- **継続率**：製品・サービスを1度購入した顧客が再度購入する比率
- **平均滞在時間**
- **平均訪問頻度**
- **サービス提供の平均時間**

※20 訳注：「0~10点で表すとして、この企業（あるいは、この製品、サービス、ブランド）を親しい友人や同僚にすすめる可能性はどのくらいありますか?」という質問に対する答えをもとに、点数（推奨度）によって、顧客ロイヤルティ、顧客の継続利用意向を知るための指標。

紹介指標

- **ネット・プロモーター・スコア（NPS）**
- **口コミ訪問者：**知人の紹介により店舗に来訪した訪問者や顧客の数
- **推奨レビュー件数：**該当する媒体（例：地域の新聞やトリップアドバイザーなど）に顧客が投稿した前向きな評価レビューの数

売上指標

- **1回の店舗訪問当たりの平均支払額**
- **アップセル・コンバージョン：**オプションの商品やサービスを追加購入した顧客数
- **顧客生涯価値：**長期的（例：5～10年）に1人の顧客が支払う金額の合計

自社独自の海賊指標フレームワークを作ろう

世の中には私たちが例示したよりも、ずっと多くのビジネスモデルが存在します。したがって世の中の1つひとつのビジネスモデルすべてに海賊指標フレームワークのサンプルを作成することは不可能です。その代わりに、海賊指標フレームワークを1から作るやり方を説明したいと思います。このプロセスはビジネスモデルを問わず利用できるはずです。

海賊指標フレームワークに限った話ではありませんが、一般に評価指標のフレームワークを活用するためには、簡単なコツがあります。たくさんある指標の中で、「必ず右肩上がりに上昇する」指標は新事業の改善には役立ちません。このような数字を私たちは「自己満足指標」と呼んでいます。例えば、プロジェクト開始以降の「累計登録者数」は自己満足指標です。この数字は時間とともに必ず上昇します。

次に、比較可能でなければよい指標とは言えません。例えば、対象ユーザーグループを、過去の指標の値と比較したり、他の顧客グループと比較したり、といった形です。

顧客獲得指標

海賊指標フレームワークの「顧客獲得」の段階では、どのように集客したかを見ます。この段階、およびこれに続く段階では、好きなだけ指標を追加してかまいません。しかしながら、ユーザーの行動に沿った指標を選び、その中で最も適切な指標数個に絞り込むことを、私たちはおすすめします。次の質問に答えられる指標を選択する必要があります。

- 潜在顧客が自社の製品やサービスを見つけたことを知る方法は何か?
- 潜在顧客が自社の提供価値を気に入っていることを知る方法は何か?

ここでの重要な指標は、潜在顧客が提供価値を気に入った証拠となる行動を測定する指標です。測定結果を判断基準として適切なアクションをとるための指針として、この指標（他の指標も同様ですが）

を有効に機能させるためには、適切な対象者を十分な数集めて提供価値を検証する必要があります。顧客がアカウントを開設した段階で「顧客獲得」と見なすこともあれば、アプリのダウンロードや、営業担当からの電話に出た段階、あるいはQRコードをスキャンした段階で、「顧客獲得」と見なせることもあるでしょう。

利用開始指標

「利用開始」の段階では、次の質問に答えられる指標を選択する必要があります。

- 潜在顧客が自社の製品やサービスの主要機能を使いはじめたことを知る方法は何か?

基本的にここで知りたいのは、自社製品の主要機能を使いはじめる際に必要となる動作をユーザーが実施したかどうかです。つまり、ユーザーが主要機能を最低1度は使ったということです。複雑なソリューションでは、ユーザーが利用開始したと見なすのに、複数動作の実施が必要な場合もあります。ユーザーが複数の動作を実施してはじめて、自社ソリューションの主要価値を体験できるからです。

顧客維持指標

「顧客維持」の段階では、ユーザーが自社製品の主要価値を繰り返し体験したかどうかを確認します。言い方を変えると、顧客が戻ってきてもう1度、購入したり利用したりしたか、ということです。自社のビジネスモデルに適した指標を作成するために、次の質問の答えを考えてください。

- 自社の製品やサービスの提供価値を気に入っていることを示す顧客の動作は何か?
- 顧客が自社の製品やサービスを継続的に消費していることを知る方法は何か?

紹介指標

「紹介」の段階では、自社の製品やサービスの提供価値をユーザーが周りの人たちに広めてくれていることを明確に示す指標を見ます。ビジネスモデルによって、紹介への依存度が高いもの、低いものがあります。この段階では次の質問に回答できる指標が必要です。

- 顧客が自社の製品やサービスを知人に広めてくれていることを知る方法は何か?
- 顧客が自社の製品やサービスの提供価値に感動し、他の人にも製品やサービスのことを知って欲しがっているとしたら、それを知る方法は何か?

売上指標

「売上」の段階における海賊指標は単純明快です。ここでは、顧客との間で何らかの金銭的なやりとりが発生したことを示す指標が必要です。基本的にここで知りたいのは、顧客がソリューションを購入したこと、そして自社の提供価値に金銭的な価値を見出したことです。

ビジネスモデルによっては、海賊指標フレームワークの各段階の順序が変わる場合があります。例えばオンラインのみで販売しているファッション・ブランドの場合がそうです。このビジネスのカスタマー・ジャーニー※21では、顧客は服を購入してからはじめて商品を手にするので、「売上」が「利用開始」より前に来ます。同じことが、あなたが手にしている本のビジネスモデルにも当てはまります。実際に中身を読む前に、まずお金を払わなければなりません。

もし自社のビジネスモデルが複数モデルの組み合わせであれば、いくつかの指標を混ぜ合わせて使うことを検討する必要があります。ただし、基本的な考え方は同じで、自社のビジネスモデルの人気が高く、持続可能で、拡張性があるかどうかを指標の測定で見極めるのです。ファネルのどこかに問題があるなら、それを解決しない限りそのビジネスモデルにとって致命的な問題になりかねません。

ファネルに関してもう1つ重要な話があり、それは私たちがいつも新事業開発チームにコホート分析の利用を推奨していることです。コホート分析では、全ユーザーの合計を見るだけなく、グループ分けをします。分けられた各グループをコホートと呼び、通常は共通の特徴や一定期間内に特定の行動をしたなど、何らかの共通点で分類します。[61] 図4-6のようにコホート分析を使うことで、新事業開発チームは、顧客全体をやみくもに切り分けるのでなく、顧客（あるいはユーザーのグループ）のライフサイクルに沿って自然な形でグループ分けし、明確な傾向分析を実施できます。[62]

ここで注意喚起しておきたいことが1つあります。それは外部のベンチマークデータに頼るのは、その中身や対象範囲を完全に理解していない限り危険だということです。ベンチマークデータはビジネスモデルでなく産業分野に依存することがあり、結果として判断を誤る可能性があるからです。

例えば、サブスクリプションというビジネスモデル自体は業種を問

※21 訳注：顧客が商品やサービスを認知、検討、購入、利用するまでの行動を整理した時系列の行程のこと。

// 図4-6 // コホート分析

アプリ初回起動日	新規ユーザー	初回起動後、アプリを継続利用しているユーザーの比率 週 0	1	2	3	4	5	6
4月 3 日の週	1098	100%	33.9%	23.5%	18.7%	15.9%	16.3%	[illegible]
4月10日の週	1358	100%	31.1%	18.6%	14.3%	16.0%	14.9%	[illegible]
4月17日の週	1257	100%	27.2%	19.6%	14.5%	12.9%	13.4%	
4月24日の週	868	100%	24.7%	16.9%	15.8%	14.8%		
5月 1 日の週	1758	100%	26.2%	20.4%	16.9%			
5月 8 日の週	[illegible]	[illegible]	[illegible]4%	18.1%				
5月15日の週	[illegible]	[illegible]	[illegible]3%					

ユーザー寿命

製品寿命

わず変わらないかもしれませんが、顧客エンゲージメント※22は業種によって大きく異なります。

新事業の定量評価では、記録して注意すべき指標が多数あるため、新事業開発チームが集中力を欠き、混乱しやすくなります。アリスター・クロルとベンジャミン・ヨスコビッツは、著書『Lean Analytics』（2015年、オライリージャパン）の中で、「重要な1つの指標（OMTM：One Metric That Matters)」というコンセプトを紹介しています。簡単に言うと、重要な1つの指標とは、チームが特定の成長段階において自分たちのビジネスモデルにとって最も重要な指標を1つ選び、それに集中するというやり方です。アリスターとベンジャミンの両氏によれば、OMTMはチームに以下3つの大きなメリットをもたらし、各段階でチームが最も重要な質問に回答する際に役立つとのことです。

- 競技場に明確な競技ラインを引き、明確なゴールを設定するよう、チームに強制する。
- 実験の文化を刺激する。

※22 訳注：顧客に選んでもらえる製品・サービスになるための顧客との関係構築のこと。

- チームが解決しようとしている重要な問題に、他の利害関係者も集中させることができる。

数年前、私たちはメディア・ニュース関連の新事業開発チームと仕事をしていました。そのチームはモバイルアプリの担当で、私たちが関与する1年以上前から、この事業を立ち上げようとしていました。私たちがこの仕事を引き受けて最初に行ったのは、この事業の海賊指標フレームワークを作ることでした。データが集まりはじめると、この事業の大きな問題は、週当たりの利用回数が非常に少なく、解約率が高いことだとわかりました。具体的には、ユーザーのアプリ利用回数は平均で週に1.2～2回、90日後には約90%のユーザーがアプリを削除する、もしくはまったく使わなくなるという状況でした。

このアプリには他にも問題点がありましたが、私たちが見る限り、「利用回数が少ない」「解約率が高い」の2点が特に顕著な問題でした。解約率は特に重要で、それというのも、ちょうど私たちが本プロジェクトに参加したタイミングで、チームが大規模なマーケティングキャンペーンを展開しようとしていたからです。広告業界に、「よい広告ほど悪い製品を早くつぶすものはない」という有名な古い格言があることを思い出しつつ、私たちはキャンペーンの実施に反対しました。「製品が悪い」と広く知らしめてしまい、二度と見向きされなくなる危険性があるからです。

基本的に、高い解約率（90%）を放置したままでは、大きな広告予算を使ってキャンペーンを実施しても、その90日後には非常に少数のユーザーしか残らず、1人当たりのユーザー獲得費用は巨額となります。そこで私たちは、チームと関係者を説得して、まず週当たり使用回数の改善に注力することにしました。それが事前に合意した目標値を達成したら、次に解約率の改善に焦点を当てます。そして、解約率を大幅に下げることができたら、そこではじめて広告キャンペーンを展開するのです。

1つの指標だけにチームを集中させることで、その指標の改善のみを目的とした非常に明確な実験を企画し、実施できました。また、全員の関心が1つの指標に集中した結果、指標改善アイデアを投げ込むアイデアポストをチームに設置することになり、チーム全員が自由にアイデアを出し合うようになりました。これはチーム文化に大きな影響を与えました。というのも、全員が目的意識を持ち、また自分の意見に耳を傾けてもらえると感じるようになったからです。インターンから事業リーダーまで、テスト担当者からデザイナーまで、全員がアイデアを出し合いました。

実験での失敗を何度も繰り返す中で、チームは実際のユーザーについてさまざまなことを学び、2つの指標を望ましいレベルに改善できました。このようなプロセスを経て、このアプリはその地域のメディア・ニュース分野で最も人気の高いモバイルアプリとなりました。

5 持続

通常のビジネスへ

製品ライフサイクルの「**持続**」の段階は、一般に通常のビジネスと同様の考え方となります。この段階の事業のビジネスモデルは、企業が何年も提供し続けて成熟しており、重視されるのは収益性と効率性です。そのため、実施結果指標では財務面に重点をおきます。一方で、活動実績指標には、ビジネスモデル、価値創造プロセス、利益モデルの主要成功要因の独自性を反映させる必要があります。

これを説明するために、デビッド・パーメンターの著書『Key Performance Indicators』(2015年、Wiley)に記載されている物流企業の話をご紹介します。ある物流会社のCEOは、トラックが可能な限り満載に近い状態で出発することがビジネスの主要成功要因であることに気づきました。その会社では、配車担当者がすべての商品を時間通りに顧客に届けることを最重要視していたために、積載量40トン以上の大型トラックに少しだけ荷物を積んで出発することもありました。

そこでCEOは前日に積み込みが不十分なまま出発したトラックに関する情報を、翌日の午前9時までに毎日報告してもらうようにしました。そして配車担当者に電話をして、トラックをもっと有効に使えるように配送日を変更できないか、お客様に相談したかどうかを確認しました。実はほとんどの場合には、配送日を早めたり遅くしたりしてもよいというお客様が多く、別の日に同じ方面に向かうトラックに積むことが可能だったのです。これを徹底することで、この物流会社の収益は大きく向上しました。

実験とデータ活用について重要な点は、ビジネスモデルが持続の段階に達しても、あるいはすでに持続の段階にあっても、実験は終わらないことです。ビジネスモデルの収益性を維持するためには、継続的な改善と持続的なイノベーションが常に必要となります。これを念頭におくと、チームは顧客が望む改善点を素早く定性的に理解し、そのうえで定量的な実験で潜在的なソリューションを探索できる必要があります。要するに、チームには定性的に学び、定量的に検証する能力が必要なのです。

次の章では、イノベーション・ファネル全体の活動実績を見るために、個々のチームからのデータを集計する方法を見ていきます。また、実績の上がらない事業アイデアを止め、最も有望な事業アイデアだけに集中投資するために、企業が備えるべき意思決定メカニズムについても見ていきます。

自社独自の製品ライフサイクルの作成

本章では、イノベーションの定量評価という観点から製品ライフサイクルの重要性について説明しました。製品ライフサイクルは企業固有のものであり、この章で見てきたように、それぞれの企業の独自性に合ったものでなければなりません。

製品ライフサイクルで最も重要なのは、各段階における主要成功要因です。主要成功要因とは、市場で成功を収める（例：顧客の問題を解決する、あるいは顧客ニーズに応える）ために、すべての事業アイデアが満たすべき条件のことです。主要成功要因は業界によって異なりますが、いくつかの共通性があります。

主要成功要因は、各段階で重点的に実証すべき事項と密接に関連しています。各段階の重点を明確にすることで、チームは作業に集中しやすくなり、案件を評価する管理職側は個別の事業アイデアの成長段階に応じた適切な質問をしやすくなります。

この最後の点が重要で、それというのも主要成功要因は、時系列で達成する必要があるからです（例：チームは、想定している価格が受け入れられるかどうかを確認する前に、まず顧客ニーズがあるかどうかを実証する必要がある）。

製品ライフサイクルは企業各社に固有であるため、製品ライフサイクルを作成する際には、自社の新事業アイデアが市場で成功するために満たすべき主要成功要因を洗い出すことからはじめます。

理にかなった方法は、自社の既存の事業ポートフォリオから1つか2つの事業アイデアを選択し、聞き取り調査を行うことです。これらの事業アイデアはすでに収穫段階（持続の段階）に達している事業で、現在の主な重点が効率性であることが必要です。それに加えて、過去2～3年以内（最長3年）にこの段階に到達した事業アイデアのみを対象とすべきです。

また調査対象として、自社の典型的な事業アイデアを選択するように気をつけてください。

ステップ1

選択した事業アイデアの事業責任者あるいは運営幹部にインタビューします。インタビューでは、何が事業アイデアの成功要因であったかを質問します。事業アイデアが持続の段階に到達する前に達成すべき項目を確認するのです。ここでのアドバイスは、内部要因だけでなく外部要因にも目を向けることです。ただし、通常はチームの力の及ぶ範囲の要因だけにとどめます。例えば、「チームが社内予算を確保できる」は主要成功要因ではありません。投資予算の確保に役立ったのはむしろ、チームが何らかの活動をし、何らかの成功の根拠を示した結果です（例：チームが3件の仮受注を獲得した）。また、その事業アイデアに特有の回答は除外します。

1つの付箋に1つの成功要因を書き留めるようにします。

一方で、「失敗した」事業アイデアについて聞き取り調査を行うのも検討に値します。その場合には、持続の段階に到達できなかった原因は何かを質問します。このような事業アイデアの追跡調査を、2つから5つの事業アイデアを対象に実施すれば、パターンをいくつか見つけられるはずです。

ステップ2

付箋に書き出した事項を主要成功要因の形式に書き換えます。例えば、「事業アイデアを一般市場向けに販売開始する前に、いくつかの顧客を対象にパイロット導入した」という文書を、「数件の顧客が当社ソリューションを『問題』の解決策として導入済みであることを証明する」という主要成功要因に変換します。文言をなるべく単純化し、記述はなるべく短くします。

ステップ3

次はホワイトボードに時間軸の線を引きます。そして、この時間軸の左から右に沿って発生順に成功要因の付箋を並べます。同じような付箋は集めてグループ化します。業界によって、時間軸上の主要成功要因の並び順が異なる場合があることに気をつけてください。例えば製薬業界では、ファッション業界など他の業界に比べ、法令遵守の確認を先に実施する必要があります。

ステップ4

上記に加えて、あるいは調査対象となる事業アイデアがない場合には、ステップ5に進む前にこのステップを実施します。

ビジネスモデル・キャンバス、バリュープロポジション・キャンバス、あるいはリーン・キャンバスの各ブロックを確認します。[※23] これらキャンバス上の構成ブロックを眺めて、自社にとってどの構成ブロックを実証することが重要かを洗い出します。そのうえで、自社に適した注力すべきブロックを決定します。

- 適切な構成ブロックや顧客セグメントの構成要素すべてを、それぞれ別々の付箋に記載します。
- 第1段階で注目すべき2、3個の構成ブロックを選びます。各段階の重点項目を決めることが目的なので、その他の構成ブロックも除外せず残しておきます。チームが何からはじめればよいかわかるようにし、評価する管理職側も適切なタイミングで適切な質問をできるようにするためです。
- 同様のやり方で、第2段階以降も1段階ずつ残りの構成ブロックから2、3個の構成ブロックを選びます。話し合って各段階で顧客セグメントのどの要素に重点をおくべきかを決めます。誤って

※23 バリュープロポジション・キャンバスとは、ビジネスモデル・キャンバスの「価値提案」ブロックと「顧客セグメント」ブロックを深掘りし、左に「価値提案」構成要素として①製品やサービス、②利得をもたらすもの、③悩みを取り除くものを、右に「顧客セグメント」構成要素として①顧客の利得、②顧客の悩み、③顧客のジョブ（顧客が達成したいこと）を記載し、左右のバランスを確認しやすくする見取り図。

同じ付箋を2度使わないよう注意してください。

もしも複数の段階をまたいで、同じ構成ブロックを深掘りしてさらに焦点を絞ったり、あるいは次の段階で顧客セグメントの要素に別の角度から焦点を当てたりするのが重要だという場合には、合意のもとで1つの構成ブロックを顧客セグメントの複数の要素に対応する形で分割してもかまいません。しかし、あまり頻繁に行って複雑になりすぎないよう気をつけてください。本章前半のイノベーション・フレームワークの発見、探索、採算のそれぞれの段階で「対象顧客」と「問題」に関する質問をどのように扱ったかを思い出してください。

すべての構成ブロックを各段階に割り当てたら、フレームワーク全体を眺めて、順序が適切かどうかを話し合ってください。検証の対象とする「ソリューション」の実験が完了していなければ、「収益モデル」を検証できません。

ステップ5

段階ごとに名前をつけます。その際に、似た内容の付箋がないか確認します。もし似た内容の付箋をグループにできたら、その内容を製品ライフサイクルの1つの段階の名称にします。これを繰り返し、順に各段階に名前をつけていきます。

ステップ6

最後のステップでは、それぞれの付箋の情報を質問形式に変換し、各チームが作業を進める際に回答できるようにします。これにより、次章で解説する投資委員会の運営が楽になります。

これでチームが注力すべき明確な条件を定めた自社専用の製品ライフサイクルができあがりました。

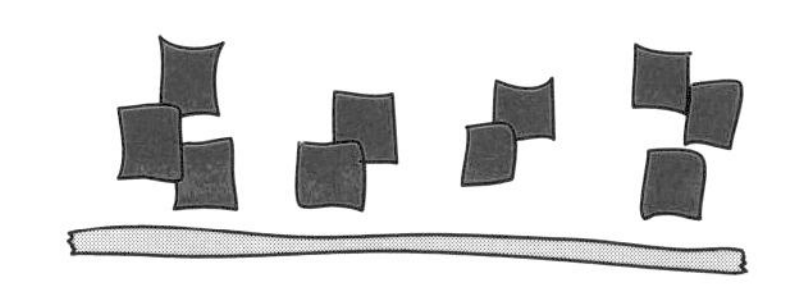

作成したフレームワークを現場に展開する前に、このトピックに関する他の文献を参考にして、主要成功要因に漏れがないか確認することをおすすめします。例えば、クレイグ・ストロング、ソニヤ・クレソジェビック、テンダイ・ビキの『The Lean Product Lifecycle』（2018年、Pearson）や、スティーブ・ブランクの『アントレプレナーの教科書』（2016年、翔泳社）、あるいはトッド・ロンバルド、ブルース・マッカーシー、エバン・ライアン、マイケル・コナーズの『Product Roadmap Relaunched』（2017年、O'Reilly Media）といった書籍はこのトピックについての優れた情報源です。

自社の製品ライフサイクルを設計する際に使えそうなフレームワークとしては、エスター・ゴンスとタイマン・レベルのNEXTフレームワーク（図4-7）もあります。

// 図4-7 // エスター・ゴンスとタイマン・レベルのNEXTフレームワーク

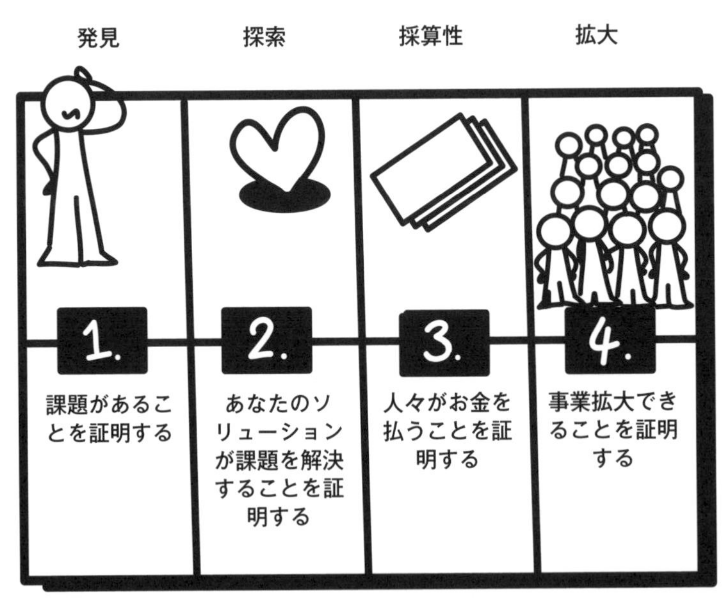

このフレームワークは、最初にどの項目に着目すべきか、それはなぜなのか、といったことに悩んでいる新事業立ち上げチーム向けに、長年かけて開発されたものです。このフレームワークは、次の4段階で構成され、各段階で重点をおくべき2つのブロックで構成されています。

1. **課題が存在することを証明せよ**
   - **顧客セグメント：**誰の課題を解決するのか？　なるべく小さく同質的な顧客セグメントに絞り込むことで、似通った重大問題をより容易に解決できるようになる。規模拡大の段階では、類似の問題を抱える隣接の顧客セグメントに対象を拡大する。

   - **顧客の課題：**顧客が直面している課題は何か？　できればうれしいという程度のものか、あるいはソリューションを構築する労力に見合う十分な大きさの差し迫った課題か？

2. **自分たちのソリューションが
顧客の課題を解決することを証明せよ**
   - **顧客のジョブ（顧客が達成したいこと）：**顧客は何を達成したがっているのか？　顧客の達成したいことがわかれば、なぜ顧客が自分たちから購入するのかを説明できる。というのも、私たちがサービス利用や製品購入を決める理由は、自分の生活環境や目的に依存するからだ。

   - **ソリューション：**顧客の課題をどのように解決し、顧客が達成したいことをどのように実現するのか？　どのような種類のソリューションを構築したいのか、最も重要な特徴や機能は何か？

3. **顧客がお金を払うことを証明せよ**
   - **提供価値：**自分たちのソリューションで顧客にどんな価値を提供するのか？　適切なソリューションを構築したとしても、実際に顧客がお金を払うような価値を提供する必要がある。顧客が飛びつくようなソリューションを提供したいのだ。

- **収益モデル：**どうやってお金を稼ぐのか？　サブスクリプションか一括払いか？　お金を払ってくれる顧客は誰で、ソリューションを利用するだけでお金を払う気がないのは誰か？

4. 規模拡大できることを証明せよ

- **販売チャネル：**規模拡大するために、どうやって顧客にアクセスするか？　広告やＤＭ、営業などで積極的に顧客に働きかけるアウトバウンドか、あるいはオンラインコンテンツを拡充してインバウンドで顧客からのアクセスを待つのか？　ソーシャルメディアか有償広告か？　新規顧客の獲得方法は、収益モデルと密接に関連する。

- **成長エンジン：**どうやって成長拡大するのか？　有償広告、継続利用、あるいは口コミ？

留意すべきこと

ビジネスモデルに存在するリスクをつぶしていく作業は直線的プロセスで進められるものではありません。優れたアイデアを規模拡大に結びつける4段階は一方向に向いたものですが、フレームワークを利用するプロセスは直線的ではないのです。顧客が達成したいことやソリューションを実証する際には、その手前の段階の顧客セグメントや課題のことを忘れてはいけません。つまりフレームワーク全体を8ピースのパズルになぞらえると、この段階では左から2列目の上下2ピースでなく、その手前も含めた上下4ピースに取り組む必要があるのです。そして最終的に規模拡大するためには8つのピースすべてがピッタリそろう必要があります。

「戦術的イノベーション会計」の各種指標には図4-9のような関係性があり、抽象化の原則の出発点と言えます。

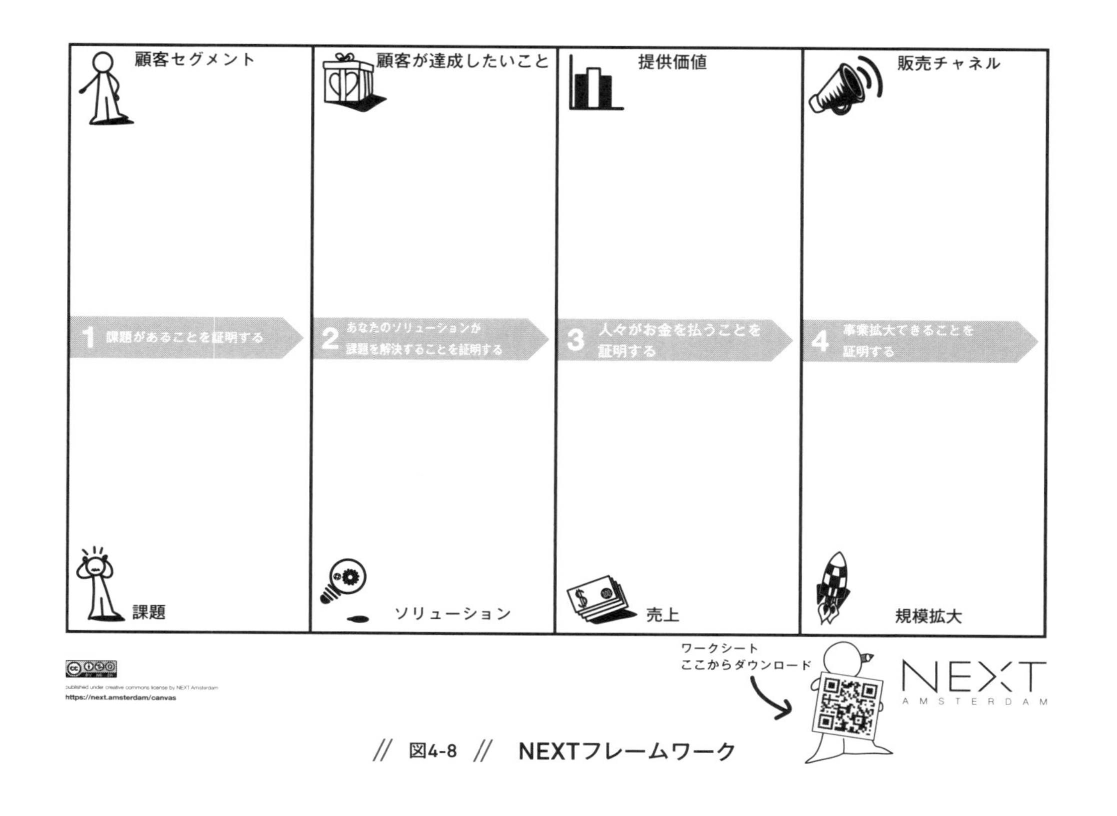

// 図4-8 // NEXTフレームワーク

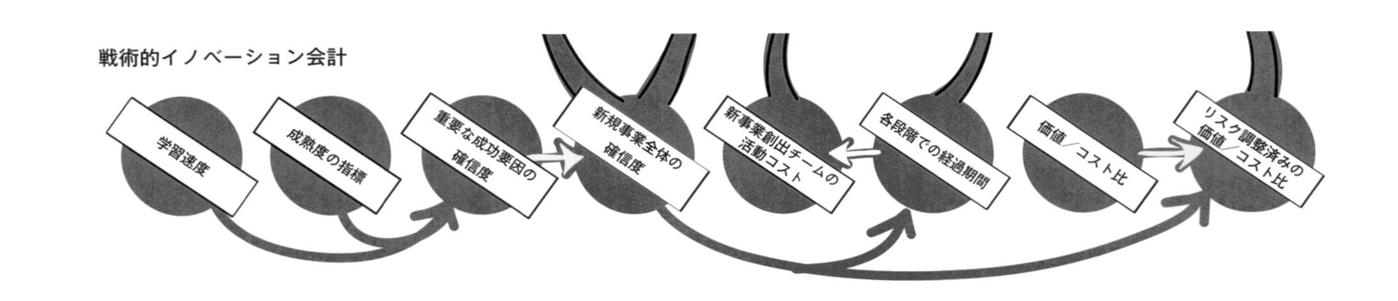

// 図4-9 // 戦術的イノベーション会計の評価指標の抽象化

Chapter 4 **Point**

イノベーション会計システムを活用するためには、企業各社が明確な製品ライフサイクル（イノベーション・フレームワーク）を整備しなければなりません。

製品ライフサイクルを整備すれば、チームはアイデアの各成熟段階において最も適切な仮説の検証に注力できます。同時に、フレームワークを整備することで、アイデアを評価する側の管理職は適切なタイミングで適切な質問をすることができます。

イノベーション・フレームワークの各段階すべてにおいて、実施結果指標と活動実績指標の両方を設定し、測定する必要があります。活動実績指標はイノベーション・プロセス実行の巧拙を示す指標、結果指標はチームの活動成果を示す指標とすべきです。

イノベーション対談

クラリッサ・エヴァ・レオン
デンマーク鉄道（DSB）デジタル部門責任者

世の中のデジタル化が進展する中で、経験豊富な変革リーダーであり、アジャイル思考の持ち主でもあるクラリッサは、デンマーク鉄道会社（DSB）の成長目標達成に貢献しています。4年以上前に同社のデジタルラボを立ち上げ、それ以来ラボの指揮をとっている彼女は、未来に向けた同社の取り組みに長年携わっています。

筆者：DSBで変革プロジェクトをはじめる際に、イノベーション・チームの進捗状況を数字で把握したがる関係者もいたはずだと思いますが、当初はどのような指標を使っていたのでしょうか？

クラリッサ・エヴァ・レオン（以下、CEL）：実は、数字の話をする前にやったことがあります。最初に実施したのは、デジタル・イノベーション・プロジェクトのビジョンと戦略についての合意形成でした。その中でも、全社の戦略目標とデジタルラボの目標との整合性をとることが、特に重要でした。指標や測定方法の議論をはじめたのは、ビジョンと戦略を整備し、全員の合意を得た後の話になります。

ただし、イノベーション、特にデジタル・イノベーションについては、社内の誰にとってもはじめての経験だったので、どのような指標を導入すべきかを全員で腰を据えて議論しました。私たちの主な懸念は、間違った行動を引き起こすような指標を導入してしまうことでした。

議論の末に当初の時点で合意したのは、「タイム・トゥ・

X（Time-to-X)」タイプの指標を見ることでした。経営トップ層から期待されていたのは、スピード感と、周囲を巻き込んで新しい考え方を広めることだったので、「タイム・トゥ・X」は適切な指標だと思ったのです。

それを受けて、ラボの主要指標を、「タイム・トゥ・インサイト（知見獲得までの時間)」「タイム・トゥ・マーケット（市場投入までの時間)」「タイム・トゥ・バリュー（利益貢献までの時間)」としました。そして次に、「タイム・トゥ・X」指標の上位に、NPS（ネット・プロモーター・スコア）と「課題所有者の満足度スコア」と名付けた指標を据えました。「課題所有者の満足度スコア」については、DSBの事業部門責任者を課題所有者、ラボのメンバーをソリューション責任者として位置づけることで、中核領域のイノベーションに関しては非常にうまく機能しました。

筆者：これらの指標を使ったことで得た学びはありますか？

CEL：当初、私たちは「タイム・トゥ・X」指標にとても満足していました。しかし、すぐにあることが明らかになりました。それは、指標の使い方を間違っていたことです。指標が間違っていた、という意味ではありません。私が言いたいのは、私たちがこれらの指標を「自己診断」のためでなく、「地面に引いたゴールライン」つまり目標設定に使ってしまった、ということです。

このような使い方により、指標が間違った行動を引き起こす原因となってしまいました。私たちがチームに、事前に決めた「知見獲得までの時間」を守るように強制したため、それが各チームの行動に影響したのです。ある時点においては、事業アイデアを「市場投入までの時間」という「地面に引いたゴールライン」に到達させるために、かなりの残業をしなければならなかったことを覚えていますが、これは正しい行動ではありませんでした。

しかし、これらの経験により私たちの能力は向上し、成長できたと思っています。

現在でも、私たちは「タイム・トゥ・X」指標を使用しています。しかし、それは警告信号として、あるいは自己診断としての利用です。私たちは全チームの「タイム・トゥ・X」指標を観察し、社内の標準時間から外れている場合には、追加調査を行います。ときには、チームが取り組んでいる課題があまりにも複雑で、通常より多くの時間を必要とする場合もあります。また場合によっては、チームに対するトレーニングやコーチの指導時間を増やすこともあります。

しかし、私たちが学んだ最大の教訓は、「単にプロセスを定量評価するのでなく、結果を重視すること」でした。状況によっては、2つの理由から「タイム・トゥ・X」の指標をチームにまったく伝えないこともあります。1つにはチームが結果でなく「タイム・トゥ・X」に意識を奪われる恐れがあるため、もう1つの理由は、標準時間を下回るためだけにつじつま合わせの行動をとる恐れがあるためです。

そのため、社内で変革の機運が高まっている今、私たちは成果、結果重視で活動しています。各チームにOKR[※24]を導入しましたが、事業アイデアが実現すべき成果目標を見失わないために役立っています。

私たちのようにイノベーションの仕事をしている皆さんへのアドバイスとして、結果に焦点を当て、常に結果を意識した会話をすることが重要だと思います。結果を出す方法自体はいろいろあると思います。そしてプロセスを定量評価するためにさまざまな指標やシステムを整備できます。しかし、どのような成果や価値を生み出したいのかを話し合っておかないと、誤った行動を引き起こしかねません。私たちの場合には、成果重視に移行したことで、すでに明らかに以前と異なる行動が促されています。一言で言うと、「常に成果から

※24 訳注：目標の設定・管理方法の1つで、目的と主要成果のこと。Objectives and Key Resultsを略して、OKRと呼ばれる。

目を離さないように」というのが私のアドバイスです。進捗管理指標もよいのですが、それだけで議論や行動を決定してはいけません。

筆者：では、成果指標についてもう少し詳しく教えてください。特によく使う指標はありますか？

CEL：成果指標については、3つのことを行っています。まず、すべてのラボで達成したい成果について毎年の目標を設定しています（デジタルラボの長期戦略とビジョンが、この作業の土台となっています）。これにより、各ラボのメンバー全員が包括的な目標を持つことができ、異なるチームで働いていても「同じ船に乗っている」という帰属意識を持つことができます。そしてチームごとに、年間目標を達成するための各四半期のOKRを設定します。週単位の進捗確認には各四半期のOKRを利用しています。

次に、OKRを状況に応じて、あるいは新事業プロジェクトごとに適宜調整します。プロセス指標や「タイム・トゥ・X」は、すべての新事業プロジェクトに使えるという意味では、ほぼ一律の指標と言えます。一方、成果指標は各新事業プロジェクトの状況に応じて使い分けます。成果を財務数字で示しやすいプロジェクトもあれば、成果を具体的に示しにくいプロジェクトもあるからです。

成果指標についてもう1つ実施しているのは、各新事業プロジェクトの成長に合わせて指標を使い分けることです。基本的には、新事業プロジェクトがファネルのどの段階にあるかによって、期待する成果が異なります。もちろん、チームが達成を目指す年間目標はあるのですが、パイプラインの特定の瞬間には、年間目標以外の成果を見るか、あるいはチームが別途設定した主要な成果の達成に向けて順調に進んでいることを示す指標を見るか、臨機応変に成果指標を使い分けています。

このようなわけで、どの指標を使うかはチームごとに異なるため、この指標です、という形で厳密にお伝えするのが難しいのです。他社の皆さんへのアドバイスとしては、先ほどの話と重なりますが、包括的な戦略やビジョンと連動した年間目標を設定すること、各新事業プロジェクトに成果指標を適合させて使うこと、そして常に事業アイデアの成長度を意識することです。

筆者：事業アイデアの進捗評価をどのくらいの頻度で実施していますか？

CEL：私たちは、各チームやリーダー・グループとの打ち合わせを毎週実施しています。これは単に進捗状況を確認するためだけでなく、コーチング、自己啓発、専門性の向上、さまざまな問題の解消など、私たちが適切に支援できていることを確認するためです。

最低でも週に1回以上の頻度で会わないと、チームの成果と「タイム・トゥ・X」指標の両方に悪影響を与えてしまうように思います。

また、おおむね四半期ごとに、OKR目標を達成しているチームを表彰しています。

第 5 章

管理的
イノベーション会計

Managerial Innovation Accounting

“ 戦略と市場の接点。”

本章の作成に当たっては、私たちの友人であり同僚でもある
ブルーノ・ペセックより多大な協力を得ています。

前章では「この事業アイデアを構築できるのか」「この事業アイデアを規模拡大できるのか」、そして何よりも重要な「この事業アイデアを顧客が本当に求めており、製品を買ってくれるのか」など、重要な質問に回答することから話をはじめました。また、話を進める中で、これらの質問に答えるだけでなく、プロジェクト推進に役立つさまざまな指標をご紹介しました。

しかし、これらはイノベーション会計導入プロセスの出発点にすぎません。細かな粒度でイノベーションを測定することで、自社のイノベーション活動の基本構造を構築できるかもしれませんが、それだけではイノベーション会計システムとして機能しません。

詳細情報やデータをイノベーション・エコシステムにどのように取り込むかについて、企業は現実的な観点で考える必要があります。利害関係者にまったく情報が提供されず、重要な戦略決定が実施できないという事態は避けたいものです。同様に、本来は担当レベルで扱うべき膨大な詳細情報を、経営幹部に次々と送られても困ります。このバランスを誤れば、過剰なデータ量で組織が麻痺しかねません。

迅速な意思決定をかなえる
管理的イノベーション会計

ここで、**管理的イノベーション会計**の出番となります。管理的イノベーション会計はイノベーションの活力を自社のエコシステム全体に行き渡らせます。その際にフィルターの役割を果たし、主要な利害関係者に自社のイノベーションの進捗状況や活動実績を理解するために必要な情報のみを選択的に提供します（前述した抽象化の原則）。また、管理的イノベーション会計が適切な情報に狙いを定める役割を果たすことで、適切かつ迅速に意思決定できます。

イノベーションを習得、管理すべき規律として捉えたとき、管理的イノベーション会計の活用が、イノベーションの真の恩恵を得るという意味での出発点となります。[34]

イノベーションを、スポーツの強豪チームや斬新な芸術作品に置き換えて考えてみてください。これらのチームや作品には、力強さや発想が見て取れます。しかし、たゆまぬ努力と定量管理や細部への徹底によって、はじめてそれが実現されるのです。これと同様に、イノベーション会計システムには知識（教育）や発想が必要ですが、何よりも「集中」と「規律」が要求されます。もしイノベーションの定量評価プロセスに「集中」と「規律」が欠けていたら、イノベーターの創造性と努力はムダに終わってしまうでしょう。

もちろん明確な起業家戦略や起業家的な管理原則など、イノベーションをシステムとして体系的に実行すること以外にもアントレプレナーシップに必要なものは多々あります。しかし、イノベーションで自社を成功に導きたいと真剣に考えるなら、単に取り組むのでなく、

// 図5-1 //　管理的イノベーション会計

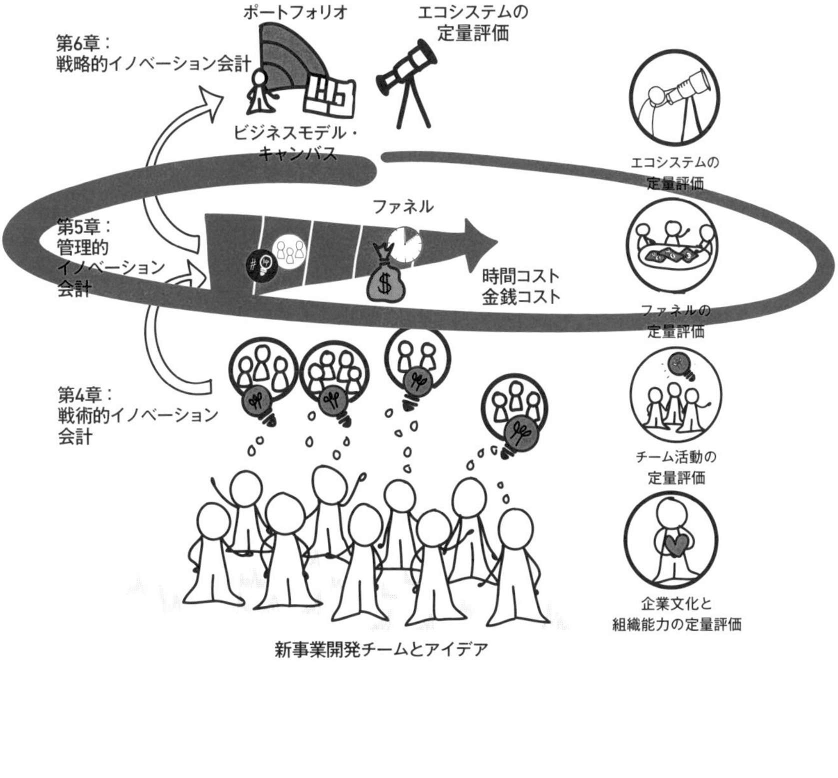

イノベーションの成功に全社を没頭させるべく、「イノベーション・システム」と「的を絞った定量評価」を自社の中心に据えなければなりません。

イノベーションへの投資

ここで他山の石として注意すべき例をご紹介したいと思います。知見を得るために測定するのでなく、測定のための測定を行うと、どんな問題が起きるかという例です。

以前、ヨーロッパのある金融サービス企業から依頼を受けたのですが、その企業では、2、3件のプロジェクトが進行中でしたが、どれも進展していない様子でした。進行中のイノベーション・プロセスを観察すると、明白な問題がいくつか見えてきました。まず、取締役会、事業部マネージャー、イノベーション・チームが参加して隔週で行われる会議が、上意下達式でした。そして各チームは一連の指標について進捗測定を求められていましたが、その指標のほとんどはプロジェクトの前進を促すように設計されていませんでした。

さらに不安に感じたのは、プロジェクト実行部隊が、自分たちの存在を正当化し続けることを最優先目標と考え、レビュー会議の準備に多くの経営資源を投入していたことです。やがて残ったプロジェクトが1つだけになったとき、事態はついに最悪の状況に陥りました。プロジェクトの全滅を避けたい取締役会にとって、そのプロジェクトは中止不能の「イノベーションの象徴的存在」となり、何とか存続させようとして取締役会メンバーがどんどん介入するようになったのです。

この話から、組織構造、プロセス、指標の方向性が統一されていないと、イノベーション投資からプラスの結果を得るのが非常に難しくなることを、明確に再認識できます。

では、どんな解決策があるのでしょうか？　私たちは、「**投資委員会**」の設置が、イノベーション投資から成果を得る可能性を飛躍的に高めるための、最重要施策の1つだと考えています。

投資委員会とは、企業（または部門）のイノベーション・ファネルを統括する社内メンバーのグループです。投資委員会の責務は2つあり、1つは一定の基準に基づいて投資または撤退の意思決定を継続的に実施すること、もう1つは戦略に合致したアイデアのみをイノベーション・ファネルに入れることで企業のイノベーション投資方針（訳注：本章のコンセプト解説「イノベーション投資方針」を参照）を実践に移すことです。基本的にこのグループに求められるのは、ベンチャー・キャピタル的な考え方を社内に持ち込み、社内ベンチャー・キャピタルとしてふるまうことです。

投資委員会の詳細に触れる前に、ベンチャー・キャピタルについて、特に「期待値の管理」に重点をおいて、少し踏み込んで見てみたいと思います。

画期的なイノベーションへの投資は、決して確実性の高い投資ではありません。現物があって確実性の高い不動産投資とは正反対です。ニューヨークを拠点とし、ツイッター、キックスターター、エッツィーなどスタートアップ各社への投資で成功を収めたベンチャー・キャピタルであるユニオン・スクエア・ベンチャーズの共同設立者フレッド・ウィルソンはこう語っています。「投資ポートフォリオの理想的な成果目標は『1/3、1/3、1/3』、つまり1/3の投資では出資額を全額失い、1/3の投資はとんとん（あるいは若干の利益）、そして残りの1/3の投資で利益の大半を稼ぐことだ」。

実はこれは、かなり楽観的な見方です。同じくベンチャー・キャピタルのコリレーション・ベンチャーズの調査によれば、米国のベンチャー企業向け投資案件の65%で出資額を回収できていません。より興味深いのは、出資額の10倍以上の利益を得られた案件はわずか4%、5倍以上の利益を得られた案件も10%だけであったことです。[63] ここからイノベーション・リーダーは最初の教訓を学べます。「すべ

// 図5-2 // 米国におけるベンチャー投資利回りの分布

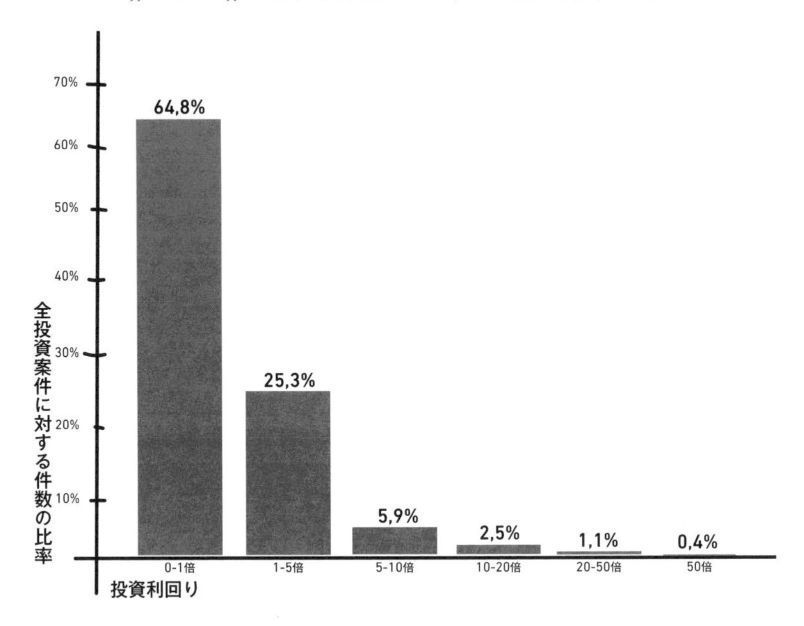

てのプロジェクトが成功するわけではなく、成功したければ途中で失敗することを覚悟しなければならない」。さらに、もう1つ教訓を学べます。「あらかじめ勝者を選ぶことは誰にもできない。したがって少数の大きな投資でなく、多数の小さな投資が望ましい」。

さて、誰でも負けを認めるのは難しく、そこに疑う余地はありません。特に負けを認めることが、個人の信用失墜や、失敗への恐怖につながる場合はなおさらです。これに対する解決策は、「『何を学んだか』は『何を達成したか』と同じくらい重要な成果である」「『失敗』はイノベーション育成に必要な要素である」というメッセージを広く知らしめ、そのようなイノベーション文化を構築することです。ベンチャー・キャピタルと同様に、イノベーションは多数の少額投資で勝負するポートフォリオの戦いなのです。方針転換が必要な事業は方針転換し、うまくいかない事業は中止して、資本を再配置するのです。[64]

以上を踏まえて、ここからは投資委員会の構造、人員、ライフサイクルを詳しく見ていきましょう。次の2つの要点を意識しつつ、本章を読み進めてください。「失敗の概念がイノベーションに欠かせない要素である」こと、「的を絞って適切に資金供給することが、成果によい影響をもたらす」ことの2点です。

基本的に、投資委員会を機能させるためには、自社に「マイルストーン型の資金調達（計量型財源）」を導入する必要があります。エリック・リースが『スタートアップ・ウェイ』（2018年、日経BP）の中で述べているように、マイルストーン型の資金調達は、スタートアップが資金調達をする道筋に沿っています。新事業開発チームは、投資ラウンドごとに意思決定者に事業アイデアのプレゼンテーションを行い、事業立ち上げの資金を調達します。資金調達は、チームの達成した目標やマイルストーンに基づいて行われます。初期段階ではチームの学びに基づく資金調達、後半の段階では事業成長に応じた資金調達を行います。

別の言い方をすると、製品ライフサイクルの初期段階では、チームに時間を与え、事業アイデアの特定・調査・実験を実施することに重点をおいた投資が行われます。事業アイデアの進展に伴い、投資はものに向けられるようになり、設備や開発費などへの投資が必要になります。

投資委員会の役割

ではどうすれば、イノベーション推進の旗振り役となり、同時に見込みのないプロジェクトを中止する覚悟を持った投資委員会を組織できるのでしょうか。投資委員会のメンバー構成に唯一の解はなく、各社固有の要件やイノベーションに関する諸事情を考慮して決めなければなりません。

多様なメンバーがいれば多様な視点が意思決定プロセスに反映されるため、会社の取締役会と同じく投資委員会にも多様性が極めて重要です。ノースカロライナ大学プール・カレッジ・オブ・マネジメントのリチャード・ウォーのチームは、米国の大手上場企業3,000社の採用方針を調査し、多様な従業員を抱える企業がそうでない企業に比べて革新的な製品やサービスの開発に優れているかどうかを調べました。[65]

ウォーによると、多様性のあるチームがより革新的である理由の1つは、より幅広い興味、経験、背景を持っているためです。多様性のないチームに比べて、製品の潜在的なユーザーをよく理解しており、問題解決能力も高い傾向にありました。[66]

同様に、平等性とイノベーションに関するアクセンチュアの調査では、最も平等な文化を持つ企業が、最も平等でない文化を持つ企業よりもイノベーション・マインドが6倍高いことが明らかになっています。したがって、平等で多様性に富んだ投資委員会を構成することが、企業全体のイノベーション促進に役立つ可能性があります。

投資委員会のメンバー構成

それでは個別のメンバー構成について見ていきましょう。最初は投資委員会の「**①リーダー**」です。多くの場合、会社全体あるいは事業部門のイノベーション戦略実現の最終責任者がリーダーとなります。リーダーの役割を担う人の役職名は、イノベーション責任者、あるいは（デジタル）製品責任者かもしれません。肩書きが何であれ、取締役会に直接報告し、会社全体でイノベーションの旗振り役として活動できる、十分な権限を持った人を投資委員会のリーダーとする必要があります。

投資委員会メンバーとして「**②外部人材**」を起用すれば、議論に新たな視点が加わります。他部門の経験豊富な管理職、あるいは社外の人、理想的にはスタートアップへの投資経験がある人がよいでしょう。外部メンバーの役割は外から見た視点を持ち込むことですが、ベンチャー・キャピタルの世界から来た人物であれば、投資家がどのようにスタートアップに投資するかについて、さまざまな洞察を与えてくれるでしょう。

外部人材を起用するメリットには、専門知識や新鮮な視点を持ち込んでくれるというだけでなく、部外者の方が厳しい決断を提案しやすいから、という単純な理由もあります。当然ながら、部門内では互いに甘くなりがちで、「仲間が情熱を注いでいるプロジェクトに死刑宣告」するのは容易ではありません。その結果、ぐずぐず停滞し続けて規模拡大しなかったり、逆に規模拡大を急ぎすぎたりして、多くの「ゾンビ」プロジェクトを生み出すことになりかねません。

社内の他事業部門の人に外部専門家の役割を担ってもらえば、社内の相互交流にも役立ちます。さらに、その人が社内の他部門の投資委員会メンバーであれば、プロジェクトチームは、社内の幅広い部門が自分たちのプロジェクトに関心を持っているという安心感を得ることができます。つまり、いわゆる「世界で唯一のベンチャー・キャピタル問題」を解決できるのです。スタートアップの世界では、資金調達を実現するまでに、複数の投資家に断られるのは普通です。

しかし、もし世界にベンチャー・キャピタル投資家がたった1人しかいないとしたら、どうでしょうか？　そんな環境でも成功できる自信がありますか？　そのような世界だったら、有名なスタートアップ企業のうち何社かは資金調達できずに消滅していたのではないでしょうか？　もしあなたが、よちよち歩きの事業アイデアをさらに発展させるために資金を求めている起業家であれば、資金を得るまでいくらでも多くの投資家に打診するはずです。運がよければ1人に会うだけで事足りるかもしれませんが、たとえ1人目の投資家から資金を得られなくても何人かに打診する余地があるわけです。しかし、社内起業家の場合には打診可能な資金調達先はただ1人、すなわち自分の上司しかいません。社内起業家にとって、自分の上司が世界で唯一のベンチャー・キャピタル投資家だと言ってもよいでしょう。ですので、他の部門も投資してくれるかもしれない、と思えることが安心感につながるのです。

投資委員会には重要な役割がもう1つあり、それは豊富な経験と実践的な考え方を議論の場に提供する「**③イノベーション・マネー**

ジャー」です。私たちは事業部門の管理職がこの役割を担う例を何度も目にしています。この方法が効果を発揮する理由は、最終的に事業部門の管理職が承認しなければ、チームがアイデアに取り組むために必要な時間を確保できないからです。新事業開発における取り組みの初期段階で、かつ初期段階のアイデアに社員がフルタイムで取り組むことを嫌う企業においては、事業部門の管理職に参画してもらうことで特に高い効果を得られます。

代替案としては、新事業立ち上げの経験豊富なイノベーション・コーチのリーダーあるいは社内の適任者に、イノベーション・マネージャーの役割を務めてもらってもよいでしょう。こういう人たちが投資委員会にいれば、会議の中でコーチングを実施できます。経験をもとにチームをより適切な方向に導き、実施方法を指導し、新事業開発を進めるうえで次にとるべき行動をアドバイスしてくれるはずです。

イノベーション・マネージャーに、社内の調整役として機能してもらうことも可能です。上述の特徴に加えて、長年の経験に基づく幅広い社内人脈を持つ人に、この役割を担ってもらうのが理想的です。人脈と経験を生かして、チームが他の事業部門や管理部門とうまく連携できるように調整してくれるでしょう。

最後に、投資委員会の会議には常に「**④ドメイン専門家**」を呼ぶべきです。そのときどきによって参加してもらう相手が変わるかもしれませんが、ドメイン専門家は必ず必要です。製品やサービスが開発可能であること、および対象市場の重要な側面をチームが見落としていないことを確認する意味で、ドメイン専門家の役割が重要となります。対象分野のベテランにこのポジションを担ってもらいます。

例えば、銀行の投資委員会の会議において、バイオメトリクスを使用する事業アイデアを検討する場合、バイオメトリクスやデータセキュリティ分野の専門家が必要です。会議によって、特に法律や財務上の要件が絡む場合には、2人以上のドメイン専門家が必要になることもあります。

また、「**⑤経営陣の誰か1人**」を投資委員会の会議に招待することも考えられます。経営陣に毎回の投資委員会に参加する時間を割いてもらうのは現実的ではありません。ただし、有望な事業アイデアに関する大きな投資判断が必要な場合、例えば「拡大」から「持続」の段階に移行させたい場合には、経営トップの少なくとも1人が会議に参加することは非常に有益です。経営トップが参加していれば、事業の分社化、チームの正式組織化、特定の事業部門の事業ポートフォリオへの統合、といったレベルで判断を下し、プロジェクトをうまく前進させられるかもしれません。

最終的に投資委員会メンバーを何人にするか、それぞれの役割を何と呼ぶかにかかわらず、投資委員会には必ず次の分野から1人以上を入れることが重要です。

- **経営資源管理**：時間、資金、および顧客、営業部隊、代理店との連携など、社内リソースを各事業アイデアに割り当てる役割。
- **人事**：事業アイデアの発展に必要な各種スキルを持つ人員を確保できるよう調整する役割。
- **スポンサーまたはパトロン**：新事業アイデアを自部門に統合させたい人。この役割は、ラボやアクセラレーターのような会社全体のイノベーション組織がある企業では特に重要です。私たちの長年の友人であり、イノベーションの実践者として知られるテレフォニカのスサナ・ジュラード・アプルゼーゼは、新規事業にスポンサーがつくことは、新事業の成果を左右する主要成功要因であると指摘しています。彼女の分析は徹底しており、3年分以上のデータを機械学習アルゴリズムで分析し、新事業プロジェクトの成功確率を予測したところ、スポンサーの有無は成否を分ける0か1かの要因だったとのことです。つまり、スポンサーがいない新事業の成功確率はゼロだったのです。[67]

投資委員会の落とし穴

投資委員会を設置したら、初回の会議開催に向けて全速前進の号令をかけたいところですが、ちょっと待ってください。スタートを切る前に、まず一連の注意事項に目を通していただきたいのです。確かに投資委員会には大きな成果をもたらす潜在力があるのですが、それは自社のイノベーションに役立つように適切に実施した場合に限られます。そこで、ここでは投資委員会が避けるべき典型的な落とし穴をいくつかご紹介します。

落とし穴1 » 散発的な会議

推進力を生むためには、投資委員会の会議を一定頻度で開催する必要があります。散発的に会議を開催すると「イノベーションは重要だが、継続的に時間を割くほどではない」という誤ったメッセージとなります。このような否定的な雰囲気が伝播すると、イノベーション・チームは切迫感を感じなくなり、効果の薄い活動や、事業アイデアの成熟段階にそぐわない活動に時間を浪費するようになります。

基本的に私たちはおすすめしませんが、イノベーション・チームのメンバーに他業務を兼務させる場合には、投資委員会の会議が散発的なことが特に有害になります。一定の頻度で会議をしないと、兼務のメンバーは中核事業の業務にどんどん引き込まれ、イノベーションは忘れ去られてしまいます。

世界最大級の格付け・認証機関であるDNV GLのビジネスプロセス責任者、ニーナ・ライグは次のように述べています。「投資委員会の会議を一定頻度で開催することは、チームと投資委員会メンバーの双方にとって有益です。頻繁にチームと会っているので、投資委員会メンバーは過去の活動報告を都度求めなくなります。3カ月や半年に1度でなく、頻繁に投資委員会でプレゼンテーションを行うため、チームの不安感も軽減されます。また、絶えずフィードバックしているため、チームと投資委員会メンバーの期待値もずれにくくなります」。

会議の開催頻度は、それぞれの会社の状況によって異なります。私たちの経験上、B2C市場で活動するフラットな階層構造の企業では3週間の間隔が最も効果的です。しかし、規制が厳しいB2B業界の企業では実験に必要な時間が長くなるため、会議の開催間隔は3週間では短いでしょう。

落とし穴2 » 活動報告会議

私たちがよく目にするもう1つの大きな問題は、投資委員会の経験が浅い初心者メンバーが、投資委員会の会議を活動報告会議に変えてしまいがちなことです。投資委員会の会議は、イノベーション・チームが事業アイデアの進展と、ビジネスモデル仮説のリスク除去の進捗状況を発表する場です。単なる活動報告会議ではないのです。

このような問題を防ぐためのアドバイスは、次の2点を重視した質問項目の標準リストを事前作成し、そこから脱線しないことです。

1. 何を学んだか？
2. どのようにしてそれを学んだのか？

1つ目の質問で、前回の会議以降にチームが検証した仮説を確認し、2つ目の質問で、検証の根拠が信頼できるかどうかを確認します。

以前、私たちは海事機器の開発会社の投資委員会にハンズオンでコーチングをしたことがあります。新事業チームの1つは、大型船の洗浄問題を解決しようとしていました。チームは最善を尽くしていましたが、最初の検証サイクルでは大型船のオーナーにコンタクトできず、ヨットのオーナーに対して洗浄問題の存在を実証してきました。洗浄の問題は確認できたものの、根拠を得た先が誤った顧客層であったため、実証結果は無効とされました。そのため、投資委員会は仮説の根拠としては却下し、大型船に限定して実証をやり直すように要請しました。ちなみに、もしも大型船のオーナーが洗浄問題を持つことを実証できなかった場合に、ヨットオーナー向けにピボット（方向転換）できる可能性があるため、ヨットのオーナーから得た学びを文書化して記録に残しました。

落とし穴3 » アイデア創出セッション

活動報告会議の落とし穴と同様に、投資委員会の会議がアイデア創出セッションに変わってしまう恐れがあります。具体的には、本題の進捗や具体的な根拠に集中せず、投資委員会のメンバーが将来計画や本題以外の新たに思いついた事業アイデアについて話しはじめてしまうのです。前述のシナリオと同様に、この問題を防ぐには、成果と効果に焦点を当てた質問項目の標準リストを事前に共有し、そこから外れないことです。

落とし穴4 » プレゼン大会

投資委員会の会議が迷走するパターンの多くは、相互に連鎖しています。会議がプレゼン大会になったり、アクセラレーター・プログラムのデモ発表会のようになったりするリスクは、多くの要因に起因します。例えば、会議が散発的にしか行われない場合、チームは事実や成果を示すのでなく注目を集めようとして、見映えのよいプレゼンテーションやデモでのアピールに力を注ぎがちです。事前に決めた質問項目標準リストを厳守しなければ、会議がプレゼン大会になりかねません。

このようなリスクを軽減するために、自社の標準テンプレートを作成して使用することをおすすめします。議論の焦点を定め、規律を保つという目的が守られていれば、テンプレートの書式自体はスライド形式でも文書形式でもかまいません。これまでの経験から、標準テンプレートを使用することで、チームがパワーポイントやプレゼンテーションのスキルだけで投資委員会の意見を抑え込んでしまう恐れを排除できると考えています。標準テンプレートがあれば、出席者全員が事実と根拠に集中できます。

事前に定めた製品ライフサイクル・フレームワークの段階ごとに、それぞれ標準テンプレートが必要です。ライフサイクルの段階ごとに、達成すべき成果と主要成功要因を明確に問う質問項目リストを作成します。各チームには、それぞれの質問に答えるだけでなく、どのようにしてその答えにたどり着いたかを説明してもらいます。また、各段階の質問項目が事前にわかるため、チームが何に焦点を当てて活動を進めるべきかが明確になります。これにより、次の段階に進むための基準が明白になり、投資委員会と新事業チームの期待成果にずれがなくなります。

落とし穴5 » 意思決定がなされない

投資委員会の会議で見られるもう1つの落とし穴は、プロジェクトに関する意思決定がなされないことです。意思決定とは次の3つに仕分けることです。終了（この案件を中止する）、継続（製品ライフサイクルの現在の段階で主要成功要因の根拠を引き続き集め続ける、あるいは次の段階に進む）、そしてピボット（根拠に基づき、新事業チームはビジネスモデルに大きな変更を加える。通常は製品ライフサイクルの最初に戻って新たな根拠の収集を再度開始することを意味する）です。

落とし穴6 » 不適切な態度

企業文化によっては、投資委員会メンバーの態度が不適切なことがあります。そういった不適切な態度は、チームの行動や、チームが会議中に何を発表し、何を発表しないかに影響を及ぼします。

投資委員会の会議は、余計な気遣いなく発言できるよう、信頼と安心感のある雰囲気で実施すべきです。投資委員会はチームを罰するための組織ではありません。会議を定期開催し、関係者全員によるコーチングの場と捉えるべきです。会議では、投資委員会メンバーからチームにトップダウンで指示命令をするのでなく、双方から意見交換すべきです。また、うまくいったことや思うようにいかなかったことを正直に話しても大丈夫な、チームが温かみを感じられる雰囲気作りが必要です。相手を信頼できない雰囲気のもとでは、建設的なよい決定を下せません。

落とし穴7 » 新規事業の評価スキル不足

既存の事業領域の改善プロジェクトの管理と、新規事業の評価や意思決定に求められるスキルは大きく異なります。通常の持続的イノベーションとブレイクスルー・イノベーションとでは、不確定性の度合いが大きく異なるからです。新規事業の評価や意思決定においては、不確定性の度合いが高まることで、いわゆる意思決定バイアスが強く現れます。

a. 埋没コスト・バイアス：このバイアスは「コンコルド効果」とも呼ばれます。これは、一旦何かに時間やお金を投資してしまうと、たとえダメそうな予感があったとしても、過去の損失を何とか取り返そうとして、追加投資をしてしまう、という人間心理のバイアスのことです。その結果、苦渋の決断をして早めに損切りした場合よりも、はるかに多くの損失を被ることになるのです。[68]

b. 生存者バイアス：成功物語は目立ちますが、音もなく沈没した失敗例を目にする機会はなかなかありません。だからこそ、私たちはリスクのある新事業の成功可能性を過大評価しがちです。信じられない方は、失敗して現実を思い知らされたスタートアップ業界のベテランに聞いてみてください。学校を中退した成功者など、特定の成功者の戦略を過大評価してしまうのもこのバイアスのためです。ある行動（学校をやめること）がある結果（起業家として大金持ちになること）につながる可能性を心の中で計算する際に、ビル・ゲイツやマーク・ザッカーバーグといった世界的な成功者のことばかり思い浮かべ、人知れず苦難の人生を送っている膨大な数の中退者がいることを忘れてしまうのです。[69]

c. 安全バイアス：安全バイアスとは、損失を避けようとする、いかにも人間的な傾向のことです。多くの研究によると、私たち人間はお金を得ることを求めるよりも、お金を失うことを避けたいと、より強く願うようです。言い換えれば、悪いことは良いことよりも心理的な影響力が強いということです。安全バイアスは意思決定を遅らせ、健全な形でリスクを負うことを妨げます。安全バイアスを軽減する方法の1つは、自分と意思決定との間に距離をおくことです。例えば、すでに適切な意思決定を実施済みだと想像することで、損失に対する恐怖心を弱めることができます。[70]

d.経験バイアス：自分が認識したことを客観的な真実だと思い込んでしまう人間の傾向のことです。自分の人生の主役は自分自身でも、他の人は自分とは少し違う角度から世界を見ています。経験バイアスは、その事実を忘れたときに起こります。ある問題や状況に対し、事実の代わりに自分の認識を完全な真実だとすり替えて思い込んでしまうのです。このような場合には、外部の専門家を招くことで状況を大きく改善できる可能性があります。

e.近視眼バイアス：私たち人間は、時間をかけて合理的な最適解を得るよりも、わかりやすい解に飛びつき、すぐに行動することを好みます。このような近視眼バイアスによって、より適切で有用かもしれない答えを無視し、明白に見える答えを選ぶことがよくあるのです。とりあえず今あるデータで判断しよう、というバイアスは、さまざまな形で現れます。デジタル出版では、筆者を文章の質ではなく、アクセス数のみで評価しているかもしれません。また営業部門では、顧客との良好な関係構築が将来のビジネスにどう影響するかを考慮せず、目先の収益目標のみを重視しているかもしれません。

以上、さまざまな意思決定バイアスを紹介しましたが、単純化すると、意思決定バイアスには2種類あります。1つは論理的な誤りで、理屈に誤りや飛躍がある場合です。もう1つは認知バイアスで、客観的事実と異なる形で現実を見てしまう人間の特質です。私たちの同僚のブルーノ・ペセックはこれまでの経験をもとに、意思決定のトレーニングステップを考え出しました。[71]

- 1つ目は、さまざまな意思決定バイアスの存在を認識し、それに気を配ること。間違いを犯しているときに、それに気がつかなければ対処できません。
- 2つ目は、言葉や画像で議論の対象を可視化すること。そうすることで、自分の考えがより具体的かつ明らかになり、その考えに対する疑問を持ちやすくなります。
- 3つ目は、フィードバックを率直に共有し、考えや行動の欠陥について気兼ねなく議論できる場を作ること。バイアスに陥った状況を見つけた場合にも、個人攻撃せずに、敬意を持って議論できる環境が必要です。
- 最後に、ブルーノはこれら一連のステップを忘れず継続実施することの重要性を強調しています。あなたは常に意思決定を行っており、そのプロセスを継続的に改善する必要があるからです。

ときには、何を考えるかではなく、どのように考えるかが決定的な違いを生むことがあります。だからこそ、研修を通じて管理職や経営リーダーに物事の本質を見極めるためのクリティカル・シンキング[※1]を身につけてもらうことが、イノベーション会計システムを機能させるうえで非常に重要なのです。

2017年末に、私たちは欧州の大手製薬企業グループに同様の指摘をしました。彼らは内部向けのイノベーション・ファンドを通じて多額の投資をしており、さらに今後何年も投資を続ける計画でした。彼らのイノベーション・プログラムの重要イベントは成果発表会で、全12週間のプログラムの最後に行われます。発表会までの12週間を使って、各チームは主に顧客ニーズの実証と、ソリューションに対する初期段階のニーズ確認を行います。そのために各チームには、コーチングによる支援、資金、そして明確な指示が与えられます。成果発表会の目標は、12週間前にファネルに投入した各チームの中から、事業アイデアをさらに発展させるべく追加資金を与えて前進させるべきチー

※1 訳注：批判的思考。なぜなのか、本当に正しいのか、を問いかけ、考察することで、自分の考えや意見に客観性を持たせるための手法。

ムはどれか、どの事業アイデアを中止すべきかを、各チームの集めた根拠に基づいて見極めることでした。

選考委員の判断がプログラム全体の成功を左右する重要事項だとわかっていたので、私たちはこのイベントに先駆けて選考委員への集中的なマネジメント研修を進言しました。私たちの研修プログラムの目的はただ1つ、選考委員を務める管理職たちが各チームの持ってくる根拠を適切に理解できるようにすることでした。つまり、ベンチャー・キャピタル投資家のような考え方を管理職たちに教えるのです。

選考委員への研修プログラムの最後に、参加者にアンケート用紙を配布して研修に対するフィードバックを集めました。「仮に研修を受けていなかったら事業アイデアの成熟度に合わない誤った質問をしてしまい、発表会で選考委員としての仕事をうまくこなせなかっただろう」と、すべての用紙に記されていたのを見て、私たちはとても驚き、うれしく思いました。

落とし穴8 » 時間管理の不徹底

投資委員会の会議を効果的に行うためには、どのチームにも均等な発表時間を与える必要があります。これまでの経験から、チームが進捗状況を伝え、投資委員会メンバーが不明点を確認するための時間は、15分から20分で十分だと考えています。時間を長くするほど、会議が活動報告になったり、アイデア創出セッションになったりする恐れが高まります。時間の制約は、会議が乗っ取られたり、脱線したりしないようにするための無言の守護者と考えることができます。

落とし穴9 » データ記録の不備

イノベーション会計システムを機能させるためには、毎回の会議後にデータを記録しておくことが非常に重要です。どのようなデータを収集し、記録すべきかについては後述しますが、とりあえず、データが記録されない投資委員会の会議は、何も決定されない会議と同じくらいひどいものだということを覚えておいてください。

投資委員会は、企業の戦略と戦術を結びつける役割を担っています。イノベーション戦略が実行されるように確認すると同時に、その戦略に対するフィードバック活動を行います。イノベーション戦略が市場で通用するのか、それとも変更する必要があるのかを知るための場所が、投資委員会の会議なのです。

投資委員会の会議を行わないと、戦略に対するフィードバックを得られないと言っているのではありません。ただ、この会議を行わないと、財務会計の帳簿上で結果を見るしかないため、フィードバックが遅くなるのです。また、投資委員会の会議でイノベーション戦略のフィードバック周期を短縮することで、戦略がうまく機能しない場合の早期警戒システムとして機能します。これらのことは、前述した財務会計システムの難問の1つ、すなわち資産投入の結果を売上と利益でしか表現できない、という会計ベースの財務報告の問題軽減にもつながります。

投資委員会が企業の戦略と戦術を結びつけるという役割を果たすためには、「イノベーション投資方針」と「イノベーションの明確な定義」が必要です。イノベーション投資方針は、製品ライフサイクル全体を通して、投資委員会が投資判断を下す際に役立ちます。また、どの事業アイデアやチームを新しい革新的な新事業として扱い、どの事業アイデアやチームを単なる持続的な改善プロジェクトやDXのプロジェクトとして扱うかは、イノベーションの定義に基づいて決まります。

Column

コンセプト解説

イノベーション投資方針

イノベーション投資方針は、イノベーション戦略の検討結果を具体的に実行可能な文書にしたものです。ベンチャー・キャピタルに、どんなスタートアップや市場に投資するかを定めた投資方針があるように、すべての大企業には「イノベーション投資方針」が必要です。

イノベーション投資方針には、未来に対する自社の見解とともに、イノベーションの戦略目標を記載します。イノベーション投資方針は、社内投資（自社事業の開発）であれ、社外投資（スタートアップ企業への投資）であれ、あらゆる人が自社の意図をよく反映した投資判断を行うのに役立ちます。多くの人がこの投資方針を利用するため、明瞭さが必須要件です。また、投資方針は「意思決定ガイド」の役割を果たし、製品ライフサイクル全体にわたって、すべての組織階層の人々のニーズに応えます。

投資方針全体は、宣言文、非投資方針、投資方針の3つの部分で構成され、それぞれが社内の特定ユーザーの具体的なニーズに対応します。宣言文は自社のイノベーションの狙いを大局的に示した文書であり、詳細に踏み込まずに全体像を伝えます。

宣言文に続く非投資方針は、自社が意図的に投資の対象としないものを明確に描くために作成します。宣言文が主に経営幹部や利害関係者に役立つとすると、非投資方針は投資の意思決定を行う経営トップや中間管理職に役立ちます。また、非投資方針を正確に記述すれば、イノベーターが自社の目的や将来ビジョンに合わないアイデアを創出することを、あらかじめ防止できます。

イノベーション投資方針は、事業アイデアの創出や選定だけでなく、製品ライフサイクルの各段階での意思決定プロセスに利用します。ですので、記載内容には課題領域、ビジネスモデル、技術も含めます。非投資方針の課題領域の項目には、自社が開拓する興味のない分野を記載します。また、自社が投資する意図のないビジネスモデルの種類を非投資方針で明確に規定することで、プロブレム・ソリューション・フィットの段階を通過して成熟した新事業アイデアに、自社の意図を適切に反映できます。

より成熟した段階の新事業アイデアに向けて、非投資方針には自社が後押ししない技術の種類も規定します。この部分には、特定の技術名を列挙するのでなく、技術の特徴を記載することで大枠の方針を示します（例：オンプレミスのインフラを必要とするもの、安全性が不十分なもの、など）。

完成版の文書では、非投資方針の後に投資方針が続きます。企業が後押しする対象を特定するのが投資方針です。投資方針と非投資方針の利用者は同じですので、一貫性と利便性の観点から、投資方針の文書構造は非投資方針と合わせた方がよいでしょう（イノベーション投資方針の作成方法については、前著『イノベーションの攻略書』（2019年、翔泳社）を参照してください）。

何を定量評価するのか?

前章では、製品ライフサイクルの各段階を定義し、定量評価するうえで、結果指標がどう役立つかを説明しました。また、特に初期段階のプロジェクトにおける需要性、採算性、実現可能性の確信度と結果指標との相関の仕方にも焦点を当てました。

それを踏まえ、投資委員会の皆さんには、ここまでにご紹介した各テンプレートに新しい欄を1つ追加することをおすすめします。製品ライフサイクルの各段階で、チームが提示した根拠に対する**確信度**をランクづけして、この欄に記載します。

各チームの回答に対する投資委員会の確信度は明確に計算できないため、直感的に推定するしかありません。そして推定の質は、推定を行う人に依存します。これも、投資委員会のメンバーに研修を行い、適切な判断や指導をするためのスキルを習得してもらうことが必要な理由の1つです。

確信度の尺度は各社で個別に相談して決めます。これまでの経験上、1～10の10点満点や1～100の100点満点が最もやりやすいようです。チームのプロセス達成度を数値で表現することで、過去からの進捗を可視化します。

新事業への確信度が一定レベルに達したら、チームはライフサイクルの次の段階に進むことを許されます。これは実質的には、投資委員会によるプロジェクトへの追加投資の意思確認と言えます。チームが次の段階に進むための確信度の基準値は、投資委員会で事前に決めます。そして私たちの知る限り、ほとんどの企業で個々の案件ごとに基準値を決めています。指標や成果はプロジェクトによって異なるため、基準値を案件ごとに決めるのは当然と言えます。とはいうものの、経験則として投資委員会に私たちがいつもすすめているのは、全チーム共通の最低基準を設定し、それを下回るチームは何があろうと先に進ませないことです。そうすることで、投資委員会メンバーも、チームも作業を進めやすくなります。

投資委員会に「チームが次の段階に進んでよいという確信度はどの程度ですか?」と全体観を問うことで、本質的には「チームが先に進むために必要な根拠を見つけた可能性はどの程度ですか?」と尋ねています。投資委員会がチームに期待しているのは、本質的でない活動に力を分散させずに、市場や利害関係者から根拠を集めてくることです。新事業が次の段階に進む可能性を、投資委員会が次の方法で採点することを私たちはおすすめします。

// 図5-3 // 確信度の評価

・確信度10%:次の段階に進めません。

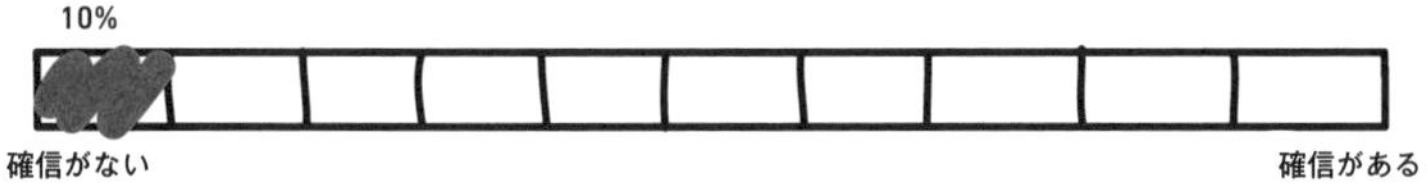

・確信度30%:次の段階に進むための根拠が不足しています。

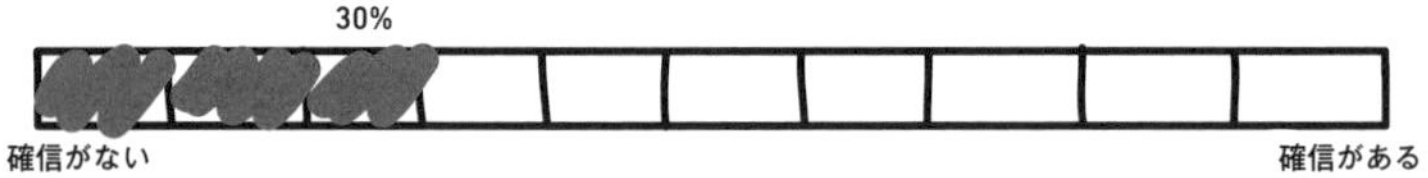

・確信度60%:次の段階に進むためのある程度の根拠があります。

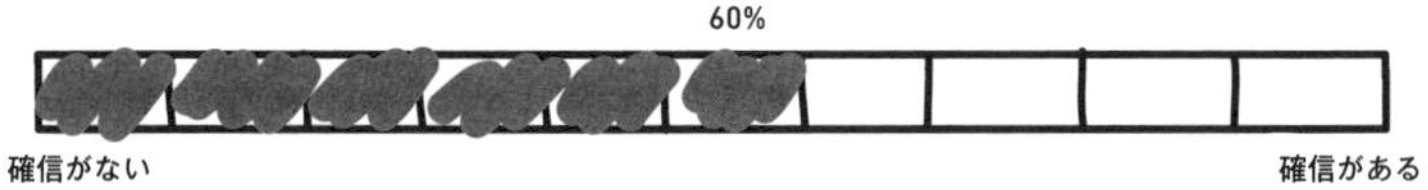

・確信度90%:次の段階に進むための強力な根拠があります。

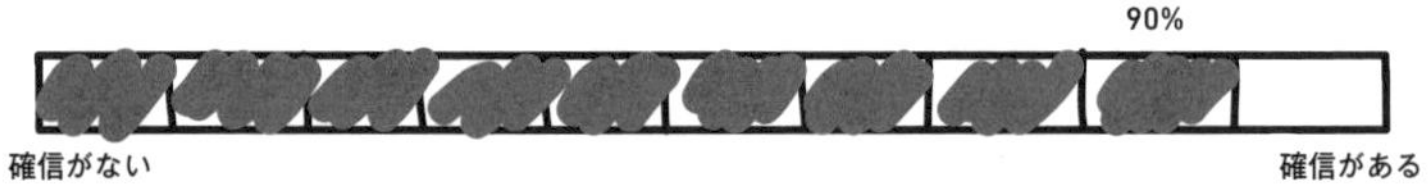

もしかすると、どうして個別の質問事項の確信度の合計や平均で全体観を評価しないのか、と不思議に思われるかもしれません。その理由は、相互に関連する質問がある一方で、独立している質問もあるため、単純に複数の得点を合計しても意味のある結果を得られないからです。

その代わりに、個別の質問の確信度と全体観の両方を評価することをおすすめします。そうすれば、この新事業にとって最大のリスクは何か（最も確信度の低い個別質問）を認識しつつ、チームが次の段階に進むための根拠を見つけたか、という全体観の確信度も評価できます。

個別質問の確信度と全体観の2つの数字に大きな隔たりがある場合、それはさらなるレビューと質問のきっかけとなります。例えば、個別質問の確信度が70%であるにもかかわらず、投資委員会の全体観が30%程度であった場合、次のような観点から議論を深める必要があります。

・投資委員会は何を見て全体観を判断しているのか？
・チームが知っている以上の情報を持っているのか？
・何を基準に評価しているのか？
・ある主要成功要因が他の数字と食い違っていて、それが進捗の妨げになっているのではないか？

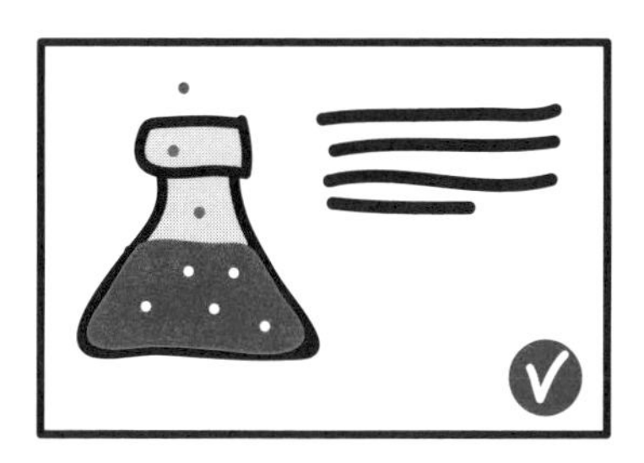

初期段階では特にそうなのですが、事業アイデアが次の段階に進む可能性は、振れ幅が非常に大きくなりやすいという点を、よく覚えておいてください。だからこそ、チームが見つけ出した根拠と、それが結果にどう影響するかに焦点を絞ることが重要なのです。そして進捗についての質問は、新事業の価値評価の方法にも、イノベーション・パイプラインの「健全性」にも密接に関係することを心にとめておいてください。

また、定性的な推定を用いることを、過剰に不安視しないでください。プロジェクト管理の分野では、定性的なリスク推定は確立された手法として受け入れられています。[72][73] さらに言えば、投資委員会メンバーは、新事業が最終的に成功する可能性を判断するのでなく、新事業の個々の部分を見て、その新事業が次の資金調達ラウンドに進む可能性を判断するだけなのです。

これまでの経験上、投資委員会メンバーがプロジェクト価値判断の経験を積めば積むほど確信度の見積もり能力は向上します。研修を通じて経験を積むことも可能ですが、新設の投資委員会に社内の別分野の投資委員会メンバーを起用することも一案です。その場合、他分野の専門性を新しい投資委員会に生かせる可能性もあります。また、新設の投資委員会では合意形成のために、デルファイ法[※2]や6色ハット思考[※3]などの手法を用いてディスカッションするのもよいでしょう。

正式な研修以外で投資委員会メンバーのスキル向上をはかる方法として、スタートアップ・アクセラレーター・プログラムとの提携が考えられます。投資委員会メンバーがアクセラレーター・プログラムの参加チームを訪問、観察、指導し、さらには審査に携わることができると非常に効果的です。

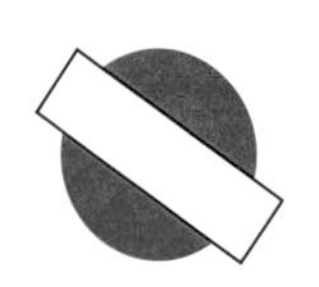

事業アイデアの実現可能性の判定だけで、投資委員会の責務が終わるわけではありません。各新事業に伴うコストを追跡・管理するのも投資委員会の役割です。これには、**時間コスト**（例えば、チームが新事業に取り組むのに何時間費やしたか）や、プロジェクト実施に伴う諸費用が含まれます。

※2 訳注：質問に対する各メンバーの初期回答を匿名で全員に共有し、それを見たうえで再度回答を求める合意形成方法のこと。
※3 訳注：特定テーマについて、白・客観的、赤・主観的、黒・悲観的、黄・楽観的、緑・創造的、青・総括的の6つの視点に沿って全メンバーが共同で議論を進めるアイデア発想法のこと。

// 図5-4 // 各段階で費やした金銭コスト

さらに、イノベーション会計システムをうまく機能させ、その情報を社内の他の活動に反映させるために投資委員会が検討すべきこととして、各新事業が製品ライフサイクルの各段階に費やした期間の把握があります。各チームがライフサイクルの各段階に費やした期間が指標として重要な理由は、単に新事業の市場投入までの平均期間の評価に必要な指標だからというだけでなく、コーチングやスキル開発研修の必要性を示す指標でもあるからです。

// 図5-5 // 各段階で費やした期間

ライフサイクルの発見の段階で苦戦しているチームを例にあげて考えてみましょう。このチームの「段階別の滞在期間」指標が不自然に増加していること、あるいは発見の段階の一般的な平均値より大きくなっていることに、投資委員会が気づくかもしれません。一般的にはこのような場合、チームが非常に複雑な問題を扱っているか、もしくは「顧客や課題への共感」に何らかの支援が必要かのどちらかです。後者であれば、コーチングを通じて投資委員会で対応可能かもしれません。

しかしながら、ある新事業の「段階別の滞在期間」がその段階の平均値よりも著しく大きい場合、そのチームは自分たちの事業アイデアの中止を回避すべく悪あがきを続けている可能性があります。見込みのない事業アイデアから経営資源を解放するために常に目を光らせておくことも投資委員会の役割であり、その意味において、この指標は投資委員会への注意信号と言えます。

コスト指標（時間と事業開発費用）とそれぞれの合計値は、投資委員会が新事業の全体観を見るためにあります。これらの指標をパイプライン全体で集計すれば、会社全体のイノベーション費用を可視化できます。それだけでなく、コスト指標とその合計値は、投資委員会による各種の意思決定に重要な影響を及ぼします。

推定値の計算方法

費用を計算することだけがイノベーションの定量評価ではありません。結局のところ、ベンチャー・キャピタルは、利益やある種の（社会的な）インパクトを求めてスタートアップ企業に投資するのです。したがって、全社イノベーション会計システムの管理面においては、各新事業がもたらす価値や、さらにより広い意味では、本章の後半の「ファネル・ダッシュボード」の項で触れるイノベーション・パイプラインの「健全性」を考慮する必要があります。

ある新事業がもたらす価値をよりよく理解するために、ここで新たな指標を登場させます。それは、推定投資利益率（推定ROI）の代替となる、新事業の「**価値／コスト比の推定値**」です。

価値／コスト比の計算は複雑ではありません。しかし、やり方によって結果にかなりの差を生じる可能性があるため、まずは順を追って計算方法を説明し、その後で例を示します。

この比率を算出するためには基本的に、プロジェクトの価値とコストについて、最低値、最も確度の高い値、最高値を、それぞれ推定する必要があります。次に、これらの加重平均を計算します。

// 図5-6 // **推定価値の時間変遷**

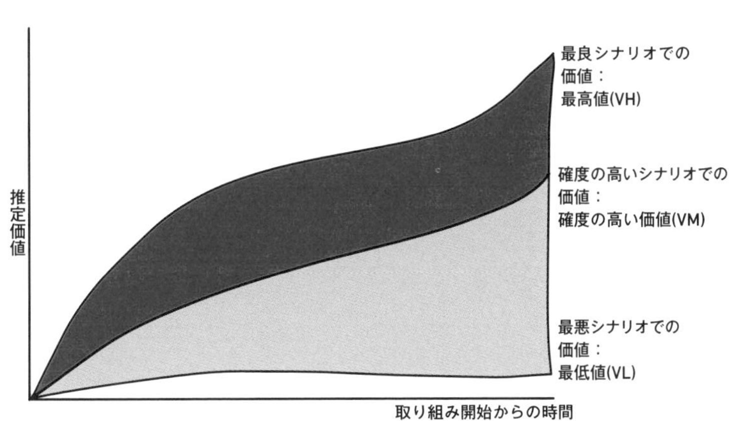

特に各プロジェクトがそれぞれ別の変数を持つ場合、このような推定値でのプロジェクト間の比較が科学的には不完全であることは認めます。私たちが数値を算出するに当たっては、1950年代に米国海軍が開発したPERT技法[※4]を参考にしています。PERT技法は、もともとプロジェクトの所要時間の推定に使われていました。[74]

※4 訳注：PERT技法（Program Evaluation and Review Technique）とは、プロジェクトマネジメントのモデルの一種であり、プロジェクトの完遂までに必要な時間を分析する手法のこと。

まずは、価値から推定しましょう。最初に必要なのは、価値を構成する要素を定義することです。多くの企業では価値を売上で定義しているため、社内で合意された売上に基づく価値の公式を各ビジネスモデルに適用する必要があります。

ただし、最近ではより弾力的に価値を解釈し、「サステナビリティ（持続可能性）」や「気候変動への影響」などを価値の定義に含める企業も増えています。その場合には、これらの要素も考慮に入れて、従来の価値計算式と比較可能な価値計算式を作成し、それによって新事業の価値を既存の製品やサービスの価値と対比できるようにする必要があります。

同じ理由から、複数プロジェクト間でも、複数の測定結果の間でも、価値計算式の計算結果に一貫性が保たれるべきです。ほとんどの企業には、私たちは3年や5年といった現実的な期間での価値検討をおすすめしています。

価値の計算方法がわかったら、次のステップとして、最低値（VL）、最も確度の高い値（VM）、最高値の（VH）の3種の推定値を検討します。

最も低い推定値は最悪シナリオの数字です。最も高い推定値は最良シナリオの数字ですが、現実的なシナリオでなければなりません。この2つで振れ幅が決まり、最も確度の高い推定値がその間になるはずです。

VMを見積もる際には楽観的にならず批判的になる必要があります。怒涛のごとく質問を投げかけてください。自社内に同様のプロジェクト実施例があるか？ その結果はどうだったか？ 国内で同様のプロジェクト実施例はあるか？ その結果はどうだったか？ 業界内で同様のプロジェクト実施例はあるか？ その結果はどうだったか？ すべてを疑うスタンスでのぞみましょう。

価値の推定が完了したら最後は数式への代入です。次の計算式に従って、プロジェクト価値の加重平均値（VWA：Weighted Average of the project Value）を算出します。

$$V_{wa} = \frac{V_l + 4 \times V_m + V_h}{6}$$

重みづけ係数（最低値：1、最も確度の高い値：4、最高値：1）は、PERTの推定方程式から引用しています。次はコストですが、同じ考え方でコストの加重平均値（CWA：Weighted Average of the estimated Cost）を算出します。まずは、ビジネスモデルの最も低い推定コスト（CL）、最も確度の高い推定コスト（CM）、最も高い推定コスト（CH）を計算します。価値の推定と同様に、一貫したコスト計算式と現実的な期間を適用するように気をつけます。コストの加重平均値の計算式は次の通りです。

$$C_{wa} = \frac{C_l + 4 \times C_m + C_h}{6}$$

以上により、後は単純に「価値の加重平均値」を「コストの加重平均値」で割り算し、「価値／コスト比（VCR：Value to Cost Ratio）」を算出します。

$$VCR = \frac{V_{wa}}{C_{wa}}$$

これで、ほぼ完成です。価値／コスト比の推定値（およびそれを構成する各種指標）を、チームの持ち込んだ根拠に基づいてリスク調整する必要があります。リスク調整の実施はとても簡単です。価値／コスト比、またはそれを構成する各種指標（価値またはコスト）に、投資委員会の新事業に対する総合判断を掛け合わせる必要があります。

基本的には、投資委員会がその時点でその新事業にどれだけ高いリスクがあると考えているかによって、価値／コスト比を割り引きます。もちろん、新たな根拠が明らかになれば、リスク調整の値は上下に変化します。

これは重要な点ですが、価値／コスト比は新事業のライフサイクルを通じて固定された数字ではありません。むしろプロジェクトが成熟し、新しい根拠が明らかになることで、数字が変動するのです。

では、例を使って見てみましょう。アルファ・プロジェクトがもたらす現実的な推定価値は4,000万ドル（VM）であり、最低値3,000万ドル（VL）から最高値6,500万ドル（VH）の振れ幅を推定しています。同じ期間の推定コストの振れ幅は、500万ドル（CL）から1,000万ドル（CH）で、現実的な推定値は650万ドル（CM）です。

ただし現時点では、投資委員会がアルファ・プロジェクトを総合的に判断した結果、製品ライフサイクルの次の段階に移行させるには根拠が不十分と判定されました。それを踏まえて、現時点での確信度が30%であることから、70%のリスク・ディスカウントを適用することにしました。以上の条件をもとにすると、アルファ・プロジェクトのリスク調整後の価値／コスト比を次の通り算出できます。

価値の加重平均値=

$$V_{wa} = \frac{30(V_l)+4\times40(V_m)+65(V_h)}{6}$$

42,5

コストの加重平均値=

$$C_{wa} = \frac{5(C_l)+4\times6,5(C_m)+10(C_h)}{6}$$

6,83

価値／コスト比=

$$VCR = \frac{42,5}{6,83}$$

6,22

リスク調整後　価値／コスト比=

$$VCR_{isk} = 6,22\times30\%$$

1,86

では、これらの数字から、アルファ・プロジェクトの採算性について何がわかるのでしょうか？　価値／コスト比は、投資収益率（ROI）の代替であることを思い出してください。完璧でなく、想定を重ねた数字ですが、現時点での最善手段です。もし価値／コスト比がリスク調整前から1を下回る場合には、中止すべきプロジェクトである可能性が高いと考えられます。

アルファ・プロジェクトの場合、新事業チームは6倍の投資リターンを約束しています。しかし、リスクの重みづけを考慮すると、投資リターンはほぼ1/3に減ります。この指標だけを見るなら、新事業チームに対し、製品ライフサイクルの現在の段階のままで根拠を集めることは許すべきですが、さらなる評価を行うまでは、いかなる場合でも次の段階に進めてはいけません。

これは投資委員会へのアドバイスですが、もし価値／コスト比やリスク調整後の価値／コスト比が 1 未満であれば、その新事業を直ちに中止すべきだと思われます。1から2の間の値なら、得られる利益は小さいという意味です。持続的イノベーションのプロジェクトであれば、典型的な数字です。

逆に10以上の値の場合は鵜呑みにしないで話半分で聞くか、あるいは潜在的な社内のユニコーン・プロジェクトとして育てるべきです。この章の冒頭で紹介したベンチャー・キャピタルの成果を念頭におくと、10倍の投資リターンを得るのは険しい道のりだと思ってください。

このやり方で個々の新事業を見ることにより、投資委員会は価値／コスト比、リスク、リスク調整後の価値／コスト比の値で複数の新事業を比較し、投資の意思決定に利用できます。予算上の制約などによりパイプラインのすべての案件に資金供給できず、どれに投資すべきかという厳しい判断を迫られている場合には、複数事業の比較が特に重要となります。そうでなくパイプラインの案件すべてに資金供給できる場合には、イノベーション・パイプラインが会社の売上高に与える潜在的な金額感を、経営トップ層に説明するよい方法となります。これについては次章で詳しく説明します。

1点、これだけは覚えておいてください。少なくともプロダクト・マーケット・フィットの段階に入るまでは、新事業の価値／コスト比の推定値やその結果としての財務指標の計算をはじめることを、私たちは決しておすすめしません。そのような本当に初期の段階では、不確定性が高すぎて現実的な推定ができないからです。

ベンチャーボード・ダッシュボード

次ページ以降に投資委員会が利用するテンプレートのサンプルを参考として掲載します。

// 図5-7 // 投資委員会のダッシュボード例（発見）

重要な成功要因の質問　**証拠**

提案対象の顧客は誰か?

確信がない　確信がある

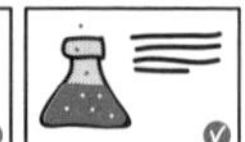

解決しようとしている課題は何か?

確信がない　確信がある

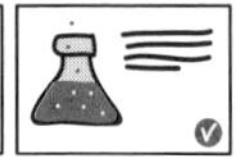

その課題に悩まされている潜在顧客は何人いるか?

確信がない　確信がある

現在、顧客はその課題をどのように解決しているか?

確信がない　確信がある

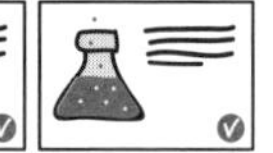

チームの全体像

チームが次の段階に進んでよい確信度はどのくらいか?

確信がない　確信がある

確信度10%：次の段階に進めません。
確信度30%：次の段階に進むための根拠が不足しています。
確信度60%：次の段階に進むためのある程度の根拠があります。
確信度90%：次の段階に進むための強力な根拠があります。

この段階での
経過期間
（現在まで）

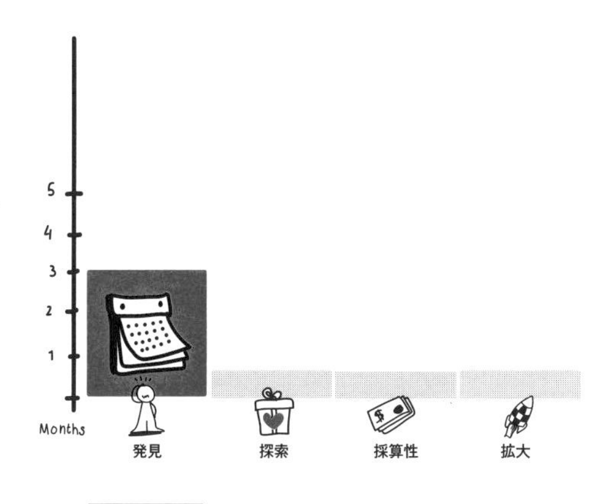

この段階で
費やした時間
（現在まで）

この段階で
発生した開発コスト
（現在まで）

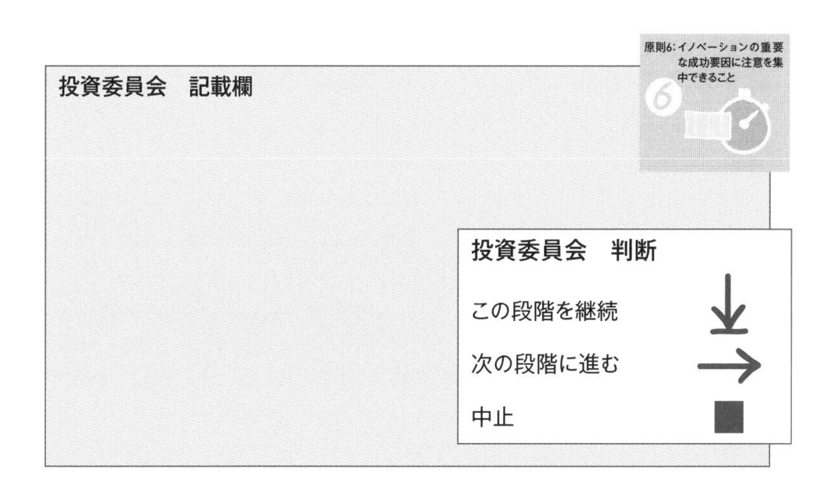

// 図5-8 // 投資委員会のダッシュボード例（探索）

探索

重要な成功要因の質問

証拠

潜在顧客は本当にその課題を解決してもらいたがっているか?

確信がない　確信がある

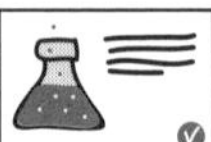
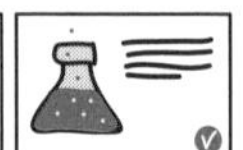

顧客はどのように課題を解決したいと思っているか?

確信がない　確信がある

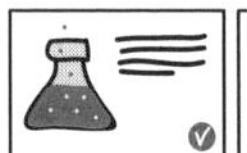
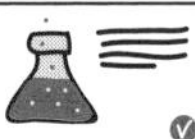
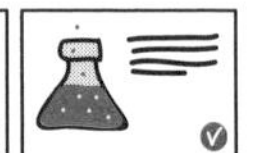

顧客はあなたのソリューションまたはあなたの想定するソリューションの提供価値を認めているか?

確信がない　確信がある

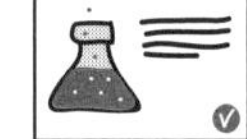
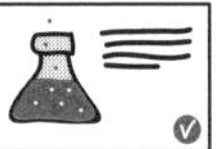

顧客の課題を解決することについて、競合は誰か?

確信がない　確信がある

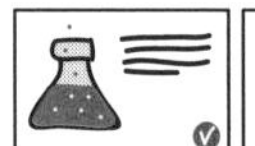

チームの全体像

チームが次の段階に進んでよい確信度はどのくらいか?

確信がない　確信がある

確信度10%：次の段階に進めません。
確信度30%：次の段階に進むための根拠が不足しています。
確信度60%：次の段階に進むためのある程度の根拠があります。
確信度90%：次の段階に進むための強力な根拠があります。

この段階での
経過期間（現在まで）

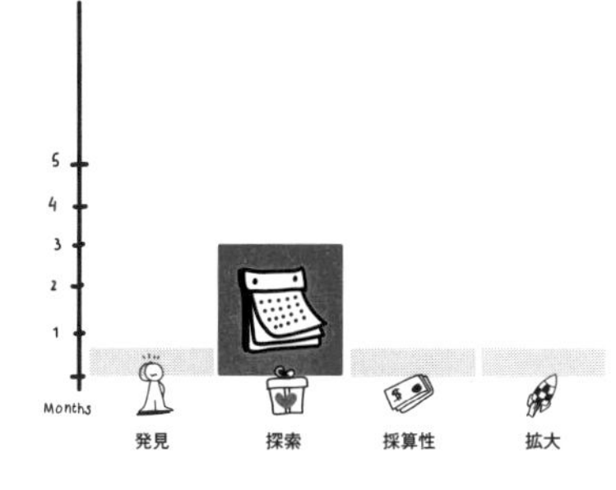

この段階で
費やした時間（現在まで）

320
発見
探索
採算性
拡大

この段階で
発生した開発コスト（現在まで）

累積開発費
(現在まで)

320
累積労働時間
（現在まで）

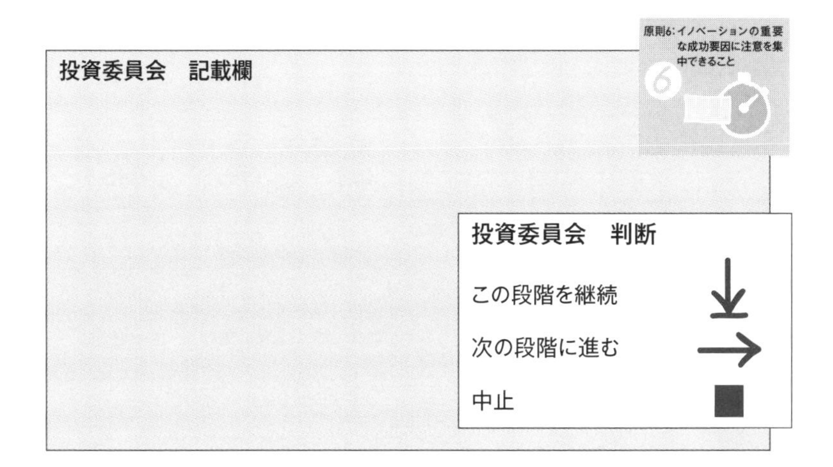

// 図5-9 // 投資委員会のダッシュボード例（採算性）

採算性

重要な成功要因の質問	証拠
顧客はお金を払ってでも問題を解決したいと思っているか？ もしそうなら、どのように支払うのか？（サブスクリプション、一括購入など、どんな課金モデルを希望しているか？） □□□□□□□□□□ 確信がない　確信がある	  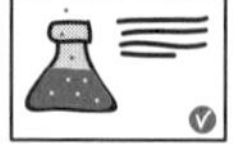
課題を解決するために、顧客はいくらまで支払うか？ □□□□□□□□□□ 確信がない　確信がある	 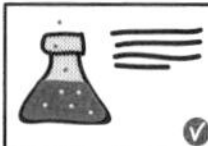 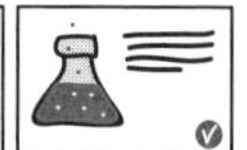
顧客に価値提供するために最適なチャネルは何か？ 特に顧客が好むチャネルはあるか？ □□□□□□□□□□ 確信がない　確信がある	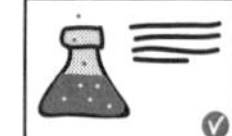  
実際にソリューションを実現できるという初期段階の証拠があるか？ □□□□□□□□□□ 確信がない　確信がある	  
想定しているソリューションは倫理的、法的に問題ないか？ □□□□□□□□□□ 確信がない　確信がある	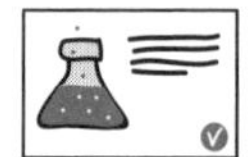  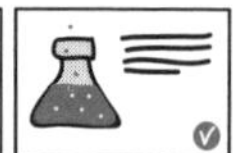

チームの全体像

チームが次の段階に進んでよい確信度はどのくらいか？

■■■■■□□□□
確信がない　確信がある

確信度10%：次の段階に進めません。
確信度30%：次の段階に進むための根拠が不足しています。
確信度60%：次の段階に進むためのある程度の根拠があります。
確信度90%：次の段階に進むための強力な根拠があります。

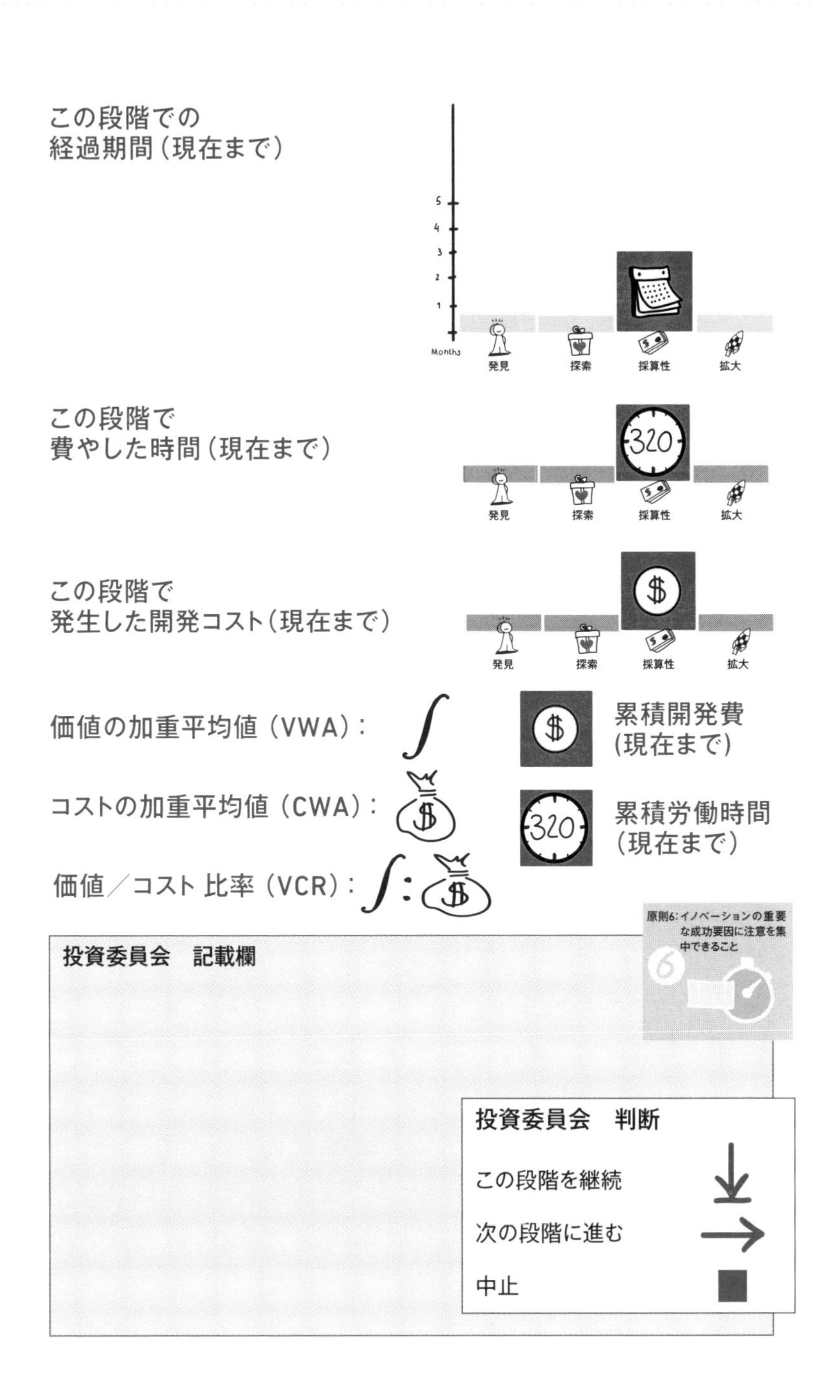

この段階での
経過期間（現在まで）
5
4
3
2
1
Months
発見
探索
採算性
拡大
この段階で
費やした時間（現在まで）
320
発見
探索
採算性
拡大
この段階で
発生した開発コスト（現在まで）
$
発見
探索
採算性
拡大
価値の加重平均値（VWA）：
コストの加重平均値（CWA）：
価値／コスト 比率（VCR）：
累積開発費
（現在まで）
累積労働時間
（現在まで）
原則6：イノベーションの重要な成功要因に注意を集中できること
投資委員会　記載欄
投資委員会　判断
この段階を継続
次の段階に進む
中止

// 図5-10 // 投資委員会のダッシュボード例（拡大）

重要な成功要因の質問

証拠

ビジネスモデルは規模拡大可能か?

確信がない　確信がある

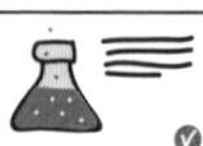
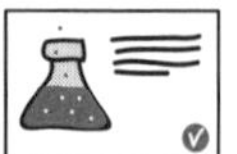

ビジネスモデルを規模拡大することは理にかなっているか?

確信がない　確信がある

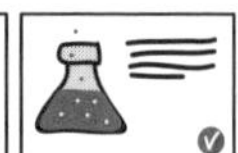

ビジネスモデルを規模拡大しても倫理的、法的に問題ないか?

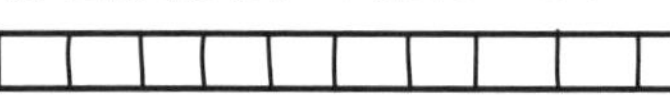

確信がない　確信がある

ビジネスモデルのチャネルは規模拡大に対応できるか?

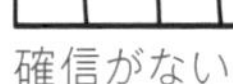

確信がない　確信がある

チームの全体像

チームが次の段階に進んでよい確信度はどのくらいか?

確信がない　確信がある

確信度10%：次の段階に進めません。
確信度30%：次の段階に進むための根拠が不足しています。
確信度60%：次の段階に進むためのある程度の根拠があります。
確信度90%：次の段階に進むための強力な根拠があります。

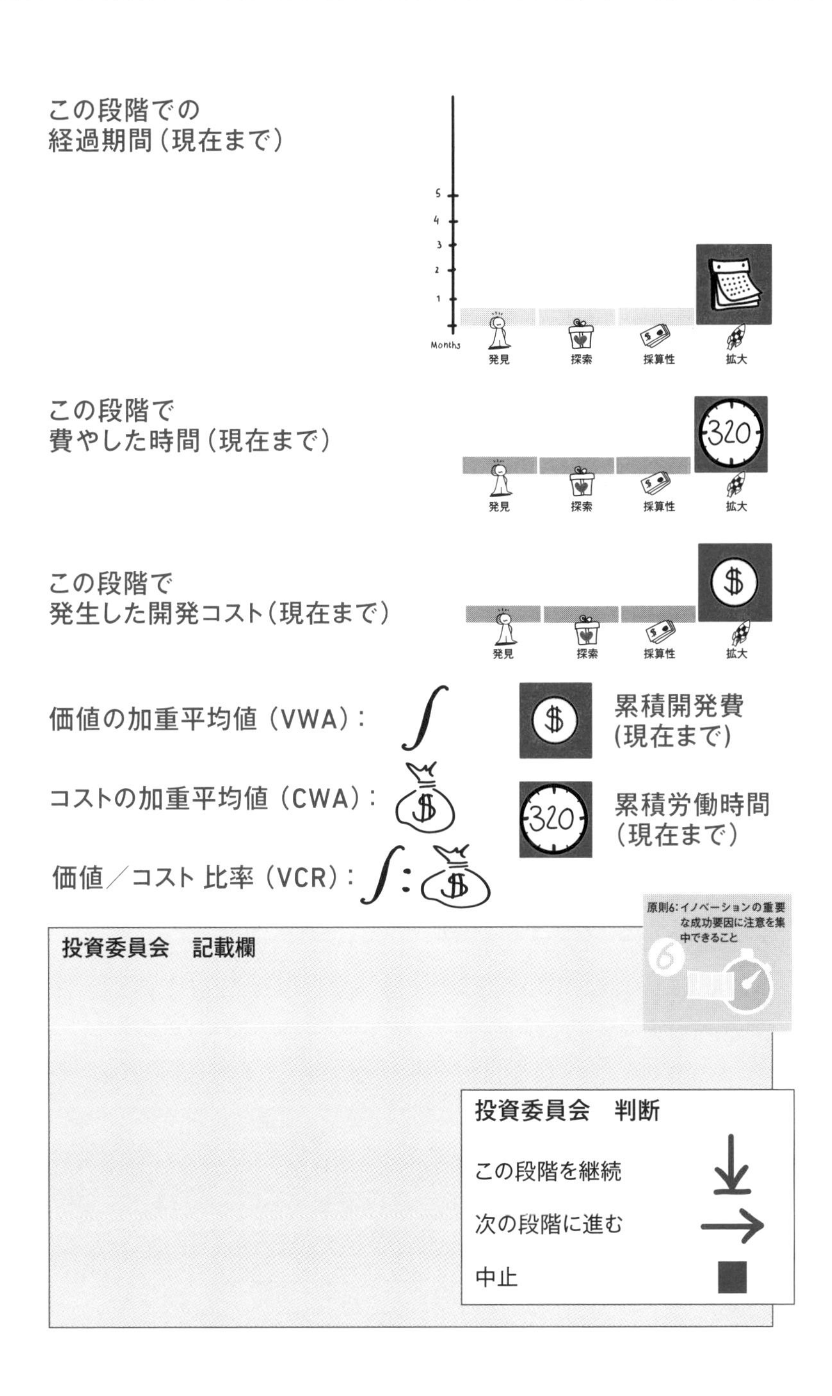
この段階での
経過期間（現在まで）
5
4
3
2
1
Months
発見
探索
採算性
拡大
この段階で
費やした時間（現在まで）
320
発見
探索
採算性
拡大
この段階で
発生した開発コスト（現在まで）
$
発見
探索
採算性
拡大
価値の加重平均値（VWA）：
コストの加重平均値（CWA）：
価値／コスト 比率（VCR）：
累積開発費
(現在まで)
累積労働時間
（現在まで）
原則6：イノベーションの重要な成功要因に注意を集中できること
投資委員会　記載欄
投資委員会　判断
この段階を継続
次の段階に進む
中止

これらのテンプレートは、前章で紹介した製品ライフサイクルをもとにした汎用版のテンプレートです。実際に利用する際には、自社や業界の主要成功要因を反映した自社専用テンプレートを作成してください。

また、プロジェクトの段階ごとに必要な時間が異なることを念頭においてください。段階によっては、迅速に根拠を収集できます。しかし前章でも見たように、製品ライフサイクル後半段階の複雑な実験には、初期段階の実験よりも長い時間を要します。

ですので、ライフサイクルのある段階から次の段階に移るのに、例えば毎回3週間で済むと期待するのは合理的でありません。したがって、同じ段階に長くとどまっているチームに会議の場で何を求めるのかを、事前に考えておいた方がよいでしょう。

毎回、何か新しい質問をすべきでしょうか？　そんなことはありません。どの段階にいるチームでも、その段階にとどまっている限り、質問や主要成功要因は変わりません。しかしながら、チームが会議に出席するときには毎回、自分たちの事業アイデアを次の段階に進めるための根拠を、前回よりも多く提示する必要があります。

投資委員会の仕事は、質問に対する答えが正しいかどうかを判断することでなく、チームが提示する根拠や学習結果が信頼できるかどうかを判断することです。

ファネル・ダッシュボード

企業の管理階層という観点では、イノベーション会計システムには2つの重要な側面があります。

1. 個々の新事業のデータを取得し、投資・撤退の判断の質を高める。
2. ファネル全体のデータを集約し、自社のイノベーション活動の全体像をよりよく理解する。この情報は上層部に報告され、戦略検討に活用されるとともに、能力開発や研修など、社内のイノベーション・エコシステムに関するより広範な意思決定にも役立つ。

本章では、ここまで前者のみを取り上げてきましたが、ここからは後者に目を向けて話を進めます。

企業のイノベーション施策や、その方向性に関する戦略的な意思決定に役立つ情報を提供するためには、複数の新事業からデータを取得することが重要です。しかし、取得したデータを集約しなければ、有効活用したり正確に全体像を描いたりできません。データ集約ツールとして私たちが投資委員会におすすめしているのが、図5-12のファネル・ダッシュボードです。

// 図5-11 // イノベーション会計の全体図

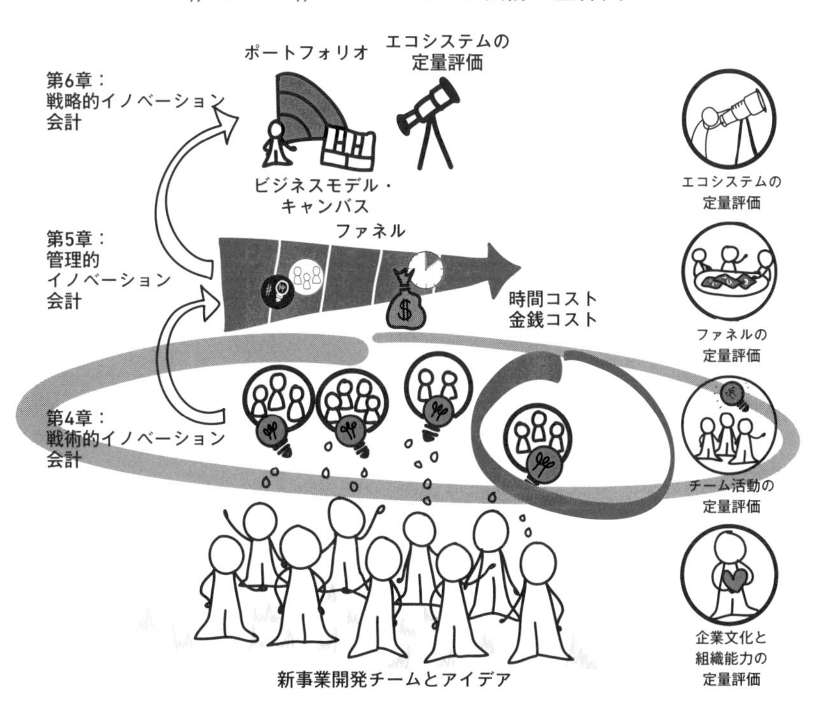

FUNNEL DASHBOARD

// 図5-12 //　ファネル・ダッシュボード例

各段階のアイデア数

次の段階に進んだアイデア数

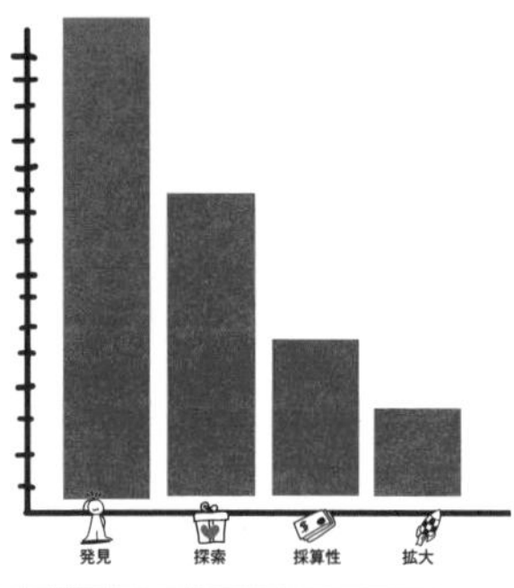

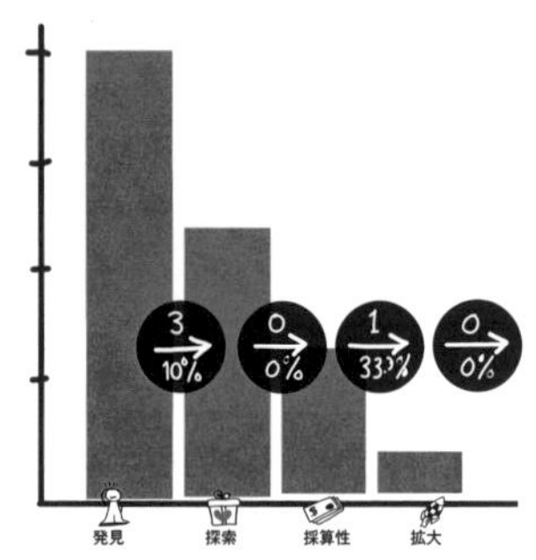

各段階での平均労働時間コスト（現在まで）

各段階での平均開発コスト（現在まで）

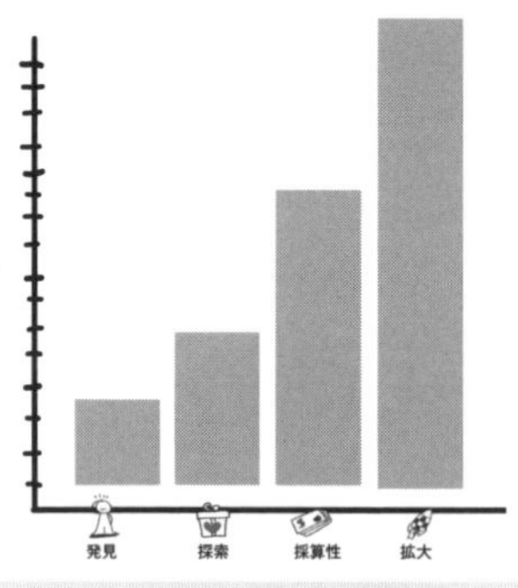

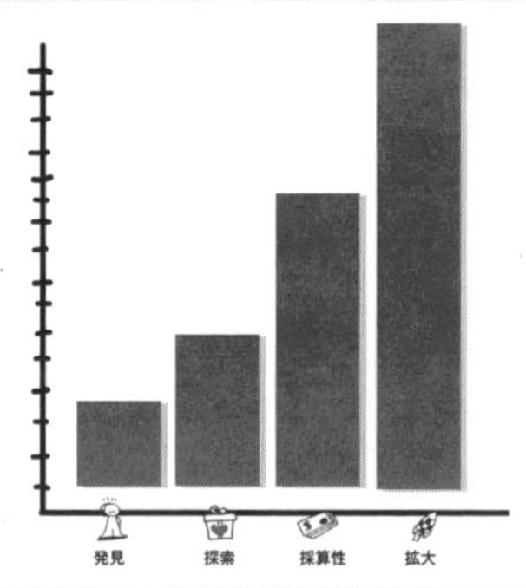

各段階での累積労働時間コスト（現在まで）

各段階での累積開発コスト（現在まで）

各段階で中止となったアイデア数

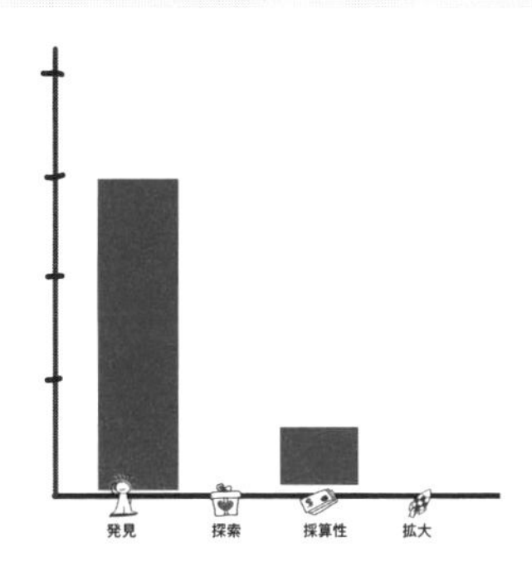

各段階での平均滞在期間

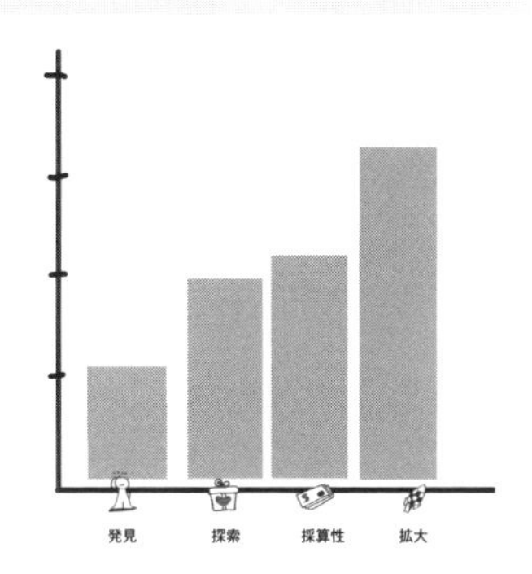

各段階での平均コスト（現在まで）

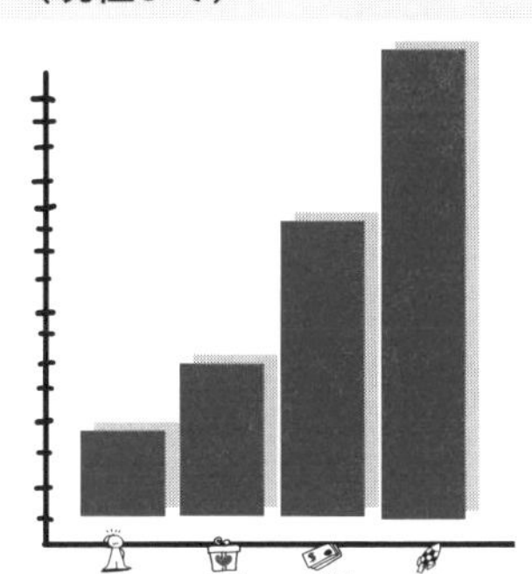

各段階での現在までの総累計コスト

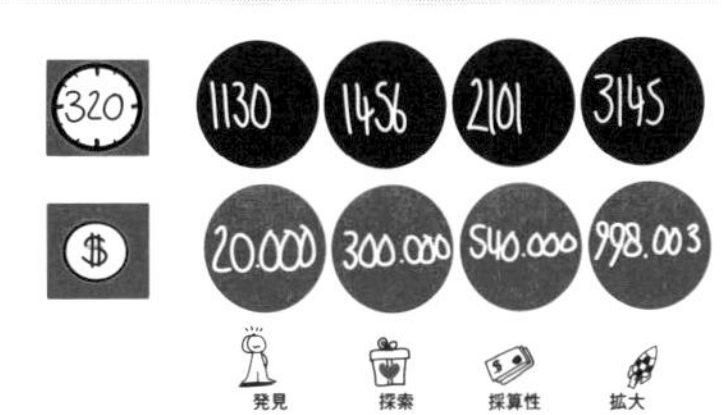

リスク調整済みの価値／コスト比（VCRrisk）の平均値

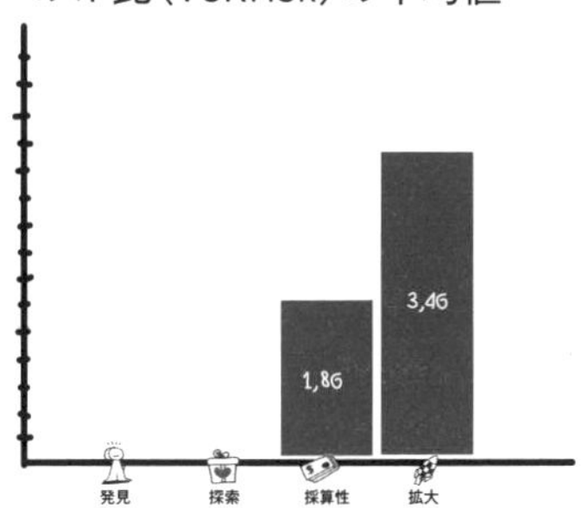

複数の新事業のデータを1つのグラフに集約することで、会社全体のイノベーション施策、投資資金、研修の必要性に関する戦略的な意思決定を下せます。それではダッシュボードを詳しく見て、各指標の計算方法と、それらがイノベーション会計システムに適している理由を確認しましょう。

アイデア数

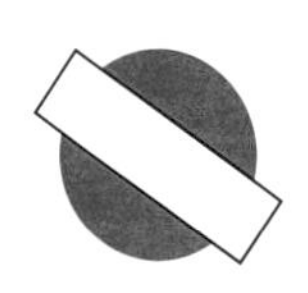

各段階でのアイデア数

この指標は単純に、製品ライフサイクルの各段階で開発中のアイデア数を段階ごとに合計したものです。この指標は、パイプラインの状態を俯瞰するためだけでなく、組織全体のイノベーションの状況に関するギャップ分析の出発点としても利用できます。

経験則として、アイデア数は多い方がよいと言えます。会社によっては、データをさらに深掘りして、アイデア数をポートフォリオ領域別（中核領域、隣接領域、変革的な領域）に分けたり、部門別にデータ集計したりします。

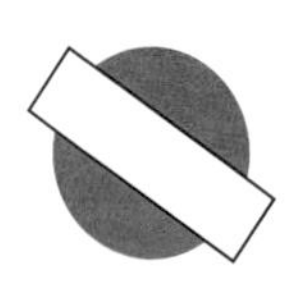

各段階で中止になったアイデア数

中止になったアイデア数と、どの段階で中止になったかを記録することで、組織は自らのイノベーション成熟度をより深く理解できます。忘れてならないのは、アイデアを中止することには何の問題もないという点です。本章の前半でも取り上げたように、失敗は学習であり、より多くのアイデアとイノベーション成功確率の向上をもたらす、有益な出来事と位置づけるべきです。さらに深掘りしたいなら、アイデアを中止した理由を示す理由コードを選択形式で追加するとよいかもしれません。単に事業機会が存在しなかった、十分な根拠を集められなかった、組織の優先順位が変わり他のアイデアを優先しなければならなかった、といった事実情報を選択肢にするとよいでしょう。この指標は累積の数値ですが、どこまで古いデータを含めるかは慎重に考えてください。例えば、組織のイノベーションへの取り組み体制が劇的に再編された場合には、当然ながら過去のデータで将来の成功を見通すことはできません。

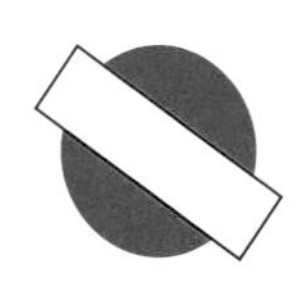

次の段階に進んだアイデア数

次の段階に進んだアイデア数を把握することで、パイプラインの状態を把握できます。

次の段階に進んだアイデアの割合

次の段階に進んだアイデアの数を、進んだアイデアと進まなかったアイデアの合計で割ることで、全体の進捗状況を簡単に確認できます（例：次の段階に進んだアイデアが10件、進まなかったアイデアが20件あるとします。すると10÷［進行した10＋しなかった20］、すなわち10÷30の33%という計算になります）。もし結果のパーセンテージが高すぎるなら、審査がゆるすぎてすべての案件を通過させていないかを疑うべきです。逆に低すぎるなら、ダメなアイデアばかりなのか、あるいは各チームへの支援が不十分なのか、調査して明らかにすべきです。

時間コスト

各段階での平均滞在期間

各段階での平均滞在期間を見れば、新事業がどのくらいの速さで次の段階に進んだか、あるいは中止されたかがわかります。この指標は、社員がイノベーション活動に使うことを許されている時間と相関があるはずです。新事業にフルタイムで取り組むことを許している企業では、イノベーションに一部の時間しか費やすことを許可していない企業よりも、この指標が低くなります。

ただし、予想以上に作業が遅いチームがいる場合には結果の数字が異常な動きをするため、追加の経営資源投入や研修が必要だとわかります。この指標は、ある段階に存在したすべての新事業（進行した事業や中止になった事業を含む）の滞在期間を、新事業の数で割って算出します。（例：3つの新事業がプロブレム・ソリューション・フィットの段階に入ったとします。新事業1は4週間滞在してプロダクト・マーケット・フィットに進行、新事業2は8週間滞在して中止、新規事業3は6週間滞在してプロダクト・マーケット・フィットに進行しました。その場合、この段階の平均滞在期間は [4週+8週+6週]÷3＝6週となります。）

投資・開発コスト

コスト指標

コスト指標は、製品ライフサイクルの各段階にある新事業案件に対し、会社が実施した投資の全体像を可視化するためにあります。この指標は遅行指標であり、すでに起きた事象、つまり発生済みコストを可視化するものです。

製品ライフサイクルの前半の段階（顧客共感やプロブレム・ソリューション・フィットなど）では、おそらく時間的なコスト以外は発生しませんが、コスト計算をしやすくするために、費やした時間に自社の社員の1時間当たりの平均給与額を掛け算して金額コストに変換します。後半の段階では、実験の複雑さが増し、事業アイデア進展の取り組みにかかるコストが増加します。時間に加えて金銭的な開発コストも発生するようになり、その状況を投資委員会のテンプレートで確認できます。

イノベーション・エコシステムを改善したい人にとって、コスト指標は最も重要な指標の1つです。過去の状況を見る指標ではあるものの、コスト指標から改善に関するさまざまなヒントを得られるからです。各段階のコストを追跡すれば改善すべき点がわかるため、イノベーション・プロセス（製品ライフサイクルなど）の改善や、自社の能力開発に役立ちます。例えば、チームにより多くの研修を提供することで、アイデアをより早く検証できるようになり、結果的にコストの削減につながります。

それに加えて、時間コスト指標と開発コスト指標は、ともに企業の自己診断に役立ちます。これらの指標を見れば、長年にわたる社内エコシステムの改善と知識の蓄積が、より迅速かつコスト効率のよい事業アイデアの立ち上げにどう役立っているかわかります。このような自己診断は、第3章で示したイノベーション会計システムは「イノベーション・エコシステムの改善に貢献できること」というイノベーション会計システムの5つ目の原則に則しています。

リスク調整済みの価値／コスト比（VCRrisk）の平均値：

リスク調整済みの価値／コスト比（VCRrisk）の平均値は、非常に簡単に計算できます。具体的には、特定の段階のすべての新事業のVCRriskの合計を、その段階の新事業の数で割った数値です。

この指標は、イノベーション・パイプラインの現時点の潜在価値を示す参考値として有用です。投資委員会だけでなく、取締役会など社内の他の利害関係者にとっても、この指標は有用かもしれません。本章の前半でも説明しましたが、価値／コスト比が2未満の新事業は持続的イノベーションの場合が多く、10以上の値の新事業は話半分に考えるべきです。この指標は、個々の新事業を比較するときにも利用できます。例えば投資委員会は、ある新事業のVCRriskをその段階での平均値と比較することで、適切な対策を講じることができます。VCRriskが平均値よりもはるかに低い場合には、要調査の新事業として、さらなる調査を実施するのです。VCRriskが平均値よりもはるかに高い場合にも同様です。

事業アイデアが拡大の段階を越えて社内の収益部門側に移った後も、マイルストーン型の資金調達と探索の考え方を維持することを、私たちは各社のイノベーションにおすすめしています。拡大の段階より先の投資判断には、リアルオプションを活用するのが最適です。リアルオプションは、不確定性や発見の価値を評価するための仕組みであると同時に、過剰な投資を防ぐための保護手段でもあります。決して完璧な評価方法ではなく、人為的なミスや管理上のミスが起こりやすい面もありますが、イノベーションには適したツールです。

コンセプト解説
機会費用

ほとんどの企業では、自由に使える経営資源が無限にあるわけではありません。したがって、投資する新事業と投資しない新事業を選別する、という厳しい決断を迫られることになります。たいていの場合には、企業のイノベーション戦略やビジョンによって、半ば自動的に経営資源の配分先を選別できます。しかし、ときには戦略やビジョンの観点からは同等に重要な新事業について、どちらの新規事業を選ぶべきか決断を迫られます。このような場合、リーダーは「機会費用」を考慮するとよいでしょう。

単純に言えば、機会費用とは仮に自社が選択した事業とは別の事業に投資していたら得られたであろう利益のことです。つまり潜在的な利益の喪失です。機会費用計算の定義や数式は特に決まっていませんが、機会費用を数値計算する方法はあります。具体的には財務部門で利用する資本コストや正味現在価値（NPV）などの優れたツールでは、現金の使途に関する機会費用が考慮されています。

機会費用の計算式として、投資決定によって得られるものと、犠牲になるものとの比を使ってもよいでしょう。機会費用をこのように考えれば、式は非常に単純です。

あなたが犠牲にするもの / あなたが得るもの = 機会費用

分子と分母には、各チームが投資委員会に報告した数値を使います。企業によって、新事業の潜在的な価値だけを使う場合もあれば、新事業の潜在的な価値に潜在的なコストを加味する場合、さらには新事業に対する投資委員会の確信度を加味した数字かもしれません。最終的にどんな計算式を使うにしても、肝に銘じるべきことは、ある新事業に資金提供して他の新事業を犠牲にする決定をした場合には、必須事項である戦略やビジョンとの一致、ポートフォリオのバランスに加えて、機会費用も考慮してほしいという点です。

解説メモ

リアルオプション

イノベーション・プロジェクトを投資機会として捉えることで、いくつかの効果を得られます。第一に、投資するかしないか、投資するなら、いつ、どのように投資するのか、を決める権限を自分たちが持っているという認識が強まる点です。つまり、自分たちには選択権があるということです。選択肢として投資機会に値付けをすることで、単に割引キャッシュフロー法（DCF法）で分析するよりも、その投資機会の価値をより深く知ることができます。そのためには、リアルオプション分析と価値評価の分野におけるさまざまな知見を活用することが有効です。

2011年に出版された著書『Competitive Strategy: Options and Games』（The MIT Press）の中で、シェヴァリア・ロワナンとトリゴルギスは、リアルオプションを「意思決定者が、将来時点で明らかになった情報や発展状況に応じて、将来の意思決定を変更、修正する機会がある場合に生じる柔軟性」と定義しています。さらに「リアルオプションは、何らかの外因的な不確定性（例：需要）が解消されることを条件に、一定期間内に特定の費用（行使価格）である行動（例：プロジェクトの延期、拡大、縮小、放棄）をとる権利のことであり、義務ではない」としています。

このアプローチの魅力は、実験による学習の価値を認め、実行か撤退かだけを議論する投資の意思決定を超えた手段を提供する点にあります。例えば、より多くの実験をするために投資を先延ばしにする、あるいは別の魅力的な機会を見つけたときに新たな市場や製品・サービスに選択肢を広げる、といった柔軟性を織り込んだ意思決定を行えます。

このアプローチは、大きく2つの段階で構成されます。最初にビジネスの状況を把握し、確実性の高いオプション（選択肢）を設計します。そのためには過去のデータ（例：類似した取り組みの販売実績）や、これまでに蓄積した知見（例：実験や調査の結果）を活用し、関心のあるさまざまな利害関係者と議論します。その目的は、重要なバリュードライバー（例：収入モデルの計算式の構成要素）と、経営判断や投資を必要とするマイルストーン（例：新製品の開発、市場投入、市場拡大など）を明らかにすることです。成果物は、すべての意思決定の相互関係を示す、ある種の意思決定ツリーになります。

次に実際の価値算定に移ります。DCF法による分析とNPVの計算で基本シナリオを決定し、続いて何らかのオプション評価モデルを適用します。一般的にはブラック・ショールズ・オプション価格モデル[※5]が最も広く普及していると思われますが、今回の目的には「やる／やらない」の二項モデルの方が適しています。基本的に、意思決定ツリーを精査して各ノード（意思決定ポイント）における判定条件から価値の期待値を評価します。コープランドとトゥファノは、2004年の『ハーバード・ビジネス・レビュー』の記事「A real-world way to manage real options」で、わかりやすい例を紹介しています。

リアルオプション・アプローチを適用する対象としては、プロダクト・マーケット・フィットに達し、規模拡大を検討中のプロジェクトが最適です。価値算定に二項モデルを使用するのであれば、従来の表計算ソフトを使ってモデルを構築できます。財務部門がすでにDCF分析やNPV計算用の表計算シートを持っていることも多いので、それを流用できるかもしれません。

リアルオプションについてより深く知りたい方は、学術的な理解のためにはトリゴルギスとロイアの2017年の論文「Real options theory in strategic management」を、実践的な応用のためにはブルーノ・ペセックの2021年の著書『How to value innovation projects』をおすすめします。

企業の管理階層においてイノベーション会計システムを機能させるためには、投資委員会と新事業チームの間での会議を実施するたびに、この章で紹介したテンプレートとファネル・ダッシュボードに、各種データを入力する必要があります。そうすることで情報の鮮度と精度が保たれ、よりよい意思決定ができます。しかしながら、この作業が負担となってシステムがきちんと運用されないのでは困りますので、新事業チームと投資委員会で適切に作業を分担することをおすすめします。

このシステムを導入した多くの企業では、投資委員会の会議の前に、現在の段階のテンプレートにある質問項目に回答を記入し、さらに発生した開発コスト、作業時間、事業価値の推定値、コスト・パラメーターの推定値（該当する場合）を記入するのは、各チームの役割とされています。具体的には、前回の会議以降の進捗を数字としてテンプレートに反映する必要があります。

投資委員会の会議中に、各テンプレートのリスク関連項目が更新さ

※5 訳注：フィッシャー・ブラックとマイロン・ショールズが1973年に発表したオプション価格算出のための理論式のこと。式は難解。

れ、それに伴いファネル・ダッシュボードが更新されます。これらの作業は、投資委員会のメンバーが会議のはじめか終わりに行います。

イノベーション会計を導入しようとしている企業への警告として、私たちの長年のパートナーであり親友でもあるトリスタン・クロマーが「舵の誤謬」という言葉を使っています。[75]この比喩で彼が伝えたいことは、船頭がいくら舵を切っても、船のこぎ手が船をこがなければ船は動かないということです。イノベーション・エコシステムに置き換えると、どんなに優れた定量評価システムがあっても、新事業パイプラインにプロジェクトがなければ（あるいは、チームが製品ライフサイクルのプロセスを尊重しなければ）、会社には何の進歩も生まれないということです。

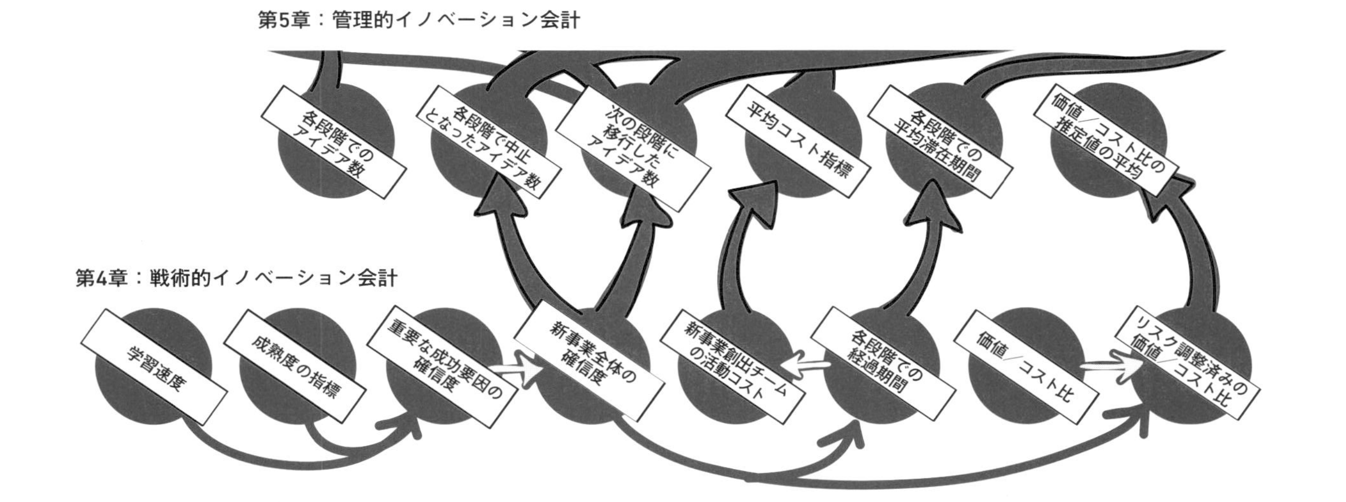

// 図5-13 // 戦術的イノベーション会計と管理的イノベーション会計の評価指標の抽象化

Chapter 5 Point

投資委員会の設置は、イノベーション会計システムの重要な要素です。うまく機能している投資委員会では、新事業チームへの支援と信頼の姿勢が見られ、評価を適切な指標で実施し、戦略全体に対する早期フィードバックの仕組みとして機能します。

投資委員会の役割は、個々の新事業がイノベーション・フレームワークの次の段階に進む可能性を評価することです。そのために投資委員会は、各チームの提示する市場から得た根拠を評価します。

個々の新事業チームのデータを集計すれば、自社のイノベーション・ファネルの活動実績をコスト、費やした時間、将来の潜在的な売上の観点から可視化できます。あるいは、私たちの友人であるブルーノ・ペセックの言葉を借りれば、「管理的イノベーション会計は、戦略と実行の間の架け橋である」と言えます。

イノベーション対談

スサナ・ジュラード・アプルゼーゼ

アカデミア・テレフォニカ　オープン・イノベーション部門長

スサナ・ジュラード・アプルゼーゼは、テレフォニカ（世界トップ10に入る通信会社）に20年以上勤務しています。彼女は情報システムのモデル設計とソフトウェア開発の分野でキャリアをスタートしましたが、過去8年間はイノベーション管理に注力しています。具体的には、社内起業イノベーション・モデルの設計と開発に携わり、その後はその運用にも関与しています。この間に社内のさまざまな役職を経験し、インタビュー時にはイノベーション・ポートフォリオの責任者を務めていました。また、企業イノベーション管理に関する数多くの記事を執筆しており、その一部は『ハーバード・ビジネス・レビュー』などの著名な出版物に掲載されています。

筆者：『ハーバード・ビジネス・レビュー』のケース・スタディとなった『Telefonica: A Lean Elephant』（2016年、Harvard Business Review）をはじめ、「Wayra[※6]」のようなイノベーションの取り組みを続けているテレフォニカは、企業イノベーションの分野で有名な企業です。社内のイノベーションに関しては、「リーン・エレファント」と呼ぶ非常に規律正しいアプローチを用いて、より少ない経営資源でより多くのイノベーションを実行するという成功を収めています。どんな仕組みか教えていただけませんか？

※6 訳注：テレフォニカが全世界で運営するイノベーション・プログラムのこと。

スサナ・ジュラード・アプルゼーゼ（以下、SJA）：私たちは、2012年に新しいイノベーション・プロセスを導入し、導入後わずか18カ月で、それまでの2倍のスピードを達成しました。そして、このスピードとマイルストーン型の事業投資の仕組みを組み合わせることで、同じ時間内で以前より45%多くの事業アイデアを検証できるようになりました。また、各新事業への投資額は、平均して以前より48%少ない予算で済んでいます。

筆者：素晴らしいですね。どうやって実現したのですか？

SJA：私たちは、新事業への投資と撤退のプロセスを極めて明確にしています。また新事業チーム向けにも、事業アイデアを実現に向けて進めるための極めて明確なプロセスがあります。私たちは規律を重んじるイノベーション文化を築くために努力していますが、その本質はプロセスとガイドラインから逸脱しないことです。そして最も重要なのは、すべての意思決定をデータに基づいて行うことです。

筆者：投資や撤退の意思決定を行う際に考慮する要素としてはどんなものがありますか？

SJA：皆さんご存知の通り、イノベーション管理では高い不確定性に直面しなければなりません。意思決定において100%の確実性は得られないという事実を受け入れざるを得ないのです。しかし、それでも入手可能なデータを手に入れて役立てることができます。

　私たちは、すべての新事業のデータを収集しています。この情報によって、個々の新事業をよりよく管理できるだけでなく、新事業同士を比較できます。例えば、私たちはたいてい各事業の事業機会という観点で新事業を比較します。これは基本的には、私たちが保有する新事業の潜在的な事業インパクト予測数値でわかります。

しかし、私たちが意思決定プロセスで使う指標はこれだけではありません。それぞれの新事業で消費している経営資源と事業機会とを対比します。あるいは、各チームが集めた根拠に基づいて各新事業の成功確率を推定し、それを事業機会と比較します。

他にも考慮していることがあります。例えば、過去の経験に基づいて各段階に要する時間を推定し、それを実際にその段階に滞在している時間と比較します。もし特定の段階で時間がかかっている新事業があれば、何が起きているのかを把握しなければなりません。もしかしたら事業アイデアが行き詰まって、進捗がないのかもしれません。それなら、他の事業機会に投資すべきでしょう。

意思決定の際には、リスクの推移も重要なデータとなります。マイルストーン型の事業投資では、実証による学びで新事業が進歩するのに合わせて段階的に投資します。そのため、不確定性の減少とともにリスクが減少するはずです。私たちは、実際にそうなっていることを確認し、それに応じて行動しなければなりません。

また、他のデータも追跡しています。例えば、失敗のコストや検証速度などです。

特に興味深いのは検証速度です。私たちのステージゲート・プロセスにはいくつかの段階があり、各段階の検証速度を調べています。つまり、ある段階から次の段階に新事業が移る速度を測定するのです。経営幹部はこのデータを非常に重視しており、それというのも彼らは市場投入までの時間やイノベーションにかかる費用を把握したがっているからです。

筆者：では、誰が次の段階に進むか否かの判断を下し、誰がその判断に必要なデータをまとめているのでしょうか？

SJA：一言で言うと、データをまとめているのは私たち、すなわちイノベーション運営＆戦略チームです。意思決定は、新事業チーム自身を含む関係者全員で行います。ただし、私たちの会社にはステージゲート委員会というものがあります。ステージゲート委員会のメンバーは、人事や財務を含むすべての部門の代表者で構成されています。こうすることで、それぞれの新事業に適正な金額の投資が行われるように配慮しています。最終的に新事業が成熟したときに将来性があるかどうかは、プロセスの早い段階でスポンサーをつけることで確認しています。スポンサーになった人は、新事業チームと常に連絡を取り合い、進捗状況を把握します。

筆者：追加投資を受けられなくなった場合にはどうなるのですか？

SJA：それまでの学びを最大限に生かすというのが基本スタンスです。ですので、新事業から撤退する場合には、その人たちを別の新事業に移すか、あるいは極端に言えば、別の新しいアイデアをゼロから検証しはじめるように促します。解雇されるわけでも、「では、自分で社内の別の職場を探してください」と言われるわけでもありません。私たちが伝えているメッセージは「これは世界の終わりではないし、人生は続きます。これまで頑張ってきた新事業はうまくいきませんでしたが、うまくいくかもしれない別の事業アイデアを検証するチャンスが来たと思ってください。希望があれば事業の芽が出つつある成長中の新事業チームに参加してもらってもかまいません。これまでの経験はムダにはなりません。未来に向けて頑張りましょう」といった感じです。繰り返しになりますが、「これは世界の終わりではないし、何よりも事業アイデアやビジネスモデルに問題があったのであって、頑張ってきた人たちに問題があったわけではない」、という点は非常に明確にしています。

筆者：同様のプロセスを自社に適用したいと考えている読者にアドバイスをお願いします。

SJA：常に念頭においていただきたいのは、イノベーション・

ファネル全体を見るように心がけ、特定の新事業の状況だけでなく、ファネル全体の状況に気を配ることです。特定の段階に新事業が集中せず、各段階に新事業が分散するように注意し、会社から新事業アイデアが生まれ、会社に新事業として還元されていくという、一連の流れが途切れないようにしなければなりません。そして非常に重要なのは、ファネル内の事業アイデアと全社戦略の方向性とを一致させることです。そうでなければ、そもそも投資をする必要がないでしょう？

　また、ファネル全体に気を配るという意味では、投資の意思決定の際には常に、機会費用を考えることも重要です。ある新事業に投資するかどうか、あるいは投資を続けるかどうかを判断するわけですが、より大きな機会を逃していないかどうかを、その裏で自問しなければなりません。この新事業が、自社の限られた経営資源を投入するのに最適な事業かどうかを見極めるのです。

第 6 章

戦略的 イノベーション会計

Strategic Innovation Accounting

“イノベーション：
贅沢それとも未来への投資?”

「イノベーションはどうでもよい」。これは誤植ではありません。イノベーティブであること自体が企業の目的ではないのです。2020年の世界経済フォーラムのマニフェストによると、「企業の普遍的な目的は、すべての利害関係者が賛同する共通の価値観に基づき、持続的な価値創造を行うことである。その成果を価値提供する先は、株主だけでなく、従業員、顧客、サプライヤー、地域社会、社会全体といったすべての利害関係者である」とされています。[76] 見ての通り、どこにもイノベーションという言葉はありません。

特に違和感はないと思いますが、いかがでしょう。ここまでの章で、新事業チームの仕事は、新事業を市場に投入して成功させることであり、実験をすることではないと述べました。一方で、実験を行うことは、新しいアイデアを成功裏に市場投入するための最も効果的な手段であるとも言えます。

つまり本質的には、破壊的イノベーターを何とか食い止めつつ、的を絞って価値創造し続けることが長期的な成功の鍵なのです。では、どうすればそれを達成できるのでしょうか？　最も効果的な方法がイノベーションによる価値創造です。そして最も効果的なイノベーション管理方法は、既存の事業ポートフォリオをファネル上の新事業アイデアとともに管理・開発することなのです。

言い換えれば、ポートフォリオ管理が、イノベーションを通じて成長し、価値創造するための鍵となります。この点は、マッキンゼー・アンド・カンパニーの調査でも明らかになっており、ポートフォリオを積極的に管理している企業は、そうでない企業に比べて安定的に高い収益を得ており、買収されたり倒産したりすることも少ない、と結論づけられています。[77]その一方で、事業ポートフォリオの管理が不十分なCEOは解雇される可能性が高いという調査結果もあります。[78]

本書ではこれまで、イノベーション会計システムが、新事業チームの成果向上やマネージャーの投資／撤退の意思決定にどのように役立つかを見てきました。

// 図6-1 //　戦略的イノベーション会計

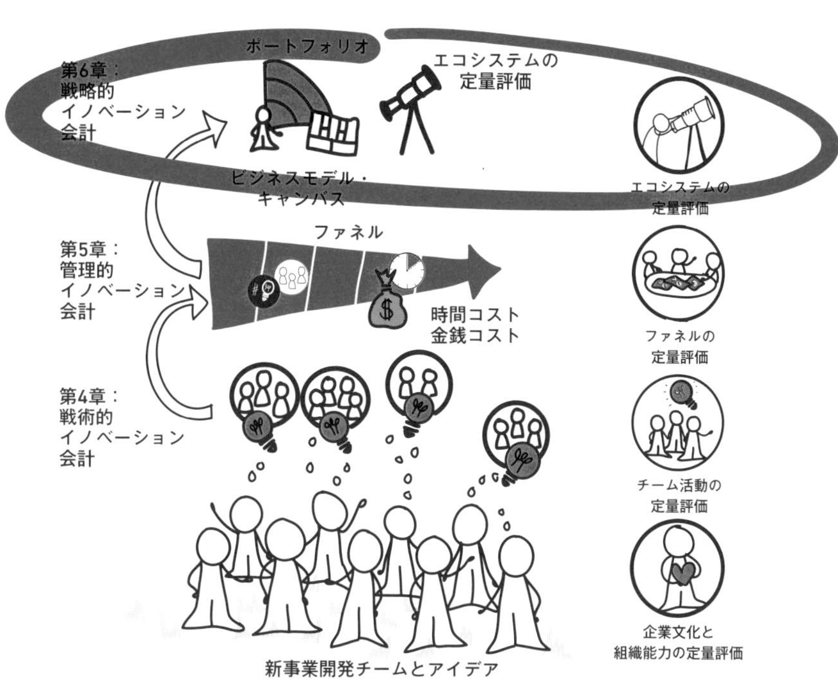

ここでは抽象化の原則に則って、経営者の戦略策定や、投資家・株主による現在および将来的な企業価値の評価に、イノベーション会計をどう活用できるかを見ていきましょう。

イノベーション会計の経営幹部用ダッシュボード

企業のイノベーション・エコシステムの健全性を理解するために導入可能なイノベーション指標は数多くあります。しかし、その中には企業やイノベーションの取り組み全体に悪影響を及ぼすものもあるため、十分な検討を経ずに採用することは危険です。誰もが理解できる明確で信頼性の高い事業像を描ける指標を使用すべきです。相互補完する複数の指標を使うことで、重要な質問に対する答えを導き出す必要があります。

よくあるケースとして、大企業ではイノベーションの実績を1つの単純な指標に集約しようとしがちです。ところが、これでは新しいアイデアを市場に投入する際の複雑さや、特定の結果指標と他の実績指標との関連性がまったく見えません。このような状況を改善し、自社のイノベーション・エコシステムの効率性と有効性を明確に把握するために、ぜひダッシュボードを活用してください。それでは、「イノベーション会計の経営幹部用ダッシュボード」の各指標（図6-4）を詳しく見てみましょう。

// 図6-2 // イノベーション・ファネル

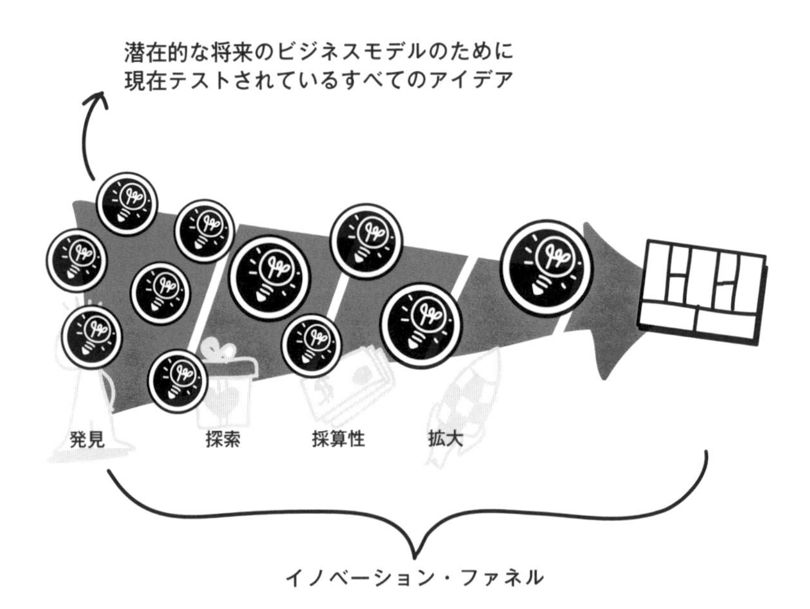

Column

コンセプト解説
ポートフォリオとファネル

ファネルとポートフォリオは混同されがちです。ここでは、この2つの用語の違いを明確に解説したいと思います。

簡単に言うと、イノベーション・ファネル（略してファネル）は、検証すべき事業アイデアが選別され絞り込まれていく流れのことです。事業アイデアの検証が完了すると、その事業アイデアは企業ポートフォリオに組み込まれます。ファネルが戦術的であるのに対し、ポートフォリオはより戦略的であると言えるでしょう。

ファネルとポートフォリオのもう1つの違いは入れ替え率です。ファネルの入れ替え率は、ポートフォリオよりも高くなります。それというのも、投資委員会の投資／撤退の判断によって、ファネルは常に更新されるからです。

// 図6-3 // ポートフォリオとファネル

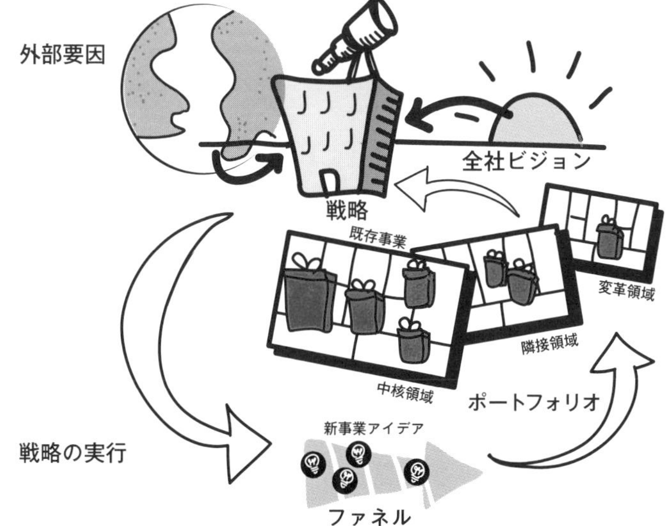

// 図6-4 // 戦略ダッシュボードの各種指標

何を理解したいか?	問うべき質問は何か?	指標
我が社は破壊的イノベーションのリスクにさらされているか?	十分に多様なビジネスモデルのポートフォリオがあるか?	
	どの製品の魅力が、どの程度低下しているのか? 破壊的イノベーションの可能性はどこから来るのか?	
我が社の成長をイノベーションがけん引しているか?	イノベーションへの投資は、どの程度、新たな収益につながっているのか?	
	利益を生むアイデアを創出しているか?	
	新しい事業アイデアは既存事業より収益性が高いか?	

何を理解したいか?	問うべき質問は何か?	指標
我が社の将来はどうか?	我が社は現状の中核事業領域の枠外に投資をしているか?	
	我が社のイノベーションは市場に受け入れられているか?	
我が社のイノベーションはどの程度効率的か?	イノベーションにいくら使っているか? イノベーションは我が社にとってどの程度重要なのか?	
	アイデアを形にするまで、どれくらいの時間がかかるか?	
	ある目的を達成するために、どれだけのアイデアに投資する必要があるか? (金銭的なものであれ、その他のものであれ)	

ポートフォリオと投資分布

戦略と戦術を一体化して企業の未来を築くための場所がポートフォリオであり、ダッシュボードをここからはじめるのは理にかなっていると言えます。

現時点のファネルを見れば、未来のポートフォリオがわかります。自社の収益性を維持するため（そしてすべての利害関係者の期待に応えるため）の取り組みとして企業がこの2つを紐づけるのであれば、そこには明確な戦略が必要です。したがって、経営幹部が戦略アジェンダ（戦略上の議題）の主導権を持つためには、イノベーションのファネルとポートフォリオ、双方の概要を明確に把握する必要があると結論づけても問題ないと思います。

ファネルとポートフォリオを見れば、「自社が破壊される危険性という観点で、現時点でのリスクは何か?」「自社は中核事業の枠を超えた成長機会を積極的に追求しているか?」という2つの具体的な質問に答えられます。

// 図6-5 // ポートフォリオと投資分布

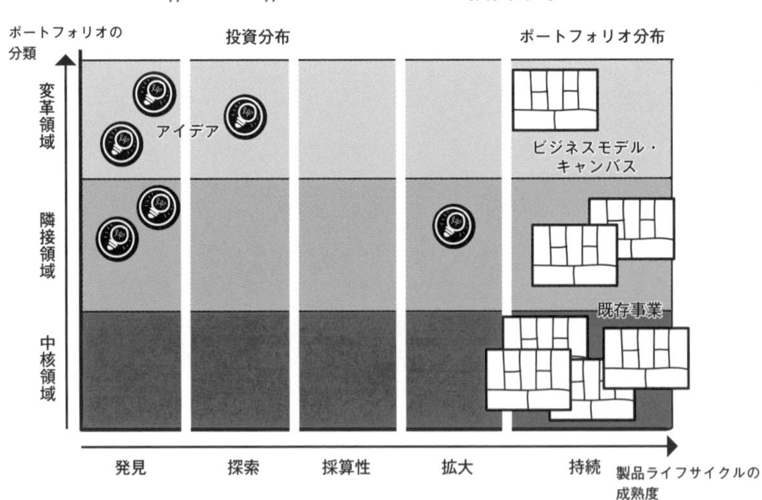

ファネルとポートフォリオの概要図を作成する最も簡単な方法は、自社のすべてのビジネスモデルの現在図を作成することです。具体的には、各ビジネスモデルを製品ライフサイクル上の成熟段階（横軸）とポートフォリオ上の分布（縦軸）の観点で分類することで、分析と戦略決定の両方の基礎となる現在図を簡単に作成できます。本章の最後の部分で、この現在図の作成方法について順を追って説明します。

概要を理解したら、後は「ポートフォリオ分布（PD）と投資分布（ID）」を計算するだけです。どちらの指標も単純明快です。

ポートフォリオ分布は、自社の既存の新事業のうち、中核、隣接、変革的な事業がそれぞれ何件あるかをパーセントで表示したものです。結果として得られる数字は、一方では破壊されるリスクを表し、他方では戦略検討における非常に明快な検討材料となります。

これまでの経験上わかっているのは、ポートフォリオ分布に基準とすべき明確な標準値がないことです。マクロ視点の環境要因とミクロ視点での各社の事情を考慮した、各社固有の理想的なポートフォリオ分布があるのです。しかしながら、ぜひとも自己診断を実施してください。毎年のポートフォリオ分布の変化を追跡すれば、自社がどう変化しているか、またどの程度変化しているかがわかります。

自社が競合他社より優れた企業であるためには、理想的にはポートフォリオの変化率が一定のしきい値以上であることが必要です。マッキンゼー・アンド・カンパニーが10年以上にわたって行った調査[77]によると、調査期間中にポートフォリオにほぼ変化がなかった企業（変化率10%未満）では、たいした年間株主総利回り（TRS）を得られませんでした。

一方で、同じ調査で驚くべき結果が出ています。30%以上ポートフォリオを変更する傾向にあった企業は、実際にはTRSがわずかにマイナスだったのです。

この調査では、理想的なポートフォリオ変化率は10%から30%であると結論づけています。このグループの平均TRSは年率5.2%で他より優れており、このグループの企業が「ちょうどよい」という結果になりました。

ポートフォリオ変化率と年間株主総利回り（TRS）

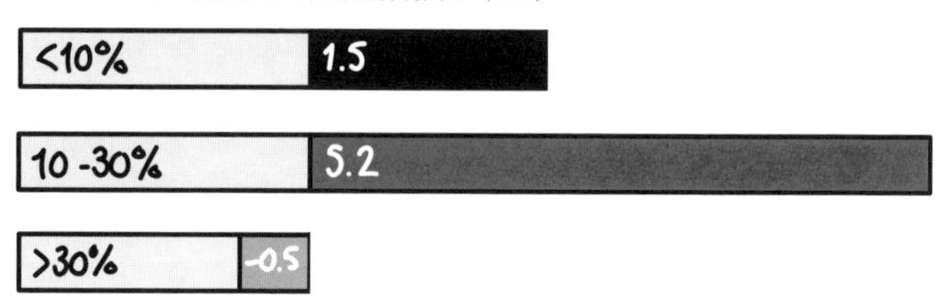

ただし、先ほどの話と同様ですが、この数字を特別扱いすることなく、自社に関わるすべての要因を考慮して適切な比率を判断することをおすすめします。

ポートフォリオ分布と同様に、投資分布を見れば自社が力を注いでいる先がわかります。投資分布は、ポートフォリオ分布と同じロジックで計算できます。違いは、既存ポートフォリオでなく、イノベーション・ファネルが対象であることです。具体的には、投資分布は、自社が現在投資している新事業開発の案件総数に対する中核領域、隣接領域、変革領域それぞれの案件数の割合を示します。

投資分布の数値は、現在の中核事業を超えてさらなる成長を追求する自社のストーリーを物語っており、自社の将来をのぞき見る窓と言えます。そのため、企業の将来成長への確証が欲しい投資家にとって、この数字は非常に重要な意味を持ちます。投資分布を自己診断すれば、自社のイノベーション戦略の変化を明らかにできます。また、現在の投資分布をビジョンと比較すれば、両者の食い違いの有無がわかります。例えば、新技術に既存事業を破壊されるリスクが高く、現在の中核事業から撤退したいと考えている企業があるとします。しかし、投資分布を見て変革領域の新事業開発への投資割合が高くなければ、その企業がやるべきことと実際にやっていることの間に食い違いがあると判断してよいでしょう。

長年の活動を通じて経営幹部たちと会話を重ねてきた中で、ポートフォリオの最適な投資分布について尋ねられたことが何度もあります。言い換えると、中核領域、隣接領域、変革的な領域に、自社の力をどう配分すべきか、ということです。そもそも全社共通の最適な比率は存在しない、というのが質問に対する私たちの見解です。環境変化やイノベーションへの意欲、業界のスピード、破壊されるリスク、業界への参入障壁など、さまざまな要因によって、適切な比率は変わるからです。

売上高500億ドル以上の世界の100社以上の企業を対象に、世界4大会計事務所の1つであるKPMGがイノベーション・リーダーと共同実施した2020年の調査結果によると、各社のイノベーションの投資分布は、中核50%、隣接30%、変革20%でした。[79]しかし比率に固執すると、極めて重要な必須の変革機会を逃したり、逆に性急に変化を進めすぎたりしかねません。これこそが、経営幹部が真のリーダーシップを発揮すべきところであり、自社の状況を理解し、それに応じた戦略を立てるべき場面なのです。

DASHBOARD INNOVATION FUNNEL LENSES

ここまでは、イノベーション・ファネルの投資分布と、未来のポートフォリオ分布の関連性にのみ焦点を当ててきました。しかし、他の視点で自社のイノベーション・ファネルを整理することも可能です。より包括的な絵姿を描きたければ、次の各視点を利用してもよいでしょう。

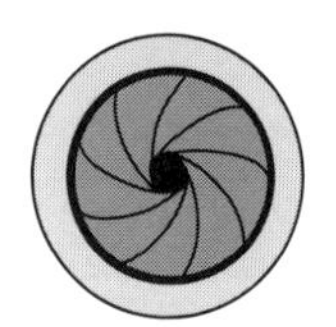

視点1：死んだ馬とユニコーン

未来の潜在的な収益性の観点からファネルを見たければ、いわゆる「馬小屋の現状図」を使うとよいでしょう。なぜ私たちが「馬小屋」という言葉を使うかを説明したうえで、自社の「馬小屋の現状図」の作り方を説明します。

スタートアップの世界では、10億ドルを超す価値評価を得た非常に成功したスタートアップをユニコーンと呼びます。その一方で、持続的イノベーションを「俊足の馬」と表現することがよくあります。これは自動車王ヘンリー・フォードの「馬車全盛の時代に、もし人々に何が欲しいか聞いたなら、より速い馬が欲しいと答えただろう」という言葉から来ています。

これを踏まえて、ファネルの事業アイデアをリスク調整後の価値／コスト比で次の種別に分類することを、私たちは提案しています。

死んだ馬：価値／コスト比が1倍未満、つまり収益が見込めない事業アイデア。

1倍未満

俊足の馬：価値／コスト比が1 - 2倍の事業アイデア。基本的に、これらの事業アイデアは収支とんとんか、あるいは利益率が限定的。

1 - 2倍

馬車馬：価値／コスト比が2 - 10倍の事業アイデア。

2 - 10倍

ユニコーン：リスク調整後の価値／コスト比が10倍超の事業アイデア。

10倍超

新事業アイデアを分類したら、次は馬小屋の現状図を作成しましょう。各事業アイデアが「死んだ馬」から「ユニコーン」のどこに位置するかを縦軸に、投資委員会の各事業アイデアに対する確信度を横軸にとります。また、具体化の度合いが近い事業アイデアを同じ土俵で比較するために、製品ライフサイクルの段階ごとに別々のグラフを作成した方がよいでしょう。

// 図6-6 // 馬小屋の現状図

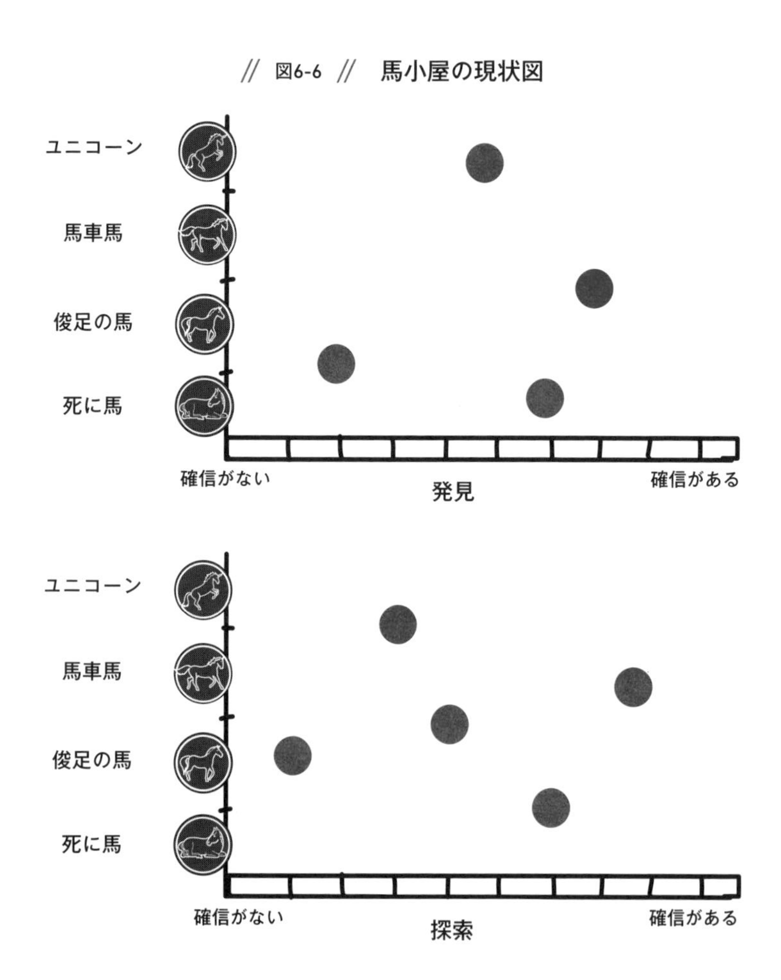

実際に作成すればすぐに気づくことですが、新事業アイデアの具体化の度合いが高まるにつれて評価の妥当性が増します。当たり前のことですが、新事業アイデアの実現性が増すにつれて、価値／コスト比の推定値がより現実的になるのです。新事業アイデアの実現性の指標として、新事業に対する投資委員会の「確信度」を使います。

注意点として、一定以上の実現性のある新事業だけを見るようにしてください。「初期段階」の新事業の評価は非常に不安定なため、意味のある絵姿を描けません（価値／コスト比や確信度の値が週単位で大きく振れる可能性があるため）。

お気づきと思いますが、前章でお話ししたファネル・ダッシュボードの情報を使うだけで、正確な絵姿を描くことができます。それぞれの新事業アイデアがポートフォリオのどの事業領域に進むかを明示するために、中核は青、隣接は赤、変革領域は黄色など、色分けしてもよいでしょう。

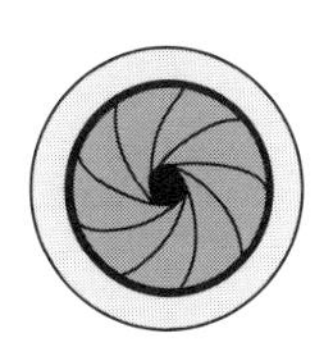

視点2：戦略的な優先事項ごとの投資分布

自社のイノベーション・ファネル分析の別の切り口として、戦略的な優先事項と投資分布との関係を見るという視点もあります。

ここまで見てきたように、自社の戦略はファネルに反映されるべきです。「我が社のイノベーション投資方針は実際の運用に反映されているか?」、と常に自問自答すべきなのです。自社のイノベーション投資方針に記載された戦略的な優先事項[80]を基準に、新事業や投資金額の比率を計算して分類すれば、自社の現状を簡単に確認できます。

自社の実態がこの質問に反しており、多くの新事業アイデアが戦略的な優先事項のどれにも当てはまらないなら、それは憂慮すべき事態と言えます。投資方針が社内に十分通知されていない、投資方針がわかりづらい、あるいは投資委員会が意思決定プロセスに投資方針を適用していない、などが原因として考えられます。

// 図6-7 // 戦略的な優先事項ごとの投資分布

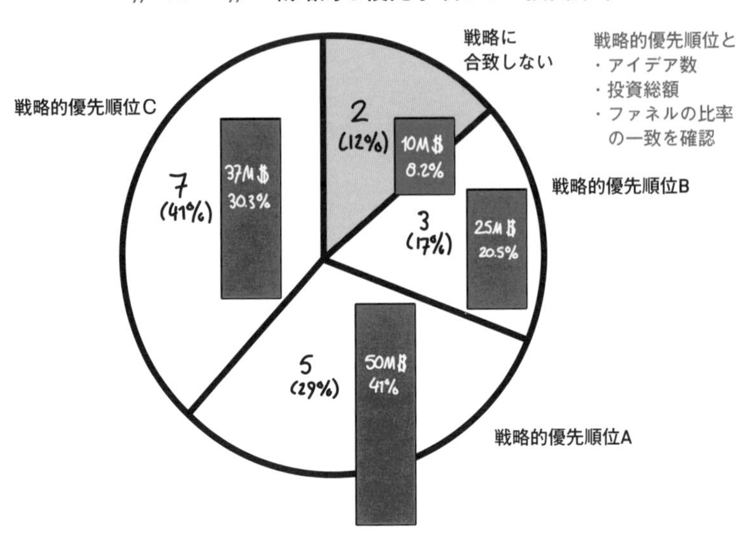

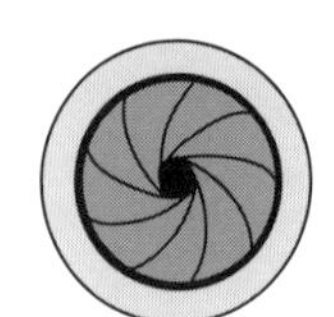

視点3：獲得可能な市場規模

イノベーション・ファネルを見るもう1つの視点として、獲得可能な市場規模があります。基本的に、自社のイノベーション・ファネル上の各新事業の市場規模を理解することが目的です。ファネルの成長段階ごとに集約して可視化することで、イノベーション活動の潜在的な事業規模を長期視点で把握するのに役立ちます。

それに加えて、この視点は現在のイノベーション投資がイノベーション投資方針に沿っているか、特に新事業が目指すべき市場規模という観点でイノベーション投資方針に準じているかを理解するためにも役立ちます。

例えば、自社は1億5千万ドル以上の市場規模のプロジェクトだけを進めたいと、投資方針に明記されていたとします。この視点でファネルを分析すれば、新事業開発プロジェクトの何パーセントが投資方針の指針に沿っているかを把握できます。

指針から外れた新事業プロジェクトの割合が高い場合、投資方針の通知が徹底されていないのか、理解されていないのか、投資委員会が投資方針を適用していないのか、といった疑問点が浮かび上がってきます。

// 図6-8 // 獲得可能な市場規模

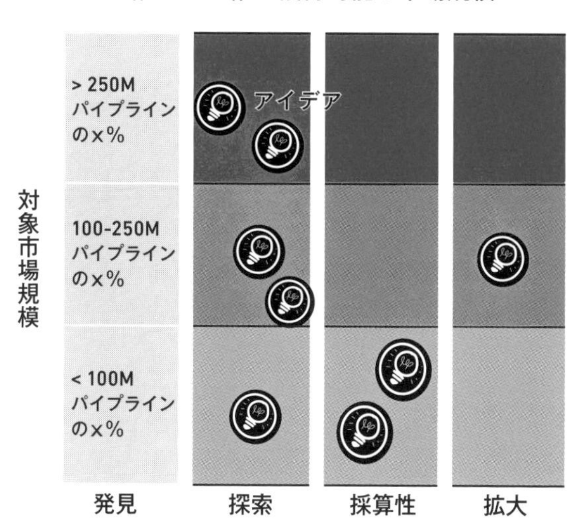

新製品活力指数がイノベーション力を示す

企業のイノベーション力を示す指標としてよく目にするのが、「**新製品活力指数（NPVI：New Product Vitality Index）**」です。NPVIはもともと3Mが考案した指標で、通常は過去5年間に市場への提供を開始したイノベーションの売上高が総売上高に占める割合をNPVIとして計測します。[81] 一般的に、高いNPVI（例：B2B企業において30%）は、イノベーションの実施状況が健全であることを示すと考えられています。NPVIが高く、増加していれば、それは企業の新商材が顧客に受け入れられ、実際に価値を生み出していることを意味し、成長をもたらすと考えられがちです。確かに理論上、NPVIは企業のイノベーション・エコシステムの優れた成果指標と言えるかもしれませんが、実際にはNPVIでは不完全な成長像しか表現できません。例えば2011年から2015年にかけて3MのNPVIは32～33%でしたが、同期間の売上高の年平均成長率はわずか0.6%でした。[82]

NPVIの課題は多岐にわたります。第一に、NPVIはさまざまなイノベーション活動の結果を集積した結果指標であり、将来成長の予測値ではありません。第二に、NPVIではイノベーションの種類を問わず結果を集計しますが、すべての種類のイノベーションが同じように売上高の成長をもたらすわけではありません。例えば、新たなイノベーションが、単に既存製品のリメイク版、改良版、あるいは新モデルにすぎない場合、これまでと同じ市場シェアを維持するだけで、売上高の成長への寄与は限定的かもしれません。一方で、イノベーションに

よる新市場への参入であれば、100%すべてが売上高の成長に直結するかもしれません。

大手化学メーカーのデュポンのイノベーション&成長担当ディレクターであるジョン・パトリンと打ち合わせをした際、NPVIの長所と短所について、次のような見解を共有してくれました。

長所

- 新製品から得る売上の割合という簡潔な1つの数値で、イノベーションを表現可能。
- 測定が容易。具体的には、過去5年以内に提供開始されたイノベーションを追跡し、イノベーションによる売上を総売上に対するパーセンテージで定量化するだけでよい。
- 多数の大手B2B企業が利用しており、またNPVIはパーセント表示のため、簡単に他社と比較可能。

短所

- 売上に関する部分的な情報にすぎない点。イノベーションの売上は売上全体の一部分でしかなく、売上を構成するすべての要素を把握しなければ、各構成要素の相互作用や成長への貢献度を理解できない。
- 市場によって数値にばらつきがある点。例えば、買い替えサイクルが短い市場（家電製品）では非常に高い数値となり、逆に導入サイクルが長い市場（医療機器）ではNPVIが非常に低くなり得る。
- 市場や技術の成熟度によって数値が変わりやすい点。例えば成熟した市場や技術では、イノベーションの余地が小さい可能性がある（例：タイヤ）。
- 企業ごとにNPVIの定義が異なるため、比較が困難である点（例：製品のマイナーチェンジや部材変更を、ある会社では新製品とし、別の会社では新製品としない）。
- 数字のつじつま合わせになりかねない点。その場合には結果として持続的イノベーションが増加し、製品数の増大、生産活動やサプライチェーンの複雑化、マーケティングや販売チャネルへの負荷の増加などを引き起こす可能性がある。

- イノベーションの売上では対象が広すぎて、イノベーション・ポートフォリオの各構成要素についての示唆を得られない点。例えば、イノベーションの種類によって売上成長の可能性が異なる。隣接市場から得られるイノベーション売上は全社の売上高の純増につながるが、中核領域のイノベーション売上は既存製品の置き換えや市場の潰し合いで、全社の売上成長への貢献が低い、もしくはまったく貢献しない。
- 一般的に年に1回のみの報告のため、日々の活動として継続的にイノベーション・エコシステムを改善するためには使われない点。

NPVIが役に立たない指標だとは言いません。ただ、NPVIを唯一の指標とし、それだけで企業のイノベーション実行状況を評価しようとしても無理だと結論づけているのです。ですので、NPVIを利用する場合には、NPVIの欠点を軽減するために以下について検討した方がよいでしょう。

1. 本書の冒頭で述べたように、イノベーションの定義についての合意形成をはかること。それによって全社の期待値をそろえ、「新事業」の議論をする際の認識を共通化します。

2. 事業破壊のリスクについての認識共有をはかること。歴史的に見て、破壊された企業のほとんどは、中核事業の枠を超えて事業拡大する能力がなかったか、あるいは拡大する意思がなかったことが原因で破壊されています。言い換えれば、既存事業の実行に集中しすぎて、将来への投資が不十分だったのです。動画ストリーミングに破壊されたブロックバスター、デジタル写真に破壊されたコダックのような教訓的な話は、経営幹部が日々の事業だけに全神経を集中する危険性への警告と言えます。エコシステムのダッシュボードへのNPVIの採用を決める前に、経営幹部が話し合って、どの領域で新事業を生み出し、何を対象にNPVIを測定するのかを決める必要があります。NPVIの測定が、破壊的イノベーションのリスク評価として機能すれば理想的です（すなわち、イノベーション会計システムの原則4「自社が破壊的イノベーションにさらされるリスクを明示できること」と合致します）。隣接領域や変革領域の新事業プロジェクトに対してNPVIを測定すれば、その数値が低い場合には、自社が中核事業の枠を超えた新しい事業アイデアに十分な投資を行っていない、あるいは中核事業の枠を超えた事業アイデアを市場投入するためのスキルが足りない可能性があるとわかります。

3. したがって、当然ながらポートフォリオの3領域それぞれについてNPVIのデータを取得することを経営幹部が決定すべきです。これらの指標（中核NPVI、隣接NPVI、変革NPVI）を見れば、投資戦略と成果をさらに明確化できます。

単純に言えば、NPVIは自社のイノベーション・ファネルに直結します。しかし、これまで述べてきたようにこの指標だけに頼ると、認識に歪みを生じかねません。そして、このような歪みは将来戦略にだけでなく、投資家に意味のあるデータを提供するという点においても、大きな影響を及ぼす可能性があります。

このように、NPVIにも他の多くの指標と同様に限界があります。しかし、他の指標と組み合わせて使うことで、データに基づく意思決定を実施したいと考える経営幹部にとって、自社のイノベーション・エコシステムに関する意思決定を行う際の有用な指標となり得ます。

イノベーションをはかるその他の指標

自社におけるNPVIの理想的な測定方法を理解するために、少し切り口を変えて「**ポートフォリオ棄損率（PF：Portfolio Fade）**」という別の指標を見てみましょう。ポートフォリオ棄損率は、ポートフォリオ内の特定製品の棄損状況を示すものですが、解約率や消耗率のようなものだと考えてください。ポートフォリオ管理に熟達する鍵は、ポートフォリオから製品がどのように「失われていく」のかを理解することです。それを理解すれば、経営幹部はよりよい投資判断を下せるようになります。NPVI同様に、ポートフォリオ棄損率の数値も、業界や企業の成熟度によって異なります。自社にとっての適性範囲を把握すれば、「70対20対10のポートフォリオ黄金律」を盲目的に追い求めるような状態を回避できます。

例えば、2013年の北米の高級セダン市場は、欧州メーカーが独占していました。市場シェアはそれぞれ、アウディのA7が14%、BMWの6シリーズが15%、ジャガーのXJが9%、メルセデス・ベンツのCLSが13%でした。[83]

ところが2016年には、状況がまったく変わりました。アウディのA7は8%に、BMWの6シリーズは5%に、ジャガーは4%に、メルセデス・ベンツは5%に、それぞれ市場シェアを落としたのです。

一体何があったのでしょう？ 2013年当時、テスラはモデルSを発売したばかりで、同社の市場シェアはわずかでした。しかし2016年には、テスラのシェアは35%にまで拡大したのです。[83]このように、「ポートフォリオ棄損率」を計算すると、どの製品が市場での競争力を失っているかが明白になるだけでなく、減退の原因調査の必要性も浮き彫りにされます。

このような場面で経営幹部は、ポートフォリオ棄損率の原因はすでにわかっている、と言いたくなるかもしれません。直感や製品知識から推測できるからです。しかし、わかったつもりでいることと、会計的な視点で分析して戦略を定め、結果報告することは、まったく別の話なのです。

では、どのようにポートフォリオ棄損率を計算するのでしょうか。第一に、何を対象とするかを決める必要があります。私の知っている具体例としては、特定の商品（例：特定の車両クラス）や、特定のビジネスモデル（例：ローン、住宅ローン、クレジットカードで構成される個人向け貸付）があります。

評価対象が決まったら、次は評価期間を決める必要があります。12カ月から5年まで、さまざまな期間設定が考えられます。

次に評価単位を決めます。車の例で言うと、先の通り市場シェアか、あるいは販売台数が評価単位として考えられます。

より細かな粒度で見たければ、例えば車1台当たりの売上や粗利を使って、ポートフォリオ棄損率を金額単位で計算できます。ただし、私たちは売上や粗利で見ることはおすすめしません。というのも、売上や粗利率は、商品の魅力低下を示す明確な指標とは言えないからです。これらの値が、業務効率の向上、原材料価格、あるいはマーケティング・キャンペーンの成功によっても影響を受けることを忘れてはいけません。

ここまでくれば、後は分析期間の最初と最後で数値がどう動いたかを見るだけで、ポートフォリオ棄損率を非常に簡単に計算できます。

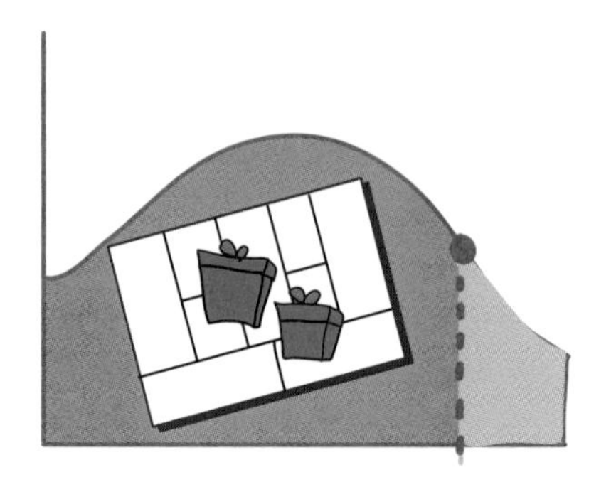

ポートフォリオ棄損率は、経営幹部にとって有益な指標です。それというのも、ポートフォリオ棄損率によって、中核事業の枠を超えて成長するためにはどうすればよいのか、既存製品の持続的イノベーション以上に投資を広げるべきか、といった議論が必然的になされるからです。先ほどの例で言えば、2016年モデルのアウディA7は、2013年モデルから改良されていました。しかし、テスラのモデルSという画期的な新提案の前では、そのような改良は顧客の心に響かなかったのです。

自社ポートフォリオの棄損状況、そして新たなイノベーションでポートフォリオ棄損をどの程度まで穴埋めしているかがわかっても、それは全体像の一部にすぎません。経営幹部は、「**イノベーション投資の効率性（EII：Efficiency of the Innovation Investment）**」についても理解する必要があります。

イノベーション投資費用の大部分は、営業費用（OPEX）に分類されます。OPEXは企業のランニングコストの大部分を占めるため、経営幹部は一般的に、品質や生産量の重大な低下を招くことなくOPEXを削減する方法を模索しています。そして、OPEX削減が必要なときには、イノベーションが常に標的とされます。なぜなら事業環境が困難なときには、投資回収までに長期間を要するプロジェクトは当然のごとく批判的な目で見られるからです。アイヴァリュアの調査レポートによると、英国企業の67%がコスト削減に注力することでイノベーションが阻害されていると回答しています。

自社の生き残りのために短期的な業績の穴埋めが必要なときに、長期的な事業機会への過剰投資に経営幹部が懐疑的になるのは当然です。[80]したがって、EIIの理解が鍵となります。「1ドルのイノベーション投資」が何ドルの新規売上を生むのかという、すべての経営幹部にとって極めて重要な質問にEIIは答えてくれます。

イノベーションへの継続投資の正当化が必要なときには、この質問への回答が常に役立ちます。特にイノベーションに懐疑的な利害関係者と対峙する際には効果抜群です。

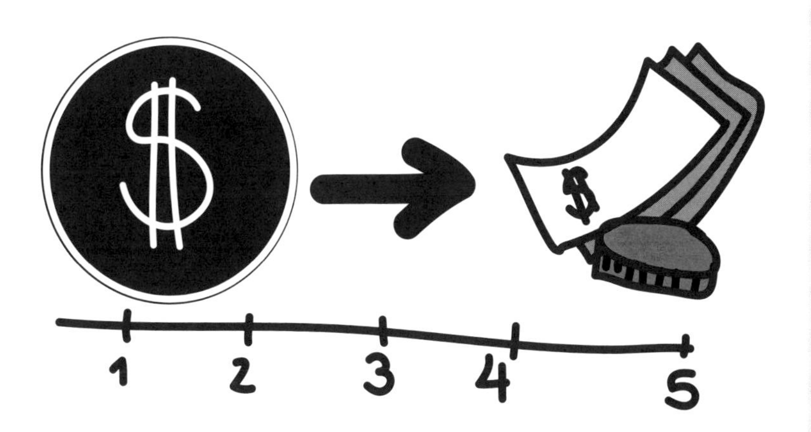

それに加えて、EIIは、NPVIの測定結果を補完するという意味でも有用です。過去X年間に提供開始した製品から今日どれだけの売上を上げているかを示すのがNPVIなら、その売上を新たに生み出すためにいくら費やしたかを示すのがEIIです。

EIIの計算式は、「過去X年間に提供開始された製品から得られた今年度の売上額の総額」を「過去X年間のイノベーション費用の合計」で割ったものです。計算の対象とする期間は、自社のニーズを踏まえて決める必要があります。ただし、私たちは3年または5年の期間で計算することをおすすめしています。
例えば、ある企業の2020年期末の会計報告で、過去3年間に立ち上げた新事業からの売上総額が1,800万ドルであったとします。一方、この企業のイノベーション費用は、2020年に300万ドル、2019年に100万ドル、2018年に400万ドルで、2018年から2020年までのイノベーション費用の合計は800万ドルです。この場合、EIIは1,800万/800万=2.25となります（パーセンテージで表したいなら、「イノベーション投資効率は225%」と言えばよいでしょう）。

わかりやすく言うと、2018年から2020年に使ったイノベーション費用1ドルに対して、2020年に2.25ドルの新たな売上が得られたということです。
もし自社のEIIが1または100%を下回ってしまったなら、売上として戻ってくるよりも多くの費用をイノベーションに使っていることを意味します。こうなると、自社のイノベーションの取り組みが、見映え重視で実質を伴わない「イノベーション劇場」となっていることを示す警告ランプに赤信号が点灯していると考えてほぼ間違いありません。

社内のEIIを計算する際に、イノベーション費用については前章で説明したファネル・ダッシュボードで確認できます。EIIの計算に必要な数字は、イノベーション施策で発生したすべての費用の合計額です。すなわち、開発中の新事業、持続の段階に達した新事業、中止された新事業、これらに使った費用すべてです。EIIの算出期間と同じ期間の費用を調べる必要があります。

注意事項として、持続の段階に達した新事業の事業運営に伴うOPEXとCAPEX（設備投資）は除外するようにしてください。
EIIをより包括的に捉えたい場合には、社内のイノベーションに加えて、合併・買収（M&A）、スタートアップへの投資（CVC）、ジョイントベンチャーなど、イノベーションに関連する各種活動に紐づく売上と費用を含めて計算してもよいでしょう。

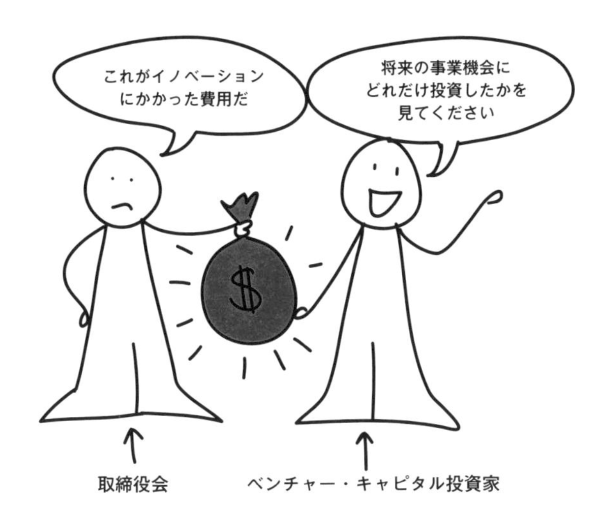

また、CVC のような特定のイノベーション手段のEIIのみに焦点を当てたい場合には、EII の計算式の考え方をCVC の成果と費用だけに適用します。

ベンチャー・キャピタルの投資効率が高いのは、当たりくじ（成功したスタートアップ）だけをうまく選んでいるからでなく、複数企業への投資と投資先のフォローアップを一定の手法に従って実行しているからだと覚えておくとよいでしょう。成功するのはほんの一握りの投資先です。しかし、その数少ない成功案件が、最終的には他のすべてのスタートアップ投資で発生した損失を賄い、さらにファンドの利益の大半を構成するのです。ここからも、イノベーション投資と管理の考え方を転換することの重要性が明確にわかります。

EIIは遅行指標であり、したがって直接的に改善することはできません。しかしこの指標は自己診断や動向分析に有用で、また時間の経過に伴うイノベーション・エコシステムの成熟状況と成長貢献度を理解するのにも適しています。

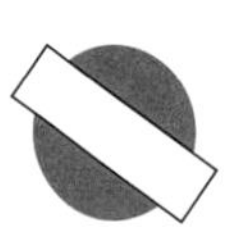

ご想像いただけると思いますが、EIIを正確に計算するためには、自社の「**イノベーション費用（CI：Cost of Innovation）**」を明確に定義し、算出することが重要です。他の多くのことと同様に、各社で独自の定義を作成することを私たちは推奨します。そして、その定義を社内で一貫して利用するのだと徹底することが必要です。

私たちの経験をご紹介すると、一定期間のイノベーション・ファネルにかかった費用の合計額をCIとして定義しました（開発中の新事業、持続の段階まで進んだ新事業、継続投資を中止した新事業にかかった費用の合計額）。言い換えれば、新事業を持続の段階まで進めるために、ある期間中に企業が費やした費用の総額です。したがって、ファネル・ダッシュボードからCIを導き出します。

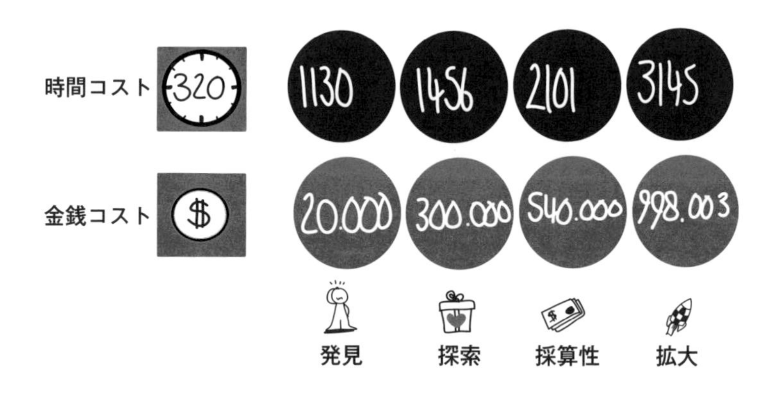

覚えておいてほしいのは、CIはそれ自体が有用な指標であり、単に他の指標の計算材料というだけではないことです。例えばCIを見ることで、経営幹部の行動計画におけるイノベーションの位置づけ、およびその位置づけの変化を時系列で簡単に把握できます。CIを売上に対する比率で見ると、特にはっきりと傾向がわかります。

「イノベーションは実施する価値のある活動である」と主張するためには、単に自社で取り組んでいる事業アイデアの数、取り組み費用、新事業が生み出す売上を測定するだけでは不十分です。経営幹部や投資の意思決定者は、イノベーションの利益率にも関心を持つ必要があるからです。

過去に私たちは、エネルギー関連のコンサルティングと認証サービスを提供する西ヨーロッパの大手企業の企業変革に携わりました。この企業の最大の課題は、圧倒的な市場シェアにもかかわらず、収益性が横ばいであることでした。その主な理由は、同社ポートフォリオにある事業の大半は、ビジネスモデルが工数単価方式だったからです。基本的に同社では、高度に訓練したエンジニアを客先に派遣して各種のプロジェクトを遂行していました。その結果この会社では、どれだけ多くの人材を新たに雇って新たな顧客にサービス提供し、その結果として売上を増やしても、利益率はまったく向上しないという状態になっていました。

同社の経営幹部は、その解決策としてイノベーションに着目しました。彼らが特に興味を持ったのは、工数単価ベースでなく、拡張性のある新たなビジネスモデルでした。これらの新たなビジネスモデルなら、OPEXを増やさずに売上を増やすことができ、同社の問題を解決するはずでした。

イノベーション投資の目的達成状況を同社の経営幹部が理解できるように、私たちは次の2つの指標を使うことを提案しました。「**イノベーション利益率（IPR：Innovation Profitability Ratio）**」と「**新旧利益率指数（NEPI：New-to-Existing Profitability Index）**」です。

IPRは新事業の利益率を把握するための指標で、「自社は高利益率の事業アイデアを市場投入しているか」という単純な問いに答えてくれます。

基本的に財務会計の「営業利益率」を新事業に限定して集計したものが、この指標です。

社内の財務チームなら、この指標を簡単に計算できるはずです。唯一考慮しなければならないのは、新事業の定義は何かということです。ほとんどの場合に私たちが推奨するのは、製品ライフサイクル・フレームワークの「持続」の段階に到達した事業アイデアのうち、過去3年以内あるいは5年以内に到達したものを新事業と定義することです。

IPRの数値を入手したら、今度はそれを自己診断や動向分析に利用できます。例えば、会計年度ごとの変動の有無を確認できます。そして変動があれば、それを引き起こした可能性のある内部要因をさらに掘り下げます。その内部要因は、例えば、会社のイノベーション投資方針の変更かもしれません。あるいは、投資委員会の意思決定プロセスの変更の結果かもしれません。もちろん、外部要因が変動を引き起こしている可能性もあります。

このように、IPRはそれ自体が有用な指標です。しかし、IPRを既存製品（自社のポートフォリオに3年以上前から存在する製品）の収益性と比較すれば、もっと面白いことができます。私たちはこの比率を新旧利益率指数（NEPI）と呼んでいますが、NEPIを見れば「自社の新事業の収益率は既存事業より高いか?」という疑問に回答できます。

NEPIを計算するには、IPRを、IPRの対象期間より前（例えば3年以前）から存在する製品の営業利益率で割るだけです。

例えば、2018年から2020年に「持続」の段階に到達した新事業の平均IPRを20%と決算報告している企業を考えてみましょう。この企業の2020年末の決算報告では、上記の新事業を除く他のすべての事業の平均営業利益率は5%でした。したがって、この会社の2020年のNEPIは、20/5＝4となります。

NEPIが1以上であれば、新事業の方が既存事業よりも高い利益率であることを意味します。逆に1以下であれば、古い事業の方が高い利益率であることを意味します。

また、既存事業と比べて新事業の利益率がどの程度高いかを、NEPIの数値で知ることができる点にも注意してください。上記の例では、この会社で2018年から2020年に持続の段階に到達した新事業は、従来事業よりも平均して4倍の利益を上げています。

本章でご紹介した他の指標と同様に、NEPIは自己診断に簡単に利用でき、イノベーション・エコシステムの改善促進に役立ちます。NEPIの数字を改善する手段としては、企業のイノベーション投資方針や、投資委員会の意思決定プロセスの改善などが考えられます。

NPVIにNEPIを併用すれば、自社でイノベーション活動を実施する価値の有無がわかります。新たな売上の獲得状況を見るのがNPVIなら、NEPIでは獲得した新たな売上の収益性を把握できるのです。

経営幹部は、IPRとNEPIを常に監視すべきです（最低でも年1回）。また、先に述べた他の指標と同様に、この2つの指標も自社の状況を踏まえて注意深く導入し、利用すべきものです。

指標の活用方法

自社の業界、自社特有の事情、そして何よりも自社の戦略ビジョンを踏まえ、これらの指標をどう活用するのが最適なのか、社内で合意形成し、理解を共通化する必要があります。ここでは、企業の戦略ビジョンによって、どのようにイノベーションの収益性が左右されるかを、実際の例を使ってご紹介したいと思います。

クラウドインフラは世界中の企業が注目するホットな話題ですが、「この戦い」に大きな投資をしているテクノロジー企業にとっては、なおさら重要な話題です。2020年第3四半期の市場シェアは、アマゾンのAWS（アマゾンウェブサービス）が32%、次いでマイクロソフトのアジュールが19%、グーグル・クラウドが7%、アリババ・クラウドが6%、その他のプロバイダーの合計が37%となっています。[86]

マイクロソフトは、2020年の第4四半期にアジュールが約50%の成長を遂げて大成功を収めましたが[87]、クラウドソリューションについて同社はこれまで苦戦をしいられてきました。成熟したソリューションであるにもかかわらず、アジュールの利益率は何年もの間たった3.5%だったのです。[88]また、アマゾンやグーグルも状況は似たり寄ったりで、グーグルに至っては2020年のクラウドソリューションの収益性を公表することさえ拒否しています。[89]

しかし、これら3社にとってクラウドソリューションの収益性は大した問題ではありません。これらの企業の経営幹部たちは、クラウドは自社の戦略ビジョンに必須であり、自社の将来を支える大黒柱だと考えています。だからこそ、収益性の低さにもかかわらず、投資を継続するという戦略的な決断をしたのです。

ここまで、比率を測定するレシオ型指標をたくさん取り上げてきました。しかし、比率を扱うときには注意が必要です。具体的には比率の数値がなぜ変化しているのか、その理由に注意を払う必要があるのです。それというのも、変化が不適切な意思決定に根ざしていたり、あるいは望ましくない行動を引き起こしていたりする可能性があるからです。EIIを例に見てみましょう。EIIは、NPVIとCIとの比率ですが、この比率を高めるためにイノベーションへの支出を減らしますか?おそらく最善策ではありませんが、結果の数字自体はすぐに改善します。それとも新製品からの売上増加のために、確実性の高い「持続的イノベーション」の事業アイデア数を増やしますか? 短期的にはそれでよいかもしれませんが、長期的な収益性を失うリスクを負います。

一般に比率には注意が必要ですが、特にイノベーション管理で比率を扱う際には、変動し得る箇所が多いため要注意です。私たちのアドバイスは2つあります。1つは決して1つの指標だけを見て意思決定しないこと、もう1つは疑念が生じたら常に自社のイノベーション戦略に立ち戻って答えを出すことです。

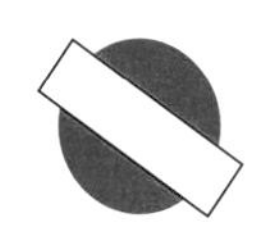

私たちはつい先ほど、企業のイノベーション費用が新規売上を生み出す効率、および生み出した新事業の収益率に触れました。しかし、これまで見てきた指標では、「実際に新たな売上を生み出すまでに要する時間はどれくらいか」「持続的に収益を生む事業を1件確立するために何件の事業アイデアに投資する必要があるか」、といった疑問には答えられません。これらの質問に対する答えは、新事業の典型的な「**平均事業化率（ACR：Average Funnel Conversion Rate）**」と「**平均事業化時間（ATS：Average Time to Sustain）**」という2つの指標を見ればわかります。

「ACR」は、自社のイノベーション・ファネルを事業アイデアが通過する際の平均的な「生存率」を示します。基本的には、自社がある数の事業アイデアを本日ファネルに投入したら、そのうち何個の事業アイデアが実際の事業として成熟段階に達すると予想されるかという質問に答える指標です。この指標で、イノベーション投資に対する期待値を管理できます。

ACRはCIすなわちイノベーション費用を見る際の重要指標です。なぜなら企業におけるCIの全体金額は、成熟段階まで達した一握りの成功した事業アイデアに対する費用だけでなく、イノベーションを通じた成長を目指して実施したすべての投資で決まるからです。

自社のACRを明確に把握することにはもう1つ重要な意義があり、それは「勝者を選ぶ」という考え方から、「イノベーションは規模で戦う数字のゲームである」という考え方への転換に役立つことです。

ファネル・ダッシュボードが整備されていれば、ACRは簡単に算出できます。前章でご紹介した通り、ファネル・ダッシュボードには、「次の段階に進んだアイデアの割合」という指標があります。イノベーション・ファネルの各段階の「次の段階に進んだアイデアの割合」をすべて掛け合わせた数字がACRです。

ここで再度、前述の製品ライフサイクルを振り返ってみましょう。ある企業では、事業アイデアのうち20%しか発見から探索の段階へと進んでいないと仮定します。そして、同社で探索から採算性の段階に進む事業アイデアは通常50%です。採算性から拡大の段階に進むのが75%、そのうち90%が拡大から持続の段階に進みます。この場合には、ACR = 0.2 x 0.5 x 0.75 x 0.9 = 0.0675となり、企業が開始した事業アイデアの6.75%が持続の段階に到達することになります。この数字を経営幹部視点で見ると、本日時点で200件の事業アイデアをファネルに投入した場合、そのうち約13件のアイデアが持続の段階に到達する、ということを意味します。

ACRは非常に興味深い指標ですが、いくつか注意点があります。第一に、ACRを算出するためには、十分な数の新事業アイデアがファネルを通過していなければなりません。例えば、ファネルに10個の新事業アイデアしかない場合、次の段階に進んだ新事業アイデアの割合を計算しても、統計的に意味をなさないからです。また、新事業チームや投資委員会の能力といった外部要因によって、ファネルの成績に影響を受けやすい点にも注意が必要です。逆に言えば、企業がイノベーションに投資すればするほど、この指標の正確性が増すということです。

第二に、すでに第1章でも述べたように、自社におけるイノベーションの定義を明確にすることが非常に重要であるという点です。イノベーションの定義を明確にしておかないと、「自社のファネルに持続的イノベーションのプロジェクトしかない」という状況に陥りかねません。言うまでもなく、内在するリスクが少ない持続的イノベーションは、破壊的イノベーションよりも生存率が高くなります。その場合にACRが改善するのは明白ですが、それで得られるのは、成功したという誤解と勘違いによる安心感です。

　これまでの指標と同様に、ACRは進捗のベンチマークや状況把握に最適です。ACR値の変動はさまざまな要因に起因している可能性があり、具体的な要因としては、新事業チームの能力、投資委員会の能力、支援ツール、文化（例：チームが失敗しても安全だと感じる心理的安全性の文化を確立すれば、その結果として肯定バイアスの呪縛から解放され、安心して自分たちの事業アイデアを否定できるようになる）、さらにはガバナンス（例：従業員が事業アイデアに取り組むことを許される時間）などが考えられます。

　製品ライフサイクルの持続の段階に到達する新事業アイデアの数を知るだけでは、自社が新事業アイデアを市場投入する能力の半分しか説明できません。
　製品やサービスが事業化するまでの時間を知ることで、ACRで説明できない部分を非常にうまく補完することができます。まさに、著名なスタートアップ投資家のポール・グラハムが語った次の言葉の通りです。「私は事業化が遅すぎてダメになったスタートアップを数多く見てきましたが、速すぎてダメになったスタートアップは見たことがありません」。

新事業の歩みをはかる指標

　ここで登場するのが、「ATS」という指標です。イノベーション・ファネルに、1つの新事業アイデアが投入された瞬間から持続の段階に到達するまでに要する時間の平均値を表す指標がATSです。

　この指標の値は、ファネル・ダッシュボードから得られる情報で算出できます。ATSの計算は非常に簡単で、ファネル・ダッシュボードを見て、持続より前の各段階の「各段階で平均滞在期間」指標の値をすべて合計するだけです。

イノベーション会計システムのほとんどの指標と同様に、企業が自己診断に使用し、毎年の数値向上を目指して、たゆまぬ努力を続けるための参考指標として、ATSは有用です。ATSの明確なベンチマーク値があれば、新事業チームと投資委員会メンバーの能力開発、全体的なプロセスの改善、意思決定プロセスの有効性、支援ツールや成果物などについて、経営幹部はより焦点を絞った話し合いを実施できます。

しかしながら、ATSが内部要因だけでなく、外部要因や自社の属する業界の特殊性にも影響される点については、考慮しておく必要があります。例えば、B2BやB2Gに比べて、B2C企業のATSは小さくなるのが一般的です。

ATSはタイム・トゥ・マーケット（市場投入までの時間）と同じではないかとよく質問されますが、両者を混同すべきではありません。私たちの見解として、新事業アイデアを実現するためにリーン・スタートアップ手法を採用している企業にとって、タイム・トゥ・マーケットは非常に不適切な指標だと考えているからです。

もう少し詳しく説明しましょう。最近では、ほとんどの企業がイノベーション推進の方法論としてリーン・スタートアップ手法を利用することのメリットを理解しています。[90] 思考様式の方法論であるリーン・スタートアップ手法の根幹は実際の市場でテストを実施することです。テスト方法としては、定性的な調査や定量的な実験があります。定量的な実験ではプロトタイプが必要な場合があり、それを「必要最小限の製品（MVP）」と考えることもあります。[91]しかしながら、MVPの結果としてピボット[※1]が必要になる場合もあるため、新事業チームがMVPを提供するまでに要した時間は、必ずしもタイム・トゥ・マーケットではありません。[91]また、新事業チームが前進するのに必要な証拠を明らかにするために、製品ライフサイクルの非常に早い段階でMVPが必要になる場合もあります。

そうなると、タイム・トゥ・マーケットとは何なのかという疑問が残ります。MVPを提供開始するまでの時間なのでしょうか？ MVPが失敗し、新事業チームがもっと成功しそうな別の事業アイデアにピボットした場合はどうするのでしょうか？ タイム・トゥ・マーケットとは、チームが最初の売上を上げるまでに要した時間なのでしょうか？ しかし、本物のソリューションを準備せずに予約注文を受け付けるフェイクドア実験[92]を行った場合はどうなるのでしょうか？ ドロップボックスを例にとると[93]、製品開発をしないうちに説明動画だけ作成し、自分たちのアイデアに興味を持った人に入力フォームから申し込みをさせています。

このように、リーン・スタートアップ手法がもたらした迅速な実験の時代おいて、タイム・トゥ・マーケットは時代遅れの指標と言えます。したがって、新事業アイデアが成熟段階（製品ライフサイクルにおける持続の段階）に到達するまでの時間を測定することが、より適切な代替手段になるのです。

※1 訳注：製品機能の変更や事業方針の転換のこと。

導入の際の注意点

ここまで読み進めていただいた内容を自分1人で自社内に導入するのは大変なことだと思われるかもしれません。しかし、それは問題ではありません。私たちが繰り返し強調してきた通り、イノベーション管理はチームスポーツなのですから。

自社の事業ポートフォリオを積極的にモニタリングし、ダッシュボードの指標を常に更新するためには、チームが必要です。このチームには、イノベーション管理の専門家に加えて、経理担当や監査担当にも参画してもらい、自社の財務諸表から必要な数字を取り出す支援をしてもらうべきです。

また、ダッシュボードと事業ポートフォリオの更新については、適切な更新サイクルを確立する必要があります。散発的な更新では、せっかくのデータの有用性が損なわれてしまいます。また、レビュー頻度が低いと、エコシステムにおける活動と得られた結果との間の因果関係を判断することが難しくなります。自社に適切な更新周期を、社内外の事情にも十分配慮して定めることが必要です。

そして何よりも重要なのは、このデータから得られる発見内容に興味を持ってもらい、このデータに基づいて行動を起こしてもらうことで、経営幹部全員にこの活動を支援してもらうことです。

各指標についての結論

本章では、イノベーション・ファネルとポートフォリオを理解するためだけでなく、さまざまな動向や行動計画を明らかにするためにも役立つ、数多くの指標を見てきました。各指標を使用するうえでご留意いただきたい重要メッセージは、単独の指標で判断しないことです。洗練された製品を提供するために多様な人材が必要であるように、自社の将来を真に理解し、発展させるためには多様な指標が必要なのです。

「イノベーションはどうでもよい」という言葉で本章をはじめましたが、今もその言葉に嘘偽りはありません。イノベーションはどうでもよいのです。しかしながら、自社のイノベーション・エコシステムを理解することが、変化する世界に適応し続けるだけでなく、変化に先んじて世界を主導する方法にもなるのです。経営幹部が理解すべき点は、個々のプロジェクトの成功でなく、イノベーション・エコシステム全体としての成功が勝負の鍵だということです。

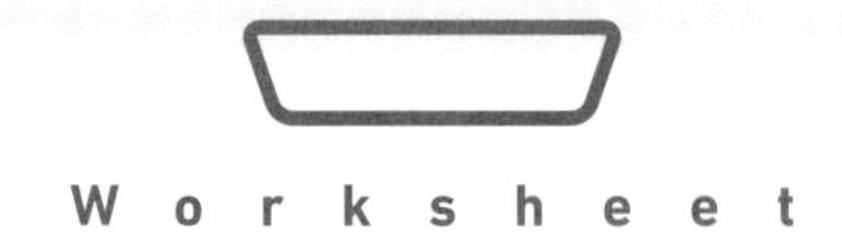

ポートフォリオの概要図を作成する

事業の主たる目的は、さまざまな利害関係者への価値創出を行いつつ、自社の事業成長と業績拡大を押し進めることです。経営幹部が財務的な業績向上に注力するのは当たり前であるものの、優れた経営幹部は現在の中核事業の枠を超えたさらなる価値を創造する新たな事業機会の開拓を目指します。

優れたポートフォリオ管理によって、自社事業が破壊されるリスクも軽減されます。破壊が起きるのはたいてい、過去の成功と実行済み

// 図6-9 // ポートフォリオの概要図

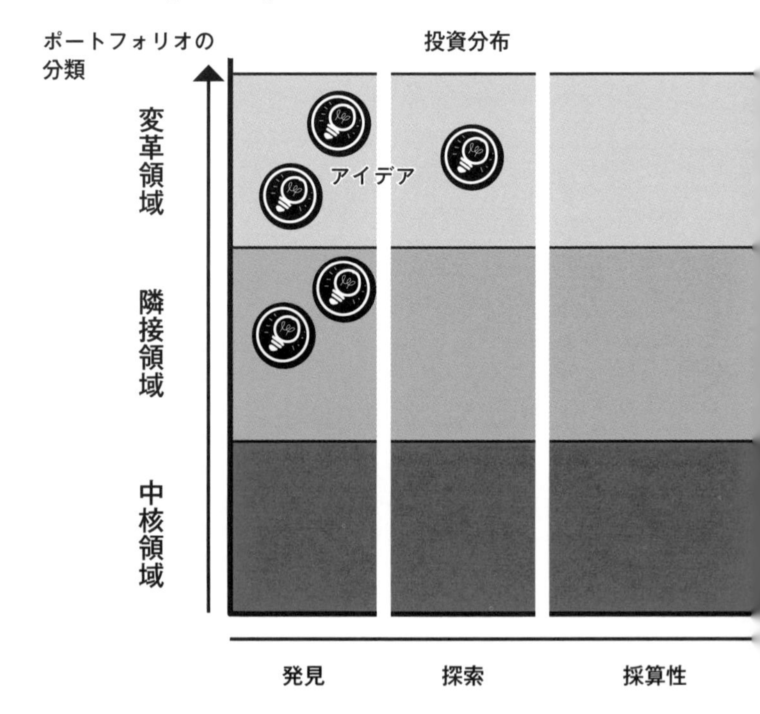

の投資で現実が見えなくなり、そのせいで企業が中核事業にとらわれ、中核事業の枠から抜け出せなくなっている場合だからです。

非常に競争の厳しい今日の事業環境において成功するためには、ポートフォリオ管理に関する経営幹部の意識改革が必要です。具体的には、経営幹部が製品ポートフォリオだけでなく、ビジネスモデルのポートフォリオで考える習慣をつける必要があるのです。

ビジネスモデルのポートフォリオで考えることの重要性を示す例として、玩具業界を見てみましょう。世界規模の玩具流通大手企業であったトイザらスの破綻という強烈な一撃が、玩具メーカーから主要な流通チャネルを奪ったことについての話です。

ウォールストリート・ジャーナルによれば、トイザらス破綻の結果、

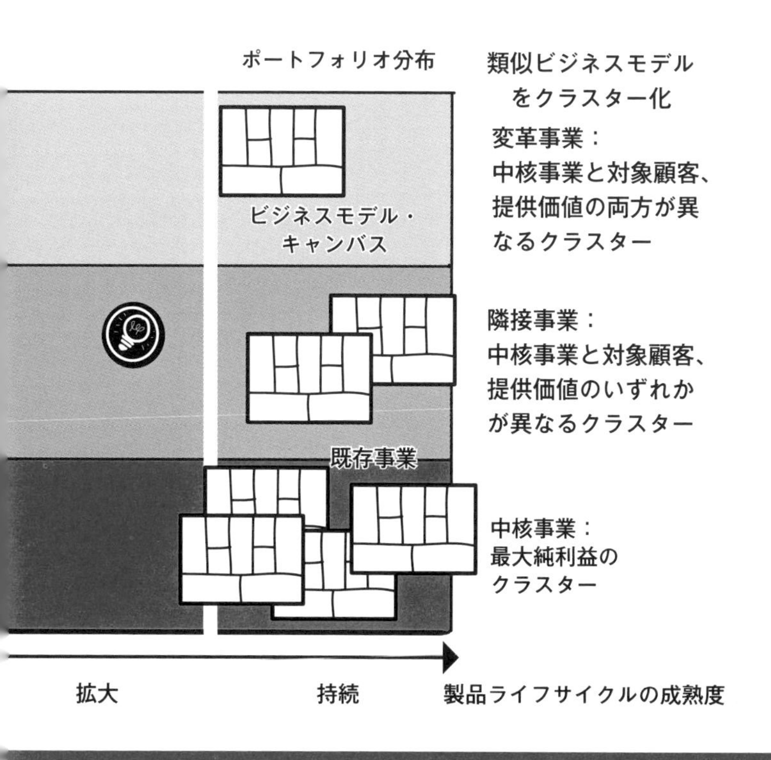

玩具メーカーは同社からの安定的な大規模受注に依存した事業運営ができなくなりました。[94]

ハズブロのように信じられないほど多様な製品ラインアップをポートフォリオとして持つ大手玩具メーカーでさえ、自社の主要流通チャネルの1つが閉鎖されたことで大きな影響を被ったのです。

結果的に、玩具メーカー各社は自社のビジネスモデルを、最終消費者向けの直接販売と小ロット生産に移行せざるを得なくなりました。

これは「たられば」の話ですが、もしこれらの玩具メーカーが以前から、自社のポートフォリオを製品だけでなくビジネスモデルの視点でも見ていれば、破壊のリスクはその時点で即座に明らかになっていたことでしょう。

この話から、ポートフォリオの多様性を製品数だけで考え、ビジネスモデルの観点を完全に無視することの危険性が読み取れ、他の業界の経営幹部にとっても教訓となります。欧州大手銀行の全社変革プロジェクトにおいて、私たちはまさにこの点を検討課題として指摘しました。この銀行の個人向け業務部門の経営幹部との打ち合わせの際に、ビジネスモデルのポートフォリオという考え方をテーマにあげたのです。そして、同銀行には100種類以上のクレジットカード商品があるにもかかわらず、ビジネスモデルはどれも同じであるという観察結果を示しました。このようにして、この銀行で新プロジェクトへの投資を開始するに当たり、経営幹部の視点を製品視点からビジネスモデル視点に移行することが必須事項であると明らかになったのです。

ビジネスモデルの多様性を賢く管理すれば、業績向上や自社のパーパス（存在意義）の実現に役立ちます。本章で見ていただいた通り、私たちは製品でなくビジネスモデルのポートフォリオ管理を提案しています。それというのも、その方が破壊のリスクを適切に見て取れるからです。

では、自社でポートフォリオの概要図を作成するには、どうすればよいのでしょうか？　一言で言えば、1段階ずつ進める、というのがその答えです。

ステップ1

自社の既存の製品ラインアップの各製品のビジネスモデルを分析する。具体的には各製品のビジネスモデル・キャンバスを作成する。

ステップ2

ビジネスモデル・キャンバスをすべて作成完了したら、次は対象顧客層と提供価値がほぼ同等のビジネスモデルをクラスターとしてひとまとめにする（例：ある銀行で提供する消費者向けのモーゲージ商品はすべてクラスター化できる）。

ステップ3

ビジネスモデルのクラスター化を完了したら、各クラスターの純利益（会計上の利益）を確認する。

ステップ4

自社のポートフォリオの中核事業を特定する。具体的には、最大の純利益を生み出しているクラスターを中核事業とする。そのクラスターをマップの中核領域におく。

他のクラスターで、対象顧客層と提供価値がともに上述の最大の純利益を生み出しているクラスターと似ているものについては、中核事業の一部であると考える（例：先の銀行の例を続けるが、モーゲージ・クラスターの利益が最大であったとする。消費者向けの信用貸付、クレジットカードなど、他のクラスターも中核事業の一部となる）。

ステップ5

残りのクラスターのビジネスモデルを確認して、隣接領域のビジネスモデルを特定する。具体的には、中核事業と比べて対象顧客、提供価値のいずれか一方だけが異なるビジネスモデルを選び出す（例：銀行の例では、消費者向けのモバイル決済アプリは、中核事業と比べて提供価値のみが異なるため、隣接領域の一部になり得る）。

ステップ6

隣接領域を完了したら、変革的なビジネスモデルに目を向ける。変革的なビジネスモデルは対象顧客層と提供価値の両方が中核事業と異なる（例：銀行の例を続けると、税還付の支援やスパムリスク検出を行う顧客向けアプリは変革的なビジネスモデルに該当する）。

ステップ7

ポートフォリオの概要図が完成したら、次は水平方向に自社の製品ライフサイクルの軸を追加する。準備ができたら、ファネルにある新事業アイデアを配置する。各新事業アイデアがどの段階まで進んでいるか、ビジネスモデルの種類（中核、隣接、変革）は何か、の両方を念頭に配置していく。

ビジネスが非常に多岐にわたるコングロマリットや大企業に関しては、事業部門ごとに1枚のポートフォリオの概要図を作成することを推奨する（例：銀行で言えば、個人向け業務、法人向け業務、富裕層向け資産運用などの事業部門に組織が分かれている場合、事業部門ごとに独自のポートフォリオの概要図を持つようにする）。

概要図の作成が完了したら、次はビジネスモデルの分布状況を分析し、その情報を戦略構築プロセスに反映させる。

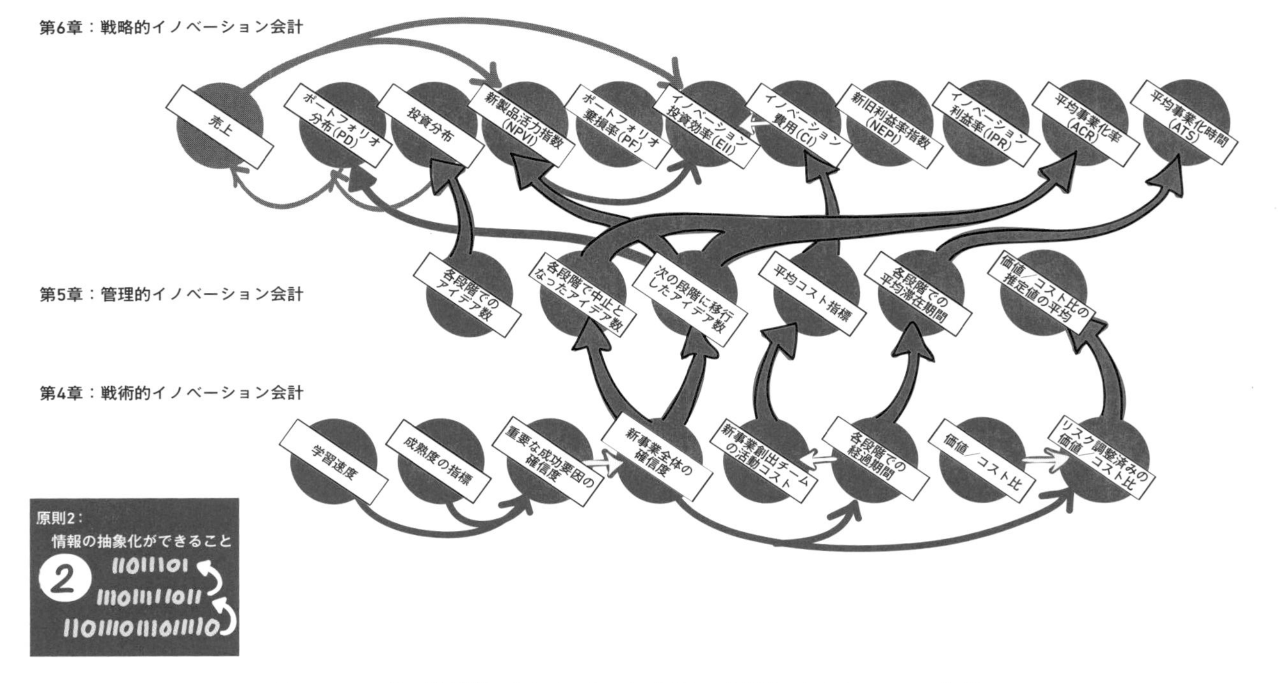

// 図6-10 // 戦術的イノベーション会計、管理的イノベーション会計、戦略的イノベーション会計の評価指標の抽象化

Chapter 6 **Point**

今日のイノベーション・ファネルは、明日の事業ポートフォリオを映し出しています。包括的なイノベーション戦略を構築するためには、製品の視点ではなく、ビジネスモデルの視点で自社のポートフォリオを眺め、自社が破壊されるリスクを明確に描き出すことが重要です。

イノベーション・エコシステムの全体的なパフォーマンスを、単一の指標ではかることはできません。イノベーション・エコシステムの有効性と効率性を明確に把握するためには、相互に関連し、相互に補完し合う多数の指標を組み合わせて利用することが必要です。次の重要な4つの質問に、自問自答してください。

- 我が社は破壊のリスクにさらされているか？
- 我が社の成長をイノベーションがけん引しているか？
- 我が社の未来は明るいか？
- 我が社のイノベーション・エコシステムの効率性はどの程度か？

経営幹部は、個々の新事業チームのROIではなく、イノベーション・ファネル全体のROIに焦点を当てる必要があります。

イノベーション対談

アレクサ・デンベク

デュポン チーフテクノロジー＆サステナビリティオフィサー（最高技術・持続可能性責任者）

デュポンの最高技術・持続可能性責任者を務めるアレクサ・デンベクの信条は、顧客中心、戦略の一貫性、絶え間ないコミュニケーションです。彼女は経験豊富な戦略リーダーであり、科学研究発のイノベーションで事業成長に貢献することに情熱を持っています。

筆者：貴社において、イノベーションの最大の原動力は何ですか？

アレクサ・デンベク（以下、AD）：企業ごとにイノベーションの原動力は異なります。私たちデュポンにとっては、イノベーションによる成長が、価値創造の非常に重要な原動力となっています。ここでいう価値とは、当社のパーパス（存在意義）である「繁栄の礎となるイノベーションを世界にもたらす」ことであり、それはサステナビリティにもつながります。

これは私たちに特有のことで、他の企業では違うのかもしれません。例えば、ある企業では地理的拡大を達成するために、イノベーションに注目しているかもしれません。また別の企業では、資本の拡大に目を向けているのかもしれません。

デュポンには2世紀以上にわたる伝統がありますが、歴史的にイノベーションで成長を遂げてきており、それは現在でも変わりません。私たちは、今まさに起きようとしている事象や未来のニーズに対応するために、常に自社を再構築し続けてきました。すなわち、当社の基本戦略は市場や技術の動向に寄り添うことであり、そのうえで、どうすれば当社の取り組みたい問題に必要な能力を整備できるかを検討するのです。

筆者：イノベーションによる成長について取締役会の他のメンバーと意思疎通をはかるうえで、最も難しい点は何ですか？　例えば、CEOやCFOとどんな話をしていますか？

AD：そうですね。市場投入までの速度と、事業成長に向けた投資効果の両方を向上させることについては、誰にも異論はありません。課題となるのは常に、いかにして投資を売上と利益の成長に結びつけるかです。私たちが多くの労力を費やしているのはまさにその点で、具体的には投資規模と、実行速度の両方を適切に保つよう気をつけています。ただし、何が適切かは市場によって異なります。市場によっては変化のサイクルが非常に速く、逆に変化のサイクルが非常に遅い市場もあります。そのため、必要な投資額も速度も異なります。したがって、投資成果の分析は非常に慎重に行う必要があり、一律の条件で評価することは絶対にありません。

結局のところ誰にとっても、売上の成長、利益の成長、資本の投資対効果の3つが重要なのです。分野ごとに変わるのは、変化のサイクル、速度はどうあるべきか、そして投資額はどれだけか、あるいは本来必要な投資額はどれだけか、といった点だけです。

当社のイノベーションおよび研究開発への全社レベルでの投資金額は、以前から売上高の4%程度で安定しています。したがって、指標として支出額を見るだけでなく、投資の成果を見ることが重要です。そして成果には2種類あり、1つは前述したような事業成長、もう1つは自社の存在意義を持続させること、すなわち将来にわたって当社のパーパスを達成できるようにすることです。

筆者：投資家や他の株主に対して、イノベーションに費やした資金が有効に使われたことを示すために、どんな指標を使っていますか？売上の成長や純利益などの決算数字だけですか、それ以外にも投資

を正当化する指標が何かありますか？

AD：どの事業にも、それぞれの市場で目標を達成するための異なる戦略があります。そして、各事業の戦略的な優先事項に合わせてイノベーション投資を実施することが成功の鍵だと、私たちは考えています。そのために、私たちが常に念頭においている質問があります。1つは、私たちが事業機会を見出した各分野において、重要で欠かせない問題は何か？もう1つは、その事業分野で勝つために何が必要で、その問題に対するソリューションを提供するために必要な投資の要件は何かです。つまり、これらの質問に規模感とスピード感を持って対応することに、私たちは使える時間をすべて費やしているのです。

そして、その議論の中から投資が生まれます。これは年1回実施するという類のものでなく、私たちのDNAの一部であり、文化と言ってもいいでしょう。私たちはこれを日常的に行っています。

私たちは、他社が何をしているかでなく、市場と顧客の問題に焦点を当て続けています。そして、自社独自の差別化されたソリューションは何なのかという視点で考えます。すなわち、市場における重要問題の解決に貢献するために自社は何を提供できるのか、について考えるのです。このように、私たちは非常に市場を重視しており、すべての面で市場と顧客に焦点を当てています。

筆者：適切な投資を行い、戦略を明確にしたにもかかわらず、最終的に利益が得られない場合はどうすればよいのでしょうか？

AD：私たちは、良い結果も悪い結果も、すべてを学びと捉え、学んだことを次の戦略に生かすために最善を尽くしています。そのためにメンバーには、「個々のプロジェクトに執着するのでなく、事業全体としての成長に執着しなさい」と常々話しています。プロジェクトは次々と生まれ、消えていきますが、事業の成長を求め、重要な問題を解決しようとする姿勢は永遠に変わりません。勝っても負けても、そこに焦点を当てて話をするようにしています。そして、解決すべき問題が何であるかについて、全社で、そしてすべての事業部と合意できれば、誰もがやる気を持って重要な問題に取り組めるようになります。

私の真の狙いは、関係者全員がプロセスに執着するのでなく、最終的な成果に執着するように、物事を進めることです。

筆者：先ほどのお話に出た決算数字の指標以外に、非財務的な指標も見ていますか？　その場合には、社内の財務担当者は非財務指標をどう捉えているのでしょうか。

AD：財務面では、売上高成長率、純利益成長率、そして全体の投資資金に対する投資リターンの3つが重要です。しかし、当社には多くの非財務指標もあり、CFOは財務指標も非財務指標も同様に評価していると思います。

非財務指標のほとんどは、ESG（環境、社会、ガバナンス）や文化に関するものです。デュポンの2030年のサステナビリティ目標（持続可能性目標）は非財務的です。そのため、より広範な効果をもたらすために、財務面以外にも改善しなければならないことが毎年たくさんあります。例えば、多様性、公平性、帰属意識といった文化的側面を、どのように推進していくか。また、持続可能性の取り組み、コミュニティへの貢献、温室効果ガスの削減、ウォーター・スチュワードシップ[※2]への取り組みは、すべてデュポンの2030年の達成目標に含まれており、私たちは常に注力しています。

デュポンの2030年の持続可能性ロードマップでは、合計9つの目標を掲げています。その中には、多様性、平等、帰属意識、人員構成などが含まれており、これらは定量化し

※2 訳注：自社の操業に関わる水の管理にとどまらず、地域の水資源についても積極的に責任ある行動をすること。

やすい項目です。また、従来は定量化が難しかった分野についても、私たちは定量化しやすい指標を用意しています。2020年7月に発行された当社のGRIレポート※3に、非財務的な効果に関する当社の追跡調査の概要がすべて記載されていますので、そちらをご参照ください。

結論から言えば、デュポンにとっては利益とパーパスが一致していると言えます。評価測定という意味では、明らかに財務指標の方がより定量化されています。しかし、非財務的な指標も同様に重要であり、それらも追跡しています。

筆者：イノベーションを通じた事業成長の測定に関する経験を踏まえて、実行指針、「やるべきこと」「やってはいけないこと」など、他社のビジネスリーダーの参考になるようなアドバイスをお願いします。何かコツはありますか？

AD：そうですね。デュポンで成功を収めているのは、イノベーションを2つの視点で見ることです。1つは「回顧的視点」です。すなわち、これまでに何を提供し、どんな成果を得られたかを、過去にさかのぼって振り返ります。

もう1つは、「将来視点」です。これは将来的な進捗を予測するものです。その際の評価基準は、回顧的視点とは異なります。ここでは、不確定性の低減と、勝つための方法に集中します。私たちが常に重視しているのは、新たな市場について十分な速度で学習できているかです。また、私たちは成功しなかったプロジェクトから学びを得ることを大切にしています。毎年ハロウィーンの時期に「デッド・プロジェクト・デイ（“DEAD PROJETCT DAY”）」というイベントを開催していますが、これは見せしめの場でなく、楽しい雰囲気の中で失敗を反省するための場です。「我々が中止した、あるいは方針転換しなければならなかったプロジェクトから得た学

※3 訳注：GRIは1997年に国連環境計画の公認団体として設立されたNGOのこと。持続可能性に関する国際的な評価ガイドラインを策定している。

びは何か？　それを将来のプロジェクトに生かし、プロジェクトの実施速度を今よりもさらに高めるにはどうしたらよいか?」といったことが、イベントの場で語られます。

最後に、私たちが時間をかけて取り組まなければならなかったことがあります。それは「リスクをとること」「権限を与えること」、についての文化を育むことです。こうした文化的な側面の重要性については、最近では誰もがご存知のことだと思います。

第 7 章

スタートアップ企業との協業の定量評価

Measuring Startup Collaborations

“パートナーシップの会計ロジックは、
「1＋1＝3」であるべきだ。”

本章の作成に当たっては、私たちの友人であり同僚でもある
ピーター・ルピアネより多大な協力を得ています。

自社を取り巻く市場環境と自社の既存事業との間に乖離が生じはじめたことに気づいたとき、あなたはどんな行動をとりますか？ 特に手を打たずに静観し、一旦は他社製品に目移りしても、最後には顧客が自社商品の価値を再認識して戻ってくると信じて待ちますか？ あるいは即座に全社的な事業の解体・再構築を行い、既存製品や既存サービスの継続性を犠牲にしてでも新たな差別化の実現をはかりますか？ それともひょっとしたら、失った顧客を取り戻すために新たな提携先を求めて世界中を探索しますか？

そして、たとえ現時点で自社を取り巻く市場環境に異変がないとしても、時代の先端を行くために、もしくは新規顧客との接点を持つために、上述した事業再構築や他社提携のシナリオを日頃から思い描いていますか？ どんな会社にも、このような課題に直面するときが来るはずです。そしてそのときの対応次第で、製品開発を含む自社事業の将来の方向性が決まってしまうかもしれないのです。

未来のシナリオは思い描けているか?

興味深いことに、市場変化に対する事業再構築や他社提携のシナリオは、製品開発だけでなく、顧客とのやりとりや製品の生産フローにも関係することがあります。一例をあげてみましょう。2017年に、ヘルマンズ（ユニリーバが保有するマヨネーズのブランド名）は、市場としての重要性が高まりつつある新たな顧客層、すなわちデジタルを使いこなすミレニアル世代向けの事業に取り組むことが必要だと気づきました。

新たなデジタル顧客向けにはデジタル対応が必須だと考え、ユニリーバはオンデマンド配達サービスのクイックアップと提携して新事業を開始しました。

協業で実現したのは、衝動買いをしがちな顧客層を対象にした、レシピを選ぶと必要な食材すべてが新鮮な状態で1時間以内に届くという新サービスです。ヘルマンズのグローバル・ブランド担当責任者であるジョアンナ・アレンは、この新サービスについて次のように述べています。「惣菜店から発祥したブランドであるヘルマンズにとって、消費者向けの直販サービスに回帰することは、意義深く貴重な機会と言えます」。一方、クイックアップのCEO兼共同創業者であるバッセル・エル・クッサは次の通り補足しました。「現代の消費者は時間が足りないと感じており、時間を最大限に活用したいと考えているため、迅速かつ便利で効率的な配送サービスを、販売者にオプション提供してほしいと期待するようになりました。当社の技術を活用することで、ヘルマンズは新たな顧客層の期待に応え、変化を続ける消費者のデジタル・ライフスタイルに適応したのです」。[95]

企業とスタートアップの協業形態

ユニリーバには、ユニリーバ・ファウンドリーという独自のスタートアップ提携プラットフォームがあり、クイックアップ以外の各社ともさまざまな提携を実現しています。また世の中には、外部の専門企業との提携が、製品開発の強化、顧客の選択肢の拡大、あるいはサービス向上に効果を発揮した何千何百もの成功例があり、今回ご紹介したユニリーバとクイックアップとの協業は、その1つにすぎません。

2017年に国際標準化機構（ISO）が事業提携協業管理システムの規格ISO44001を発表しましたが、その理由の1つとして、このような協業提携の増加があります。このISO規格は、2006年に発表された

PAS11000の事業提携協業モデルをもとにしており、政府機関から零細企業まで、また1対1の2社協業から複数企業間の協業まで、さまざまな事業形態や協業に適用できるよう設計されています。

本章では、企業とスタートアップの協業に焦点を当てていますが、その際の課題や解決策の多くは、他の協業形態にも同様に当てはまります。このことを念頭におくと、企業とスタートアップとの典型的な協業形態として次のようなものが考えられます。

・有償および無償のパイロット・プロジェクト
（試験的な小規模プロジェクト）

・新製品開発、市場調査、技術調査などの共同事業

・ベンチャー投資（新興企業の株式を購入すること）

・買収

本章の後半で、これらの協業形態について詳しく説明していきます。最適な協業形態を決定する際に考慮すべき重要な要素の1つは、プロジェクトへの潜在的な投入資源です。具体的に考慮すべき経営資源としては、費用、時間、製品に加えて、ブランドや販売チャネルなどの無形資産も含まれます。[96]

また、アクセラレーション・プログラムや共有ワークスペース、技術情報の開示など、協業の実施手段や協業モデルを両者で検討する必要があります。これらの事項についても、協業における主要な定量評価基準や会計指標を検討する際に、図7-1の協業の形態ごとに検討することになります。

// 図7-1 // 企業とスタートアップとの典型的な協業形態

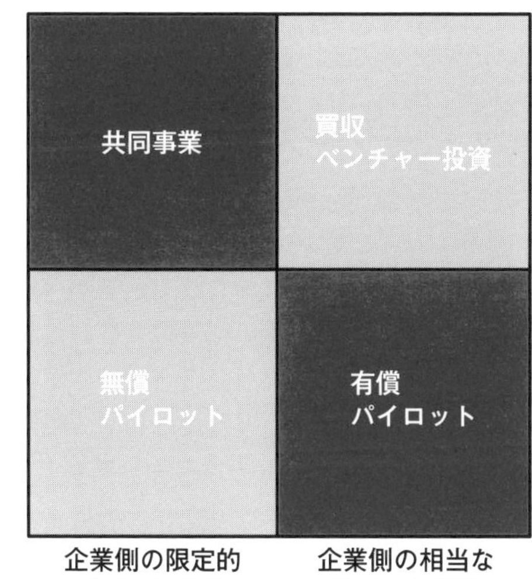

なぜ協業をするのか?

誤解しないでいただきたいのは、スタートアップとの協業は一方的なものではないことです。双方に有益でなければ、効果的に機能しません。したがって、企業とスタートアップの両方の最高経営責任者が、イノベーションの実現という共通の戦略目標を持ち、同時にそれぞれの企業を成長させ、競争力を高め、収入を生み出すことが重要です。

差別化をはかるためには、いかなる可能性も否定すべきでありません。だからこそ、自社を将来脅かす可能性のある潜在的な破壊的企業との提携でさえ、有益と考える企業が現れるのです。

直感的にはイメージしづらいかもしれませんが、既存企業と破壊的スタートアップの協業には双方にメリットがあります。既存企業にとっては内部から破壊的イノベーションを生み出すのが困難であるという難題を、協業を通じた破壊的イノベーションへの取り組みという形で克服できます。またスタートアップには業界知識の獲得と加速度的な発展の可能性をもたらすことができます。協業のメリットは非常に大きく、ISO 44001のもととなる規格を制定した英国規格協会（BSI）の調査[97]によると、協業に関する規格を順守することにより、79%の企業が競争力の向上を、62%の企業が顧客数の増加を実現できたと報告しています。

さて、協業の成功には努力と理解が必須であることを、ここではっきりと明言しておきたいと思います。世の中のすべての組織はそれぞれ異なり、協業の形態にかかわらず、共同作業を行うためには、両者が互いの文化、強み、仕事のやり方を理解し、受け入れることが必要です。そして、経営層が理解し合うだけはでは不十分です。多くの場合、スタートアップの最高経営責任者は、相手企業の最高経営責任者とでなく、ずっと下の階層の現場の従業員と話すことになりますが、これらの従業員は協業によるシナジーの将来性を深く理解していなければなりません。

それ以外によく問題になるのは、アジャイル型開発に慣れた組織とウォーターフォール型開発に慣れた組織の対立など、異なる文化の衝突です。また、最初に明確な規約が合意されていないと、仕事に対する倫理観やリスク許容度の違いから、協業が制御不能になる可能性もあります。本章で後述する、協業の課題とリスクのチェックリストも参考にしてください。

両者にとって協業の「**メリット**」はそれぞれ異なりますが、潜在的なメリットが十分大きく、双方の違いを乗り越えて2社が一緒になっ

て協業を実現する労力に見合ったものでなければなりません。

通常は「**スタートアップにとっては売上**」が最大のインセンティブです。特に初期段階のスタートアップにとっては重要です。潜在的なメリットを目にすれば、大企業は喜んで大きな金額を投資するかもしれません。このような資金投入により、スタートアップ側は資金調達のために奔走する必要がなくなり、自社のビジネスモデルに専念できるようになります。さらに企業側が長期的な提携に興味を持つ可能性があり、その場合にはスタートアップの安定性が増し、予定より早く黒字転換したり、さらには利益を生みはじめたりする可能性があります。この方法によって、数少ないベンチャー・キャピタルに依存することなく、スタートアップが持続的な成長を達成できる可能性があります。

スタートアップが既存事業を持つ企業と提携するもう1つのメリットは、リスクを負うことなく海外展開を進められる点です。多国籍の老舗企業と提携することで、その企業の現地法人と連携して他国に進出するチャンスを得ることができます。さらに、老舗企業のブランド力、マーケティング、流通チャネルなどを活用すれば、スタートアップの急速な発展につながります。さらに、共同でパイロット・プロジェクトを行うことで、スタートアップはビジネスモデルを迅速にテストし、検証できます。

スタートアップにとってのメリットはこれだけではありません。企業と提携することで、導入事例の紹介資料を作成したり、あるいはその分野に関する深い知識を獲得できたりといった、無形のメリットを享受できます。これらはいずれも将来の営業活動に役立つでしょう。特に大企業の意思決定者は、正式採用の決定前に同業他社の導入事例や評価を確認したがるため、これらの資料や情報が非常に有効です。

一方、「**企業にとってはイノベーション**」の実現が最も重要なメリットです。既存事業の破壊に備える対処策として、あるいは将来の競争優位性を確保する意味で、イノベーションの重要性を改めて強調する必要はないでしょう。また、既存の業界や隣接業界で技術や社会の発展に伴い引き起こされる市場の変化を、うまく利用することの重要性については言うまでもありません。しかし、企業内では**変革領域のイノベーション（28%）よりも中核領域の持続的イノベーション（48%）や隣接領域のイノベーション（26%）**[98]を重視する傾向にあることから（複数回答）、自社が変革を推進するためには外部とのコラボレーションが必須であると気づくかもしれません。スタートアップであれば、大企業のガバナンスの鎖でがんじがらめになっておらず、真に破壊的なソリューションを開発するための高い自由度があるからです。

一般的に協業プロジェクトの主要な原動力ではありませんが、提携から生まれる「**新たな売上**」も企業にとって無視できません。

さらにスタートアップは、既存の企業と比べて、あまりプロセスを重視せず、より「**顧客を重視**」する傾向があります。背負うものが少ない分、スタートアップは既存企業より簡単にソリューションを適応・カスタマイズできるため、スタートアップとの協業を通じて企業は顧客によりよいサービスを提供し、顧客の理解を迅速に深めることができます。顧客中心主義で革新的なスタートアップと協業することによって、最終的に自社の中核業界に破壊をもたらす可能性のある「**市場動向**」「**購買行動**」「**特定技術の利用状況**」の変化を、企業はより的確に把握できるのです。

上記のような有形のメリットに加えて、スタートアップがもたらす無形のメリットも企業にとっては魅力的です。例えばスタートアップと協力することで、これまでの階層的な組織に、より「**起業家的な文化**」を生み出せます。

協業の課題とリスク

このように双方にとって協業のメリットは明確ですが、前述した通り、乗り越えなければならない「**課題**」やリスクもあります。

「**スタートアップ**」にとって最大の課題は、「**販売サイクルの長さ**」です。スタートアップは小規模なので、1件ごとの大企業案件への取り組みが、もし案件を失注した場合にはキャッシュが尽きてしまうリスクを伴う大きな賭けだと言えます。スタートアップにとっては、販売サイクルが短ければ短いほど生存確率が高まりますが、企業側の長い販売サイクルはスタートアップとうまくかみ合いません。

そのうえ、対等でなく上から目線で扱われているようにスタートアップが感じることも、しばしばあります。協業相手とのシナジーについて合意したにもかかわらず、相手から真剣な事業と捉えてもらえず、その払拭のために不要な妥協をせざるを得ないかもしれません。

スタートアップが企業の要求に喜んで応じていると、もう1つ別の危険が生じます。スタートアップには、契約書のすべての条項を完全に調査・検討するだけの経営資源がないのかもしれませんが、締結前に契約書の内容確認を怠るのは危険です。企業側には標準的な条項でも、小規模なスタートアップにとっては致命的な要求という場合があるからです。ここで念頭においているのは、協業プロジェクト終了後の共同開発した知的財産の所有権、顧客へのサービス継続、さらには将来の開発権などです。特に最初のフェーズが無償のパイロット・プロジェクトの場合、プロジェクト開始時に契約の詳細内容の検討に時間を費やすのは面倒かもしれませんが、最初からきちんと合意して契約しておかないと、スタートアップの長期的な存続に支障をきたすような契約条項に縛られかねません。

「**企業側**」では協業における課題の中心は社内問題です。イノベーションには「**自前主義（NIH症候群）**」がつきもので、社外からイノベーションを持ち込むのであれば、なおさらです。場合によっては、スタートアップとの協業で開発した新技術を自社内に導入することが難しいこともあります。

企業にはもう1つ「**予算編成**」の課題があります。お金が問題だと言っているわけではありません。そうでなく、多くの企業が行っている1年ごとの予算編成サイクルが問題なのです。

例えば、ある企業で1つの事業部門にスタートアップと協力してパイロット・プロジェクトを実施させたいと考えたとしても、その事業

部門にはプロジェクト実施の予算がありません。企業の予算は通常前年に決定され年単位で運用されるため、事業部門ではなく、企業のオープン・イノベーション組織や新事業推進チームがパイロット・プロジェクトの実施費用を負担しない限り、協業を実現するのは非常に困難になります。

そのうえ、協業の目標や期待成果について、協業開始前に複数事業部門間で合意形成できていない場合もあります。それが原因で複数事業部門の「**要求仕様の食い違い**」や後々の遅延につながり、さらには企業におけるイノベーション受け入れ・拒否の文化にも影響を与えかねません。

これについて、重要な観察結果が1つあります。私たちの知る限りでは、イノベーションに失敗はつきものであるという考えを受け入れる企業が増えている一方、失敗を学習の機会と捉えずに、相変わらず非難の対象とする企業が根強く残っているのです。実際に、27%の経営幹部は失敗するイノベーション・プロジェクトへの投資は受け入れがたいと考えています。[99]これでは、失敗プロジェクトに関与するとその代償が非常に重いという企業文化を生み出しかねません。このように、スタートアップとは様子が異なり、失敗は最初から回避され、仮に失敗が起こっても表に出てきません。

したがって、スタートアップとの協業をきっかけにして自社内にイノベーションの社内文化を構築したいと願う優良企業の経営トップにとっては、協業アプローチを真剣に捉えるような組織構築と意識改革、および個別プロジェクトの成功に必要な支援を惜しまないことが重要な課題となります。このような意識改革を株主にも拡大し、短期的な財務利益と長期的メリットのトレードオフについて、株主理解を促進することも必要です。

協業の形態や規模はさまざまです。しかしながら成功事例では常に、お互いに提携相手の興味、期待、動機、文化、企業倫理に気を配っていることが成功の鍵となっています。また、役割、権利、責任を明確に決めておくことはもちろん、それ以外に、協業においては提携の両者に「**リスク**」がついてまわることを考慮する必要があります。

私たちの経験上、「**スタートアップ側**」の最大のリスクは、「**1社の顧客に飲み込まれてしまう**」ことです。単一の大企業向けのカスタム構築ソリューションに注力した結果、本来の普遍的で、拡張性のあるソリューション構築に集中できなくなり、長期的な成長見通しが制限されかねません。逆に、スタートアップとの強力な協業を追い求めず、小規模な会社を「**無料コンサルティング**」の提供元と考えている大企業もあります。このような大企業の手口でスタートアップの経営資源が大きく浪費されることが、実際に多いのです。

スタートアップ側の別のリスクとして、協業後の展開に関するリスクがあります。具体的には、コンセプト実証プロジェクト（POC）に成功したり、最初の案件を受注したりした後で、「**時期尚早な事業拡大**」をしてしまうことです。イノベーション部門や最初の顧客への販売に成功したからといって、事業拡張したり、そのままの形で他社向けに提供したりすべきでない、というのが起業家の皆さんへの私からのアドバイスです。
大企業の組織は複雑で、スタートアップとの協業に興味を持つ複数の関係者がいる可能性があり、大企業内の複数の部署が提携に関してバラバラの要望を出してくる可能性があります。そのせいでしばしば「**遅延**」が発生し、立ち上げ期間に制約のあるスタートアップの財務余力が食いつぶされてしまうことがあります。

スタートアップ側リスクの最後の1つとして、協業があまりに密接になり、企業側の意思決定への依存度が高まりすぎた場合、スタートアップが「**アジャイル精神を失う**」危険性が高くなります。

一方、大企業だからというだけで「**企業側**」が協業のリスクを回避できるわけではありません。達成目標がプロジェクト実施中にどんどん変わってしまい収拾がつかなくなるミッション・クリープのように、企業とスタートアップの双方に当てはまるリスクもあれば、企業側により大きな影響を与えるリスクもあります。協業で何らかのトラブルが発生した場合、「**ブランド棄損**」という意味では、スタートアップに比べて大企業の方がはるかに多くを失います。

協業にどれだけの金額を投資するかにもよりますが、「**投資による損失**」も企業が考慮しなければならないリスクです。スタートアップの多く（約80%）は失敗し、一見わかりやすいプロジェクトであっても、有用で収益性のある用途が見つからないことも多いため、企業の投資リスクは高くなります。

企業側の従業員がプロジェクトに本気で携わってくれない場合には、スタートアップにとって危険であると前述しました。これは、文化や行動を変えるために企業にもっと起業家精神を持ち込む必要がある、というところまでさかのぼる話です。企業の従業員は減点主義で評価されることに慣れており、失敗は自分のキャリアを危険にさらすと考えがちです。スタートアップとの提携において、大企業の従業員はスタートアップの異なる文化に脅威を感じ、提携の目標に向けて「**全力投球せず**」、現状を変えないように過剰に保守的になる可能性があります。これは両者にとってのリスクというだけでなく、プロジェクト全体の成功を危険にさらします。

特に、企業側で受け入れ準備が整っていないハイテク・ソリューションを開発する技術スタートアップと提携する場合、いわゆる「**成熟度のミスマッチ**」が起きる可能性があります。このような事態を避けるために、提携のキックオフをする前段階として、NASAが使っているテクノロジー・レディネス指標のような尺度【100】を使って、あらかじめ合意形成することをおすすめします。

インキュベーション、アクセラレーション、有償デモ、共同事業、無償提携など、協業にはさまざまな形態や規模があります。しかしながら協業の成功例を見ると、お互いが相手の利益、期待、動機、文化、労働倫理に十分に配慮していることが常に見受けられます。

// 図7-2 // スタートアップ企業と大企業の協業における課題

うちの顧客サポートシステムからの
転送リンクを構築できますか?
我々は何もしたくないので、
コールセンター側で責任を持って
もらう必要があります。

この機能を構築しようと
考えたことはありますか?
本当に欲しい機能なんですよ。

こんにちは。
私たちは2名体制の
小規模チームですが、
御社がお客様と新たな方法で
コミュニケーションできる、
素晴らしい製品を
持っています。

はい、我々にはやり方が
わからないのでぜひお願いします!
まずは、我が社の法務部が
作成した50ページの契約書案に
目を通してください。

お客様には相当気に入って
いただいています。
試しに使ってみませんか?

あと、うちの
お客様対応の社内
コンプライアンス
規程を満たすように
製品の仕様変更を
お願いできますか。

COLLABORATION CHECKLIST STARTUPS

ここまで見てきたように、提携は複雑なプロジェクトです。課題やリスクを伴うと同時に、提携には目前のプロジェクトを超えた広がりを持つメリットもあります。リスクを抑えつつ協業成功の土台を整備するために、まずは両者で次のチェックリストを一通り確認するとよいでしょう。

1. 提携の狙い

- スタートアップとしての自社の提携の狙いは何なのか?
- パートナーとなる大企業の狙いは何か?
- 2つの狙いを両方同時に達成可能か?
- 現状の提携の状態(例:有償デモ)を推進していくことで、両者の狙いを達成できるか?

2. 協業の成功に関わる定量評価指標

- スタートアップとして自社は協業の成功をどのように定量評価するのか?
- パートナーである大企業はどのように定量評価するのか?
- 2つの定量評価指標に矛盾はないか?

3. 予算

- スタートアップである自社に、協業の目標を実現するために十分な資金的余力があるか？
- 大企業側で確保されている予算（および時間、人員、その他の経営資源）は提携の目標を達成するために十分か？

4. 大企業側の担当者

- 話している相手の購買者としてのペルソナはどうか？
- コンタクトしているのはその人だけか？ 提携目標の達成という視点で見たときに、適切な人物か？（少なくとも2人と話を進めるように気をつける。もし大企業側のコンタクト先が1人だけで、その人が急に転職したり退職したりした場合、提携は危機的状況となる。運がよければ、協業はその後も継続するが、その場合でもプロジェクトの新しい担当者は誰なのかを突き止めるのに相当の時間を費やさなければならない。そしてその遅れはスタートアップの事業継続が可能な時間に影響を与える。協業がまだ初期段階で契約が未締結の場合にはリスクはさらに大きい）。
- 大企業側のコンタクト先のうち十分な影響力を持っている人は誰か？ その人は大企業側でプロジェクトの優先順位に変更があった場合でも、今回の協業プロジェクトを守ることが可能な人物なのか？

COLLABORATION CHECKLIST CORPORATES

誤解のないように確認しておきたいのは、協業チェックリストが必要なのはスタートアップだけではなく、企業側も同様だということです。しかしながら、企業側のチェックリストは、スタートアップのリストとは少し異なり、協業の特性や、協業の責任者の立場によっても、さらに変える必要があるかもしれません。したがって次のリストは単なる参考例だと考えてください。

1. 協業の狙い

- 達成すべき協業の目標は何か？
- 協業の目標は自社のイノベーション戦略の方向性に沿ったものか？
- スタートアップ側の協業の狙いは自社の狙いと競合しないか？

2. 協業の実施理由

- 自社の目標を達成するためにスタートアップと協業することは理にかなっているか？　それとも社内の経営資源でも同じ成果を達成可能なのか？

3. 協業（およびその結果として狙いを達成すること）の最適な形態

- 狙いを達成するために、協業はどんな形（例：有償デモ、JV、無償デモ、等）が適切か？
- その協業形態でスタートアップ側も彼らの目標を達成できるか？

4. 経営資源とその配分

- 協業成功のために必要な経営資源は何か？
- 必要な経営資源を社内で調達可能か？

5. 協業成功の定量評価方法

- 協業の成功をどのように定量評価するのか？
- スタートアップ側ではどのように成功を定量評価するのか？
- 両者の定量評価方法に矛盾はないか？

6. 自社内の利害関係者

- 社内で協業推進に責任を負うことになる利害関係者は誰か？
- 彼らは協業成功のために適切な人たちか？

チェックリストは、企業とスタートアップの両者が最適な協業を進めるためのものです。

しかし、スタートアップと協業するのに十分な成熟度に企業が達していなければ、いくら協業開始前にチェックリストを用意しても十分とは言えません。本章の最後に、スタートアップ協業という「競技」における現在の自社の成熟度を把握するための評価用ワークシートを用意しました。評価を実施すれば、改善すべき点も明確になります。

どれほど互いに必要であっても、2つの異なる会社の提携が容易に進むことは決してありません。協業の成功は、1つには互いに理解し合うこと（互いに相手側のリスクや協業をはじめる際に直面する差異を尊重する）、そしてもう1つは契約書に正式にサインする前に十分に準備をしておくこと、この2つにかかっています。

しかし、それだけではありません。確固たる定量評価システムを導入することで、企業は協業プロジェクトの定義、管理、進捗をより適切に実施できるのです。

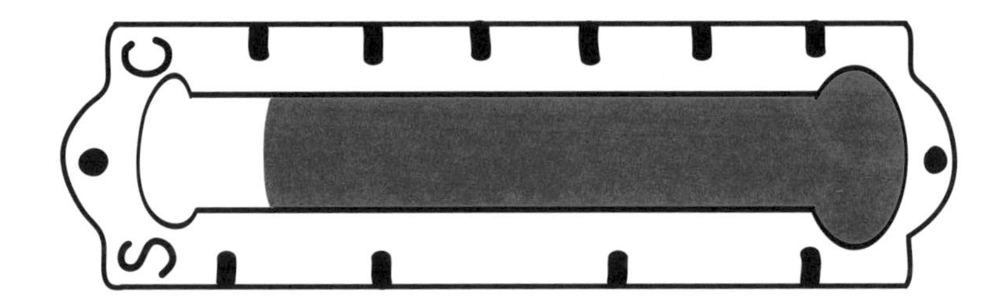

スタートアップ協業を定量評価する方法

スタートアップ協業プロジェクトを適切に管理、定量評価するために重要なのは、まずは協業施策の大枠レベルで何を定量評価する必要があるかを理解し、そのうえで各パラメーターをそれぞれ協業の種別ごとに適用することです。

まず、協業施策レベルに焦点を当ててみましょう。

経験上、スタートアップとの協業施策を分析する際には、ファネルで可視化することをおすすめします。ファネルの分割の仕方はさまざまですが、ここでは一般的な次の3つの段階で考えてみましょう。

- 需要段階
- 実施段階
- 成果段階

ファネルの「**需要段階**」では、企業はスタートアップがどの程度積極的に自社との協業を求めているのか、またその逆に自社はどうかを分析します。

ファネルの「**実施段階**」では、進行中の協業を定量評価します。これにより、企業とスタートアップの双方は、進捗状況や将来の成果予測についての現在情報を得られます。

ファネルの「**成果段階**」では、完了済みの協業が企業にもたらした効果を追跡します。

それでは、本章の冒頭で述べた協業の形態ごとに、需要段階、実施段階、成果段階について詳しく見ていくとともに、それぞれの段階で追跡可能な指標をいくつかご紹介します。

// 図7-3 //　スタートアップ協業ファネル

需要段階
実施段階
成果段階
有償および無償のパイロット
共同事業
ベンチャー投資
買収

パイロット・プロジェクトの各段階

需要段階

パイロット・プロジェクトの需要段階では、企業が次の活動実績指標を追跡することをおすすめします。

- 一定の期間中に提案を受けた有償または無償パイロット・プロジェクトの協業提案数
- 一定の期間中に候補先に提案した有償または無償パイロット・プロジェクトの協業提案数
- 1回のデモ実施までの平均費用（スタートアップ協業チームの旅費や関連イベントへのスポンサー費用を含む）

実施段階

パイロット・プロジェクトの実施段階では、企業が次の活動実績指標を追跡することをおすすめします。

- 全提案数のうちデモ実施に至った提案の比率（有償デモ／無償デモそれぞれ）
- 一定の期間にかかった費用（有償デモの場合）
- 一定の期間におけるデモ1件当たりの平均費用（有償デモの場合）
- 一定の期間に有償デモ／無償デモに投じた経営資源（例：時間投資）
- 一定の期間に有償デモ／無償デモに投じたデモ1件当たりの平均投入資源
- 事前合意したロードマップを基準とした進捗状況
- 事前合意した目標に対する進捗状況

成果段階

パイロット・プロジェクトの成果段階では、企業が次の結果指標を追跡することをおすすめします。

- 開始したプロジェクトのうちパイロット・プロジェクト完了に至った案件の比率
- 一定の期間におけるデモ1件を完了するまでの平均費用（需要段階、実施段階の費用を含む）
- 個別の協業ごとの成果指標（毎回のデモで異なる可能性が高く、デモ開始前に相互に合意することが必要）
  ※例：企業が開発したソリューションの新規顧客の利用開始時の準備時間を、スタートアップが保有する技術を導入することで低減するという目的で実施されるのであれば、追跡すべき結果指標は利用開始時の準備時間の削減量となります。他の例としては、コスト削減額、新規売上などがありえます。
- 成果を得るまでの平均期間

● 共同事業

共同事業の各段階

需要段階

共同事業の需要段階では、企業が次の活動実績指標を追跡することをおすすめします。

- 一定の期間中に提案を受けた共同事業の提案数
- 一定の期間中に候補先に提案した共同事業の提案数
- 一定の期間中の1回の共同事業提案獲得までの平均費用（スタートアップ協業チームの旅費や関連イベントへのスポンサー費用を含む）

上記の指標を共同事業の種別ごと（新製品開発、市場調査、技術調査など）に見ることで、より細かに追跡可能です。

実施段階

共同事業の実施段階では、企業が次の活動実績指標を追跡することをおすすめします。

- 一定の期間中に開始に至ったプロジェクト数
- 全提案数のうち一定の期間中に開始に至ったプロジェクトの比率
- もし当てはまる場合には（例：製品開発）、これまでの章で社内チームについて解説したものと同じような個別の指標に関する進捗
- 一定の期間にかかった費用
- 一定の期間におけるプロジェクト1件当たりの平均費用
- 一定の期間に投じた経営資源（例：時間投資）
- 一定の期間におけるプロジェクト1件当たりの平均投入資源
- 事前合意した共同事業のロードマップを基準とした進捗状況
- 事前合意した目標に対する進捗状況

成果段階

共同事業の成果段階では、企業が次の結果指標を追跡することをおすすめします。

- 一定の期間における共同事業1件を完了するまでの平均費用（需要段階、実施段階の費用を含む）
- 個別の協業ごとの成果指標（個々のプロジェクトで異なる可能性が高く、プロジェクト開始前に相互に合意することが必要）
  ※例：共同開発の場合には製品からの新規売上、技術調査の場合には新たな知見を1件得るための費用など。
- 成果を得るまでの平均期間

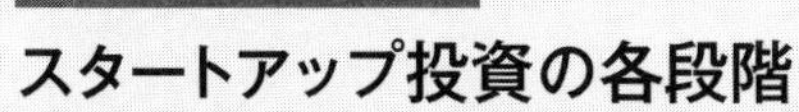

スタートアップ投資の各段階

需要段階

スタートアップ投資の需要段階では、企業が次の活動実績指標を追跡することをおすすめします。

- 一定の期間中に提案を受けたスタートアップ投資の提案数
- 一定の期間中に候補先に提案したスタートアップ投資の提案数
- 一定の期間中の1件のスタートアップ投資候補の獲得までの平均費用（スタートアップ協業チームの旅費や関連イベントへのスポンサー費用を含む）

実施段階

スタートアップ投資の実施段階では、企業が次の活動実績指標を追跡することをおすすめします。

- 一定の期間中に実施に至ったベンチャー投資案件数
- 一定の期間中の全提案数のうち実施に至ったベンチャー投資数の比率
- 一定の期間の投資金額の合計
- 一定の期間の1件当たりの平均投資金額
- 一定の期間にベンチャー投資で獲得した平均株式シェア
- 事前合意したベンチャー投資のロードマップを基準とした進捗状況
- 事前合意した目標に対する進捗状況

成果段階

スタートアップ投資の成果段階では、企業が次の結果指標を追跡することをおすすめします。

- 一定の期間におけるベンチャー投資1件を完了するまでの平均費用（需要段階、実施段階の費用を含む）
- 一定の期間に投資の結果として生み出された新たな売上
- 一定の期間における新規売上／コスト比率（ベンチャー投資のトータル費用には担当者の人件費など社内費用を含む）
- 一定の期間における資産価値上昇
- 一定の期間における資産価値上昇／コスト比率（ベンチャー投資のトータル費用には担当者の人件費など社内費用を含む）
- 個別の協業ごとの成果指標（個々のベンチャー投資で異なる可能性が高く、協業開始前に相互に合意することが必要）
  ※例：時価総額など。

● 買収

買収の各段階

需要段階

買収の需要段階では、企業が次の活動実績指標を追跡することをおすすめします。

- 一定の期間中に候補先に提案した買収の提案数
- 一定の期間中の1件の買収先候補の獲得までの平均調査費用（デューデリジェンス[※1]費用等を含む）

※1 訳注：デューデリジェンスとは対象企業の価値やリスクの事前調査のこと。

実施段階

買収の実施段階では、企業が次の活動実績指標を追跡することをおすすめします。

- 一定の期間中に開始に至った買収の数
- 一定の期間中の全提案のうち開始に至った買収案件の比率
- 一定の期間中の投資金額の合計
- 事前合意した買収のロードマップを基準とした進捗状況
- 事前合意した目標に対する進捗状況

成果段階

買収の成果段階では、企業が次の結果指標を追跡することをおすすめします。

- 一定の期間におけるベンチャー1社を買収するまでの平均費用（需要段階、実施段階の費用を含む）
- 一定の期間に買収の結果として生み出された新たな売上
- 一定の期間における新規売上／コスト比率（買収のトータル費用には担当者の人件費など社内費用を含む）
- 一定の期間における資産価値上昇
- 一定の期間における資産価値上昇／コスト比率（買収のトータル費用には担当者の人件費など社内費用を含む）
- 個別の協業ごとの成果指標（個々の買収案件で異なる可能性が高く、買収実施時に相互に合意することが必要）
  ※例：時価総額など。

一言アドバイス

一定期間で区切って集計することが重要です。私たちは、ほとんどの指標を「一定の期間当たり」としています。これは、ある活動の成績を四半期ごとに比較したり、今年の第1四半期と前年の第1四半期を比較したりする自己評価の考え方に基づいています。時間でグループ分けし、自己評価することで、自社の協業部隊が時間とともに能力向上しているか、苦戦しているかを理解できます。

私たちは、各社の状況に合わせて独自に指標を作成することをおすすめしています。なぜなら、すべての企業に当てはまる指標や、すべての企業のニーズにきめ細かに対応した指標を、あらかじめ用意できないからです。あなたの会社のニーズに合った指標を作るために、上記の内容が少しでも役立てばというのが、私たちの思いです。

協業ファネルを定量評価することで、協業の取り組みに必要な明確さと透明性がもたらされます。そしてそれが、会社全体に協業の取り組みに対する前向きな姿勢を広めることにつながります。

個々の投資を定量評価する方法

ほとんどの協業においてスタートアップ側がかなり成熟しており、すでに市場で実証済みの提案を持っているという事実を考慮すると、個々の案件の定量評価は社内投資のような進捗評価でなく、(財務的またはその他の)影響に焦点を当てることになります。影響を正確に定量評価する最良の方法の1つに、モンテカルロ法と呼ばれる財務モデリング手法があります。[101]

もしモンテカルロ法と聞いてギャンブルを連想したのなら、それはモナコのカジノ「モンテカルロ」にちなんだコードネームのせいです。モンテカルロ法は、1777年にビュフォン伯爵が考案した統計的サンプリング法から生まれたもので、正式に命名されたのは1940年代半ば、米国の極秘核兵器開発プロジェクトで使用されたときです。

この手法が財務予測に使われはじめたのはさらに何十年も経た後です。1979年に『ハーバード・ビジネス・レビュー』に掲載された記事[102]により、モンテカルロ法が企業財務の世界で普及することになりました。それ以来、モンテカルロ法は、株式市場のオプションからスタートアップ投資まで、さまざまな投資の将来的なリターンを分析するために広く利用されています。

モンテカルロ法で解決しようとしたのは、「不確実なものの将来の状態を正確に予測するにはどうすればよいか」という問題です。もし誰もが魔法の水晶玉を手に入れることができるなら、その答えは簡単です。しかし、残念ながらそんな水晶玉はこの世にありません。そのため、将来の不確実な事象を正確に予測するためには、その事象を一定の範囲として明確に表現し、その範囲内で将来の事象が発生する可能性を示すしかありません。

ここで話しているのは、来年のクリスマスがどの曜日になるかというレベルの話ではありません。そうでなくもっと予測が難しい事象、例えば次にメキシコ湾にハリケーンが発生したときに、公式に確認されてから5日後にニューオリンズを直撃する可能性などです。

この結果をモンテカルロ・シミュレーションで表現すると、メキシコ湾でハリケーンが確認されてから5日後に、40%の確率でニューオリンズの100km東から65km西の地域に上陸することがわかります。つまり、モンテカルロ・シミュレーションを使えば、不確実性が定量評価可能な結果に変わり、結果に対して手を打つことができるようになるのです。

もしモンテカルロ法を使わないとどうなるのでしょう？　最近あなたが事業計画の数字を作成したり、読み込んだりしたときのことを考えてみてください。コーポレート・ベンチャー・キャピタルに所属している人は、最近スタートアップのプレゼン資料に目を通したときのことを考えてみてください。これらに当てはまらない人も、きっと想像できると思います。その事業計画の数字やプレゼンピッチには、おそらく5年先までの売上や利益を予測したExcelシートの表が含まれていたはずです。また、売上や利益の数字は1つの数字に上下の振れ幅を持たせる形で表現していませんでしたか。

よくよく見ると、この予測値は結果を保証しているかのように見えます。5年目の利益が75,000ドルから225,000ドルの間になると確信を持って宣言しているからです。幅を解釈する際に、私たちは幅の上限と下限の中間にある数字を最も可能性の高い結果として考えたり、断定したりしがちです。

では、結果がその範囲に収まる確率はどのくらいで、中央の値になる可能性はどのくらいでしょうか。これらの質問を1つずつ考えてみましょう。

振れ幅は、結果の不確実性の最大値を示すパーセンテージの数字で計算します。この不確実性の数値は重要な入力値です。それというのも、この数値をもとに生成された範囲の最高値と最低値を最良シナリオと最悪シナリオとして使用するからです。あなたが最近作成した事業計画の数字や投資家向け売り込み資料について考えてみてください。数字の振れ幅を決めるためにどれだけの労力を費やして分析しましたか？　多くの場合には、そのパーセンテージはあらかじめ決まっていたか、あるいは適当に推測したものだと思います。これでは、最良シナリオと最悪シナリオを決定する際の振れ幅の信ぴょう性に疑問が生じます。

次に、振れ幅の中心となる数字を調べてみましょう。この数字は、最も可能性の高い数字なのでしょうか？　それは、その数字がどのようにして導き出されたかによります。もしあなたが普通の人と同じであれば、数式の各変数に最も可能性の高い数字を入力して、将来のある時点の状況を経験則的に計算しているはずです。推測の際に、全社あるいは自部門の財務諸表の将来予測値から得た数字を使っているかもしれません。このような経験則に基づく推測を集めて組み合わせたものが、数式の結果に反映されます。つまり結果として得られる数字は、多くの経験則的な推測に、さらに経験則的な推測を重ねた数字となります。このような経験に基づく推測の積み重ねの正確さを信じてよいのでしょうか？　残念ながら正確とは言えません。1つひとつの推測に、正確さに欠けるリスクがあります。推測した数字には正確性の高いものも低いものもあるでしょう。

ここに多くの事業計画の数字に共通する、範囲を振れ幅で示すやり方のもう1つの弱点があります。具体的には、ベストケースとワーストケースとの幅を絶対値として得られるだけで、それ以外の幅になる可能性を知る方法がないことです。もし実現確率70%の範囲を知りたいと思っても、計算できません。この質問に答えようとして、例えば振れ幅±75%を使ったとしても、互いに150%離れた2つの数字の間におけるベストケースとワーストケースの絶対値が得られるだけです。

いかがでしょう。長年使ってきた方法に欠陥があることを理解いただけましたか。では、どうすればよいのでしょうか？　もちろん、モンテカルロ法を使えばよいのです。

モンテカルロ法とは、先ほどのハリケーンの例のように、統計学と計算機の力を使って、結果の振れ幅と、実際の結果がその範囲内に収まる確率を算出する方法です。上述の最も確度の高そうな値を推測するやり方とは異なり、モンテカルロ法では、予測に使う数式の各独立変数について、取りうる最大値と最小値を規定し、その変数の値ごとの発生確率分布を入力します。そして、すべての変数について最大値から最小値の範囲内の数値を発生確率に従い、ランダムに発生させ、計算結果を算出します。そして、それらのランダムに発生させた各独立変数による計算を何千回も実施し、何千回もの計算結果から求めたい値の最大値や最小値、平均値や分散を求めます。

例えば、あなたが予測しようとしている数式に変数は2つしかなく「利益＝x＋y」だとします。そして、xの振れ幅が1から3、yの振れ幅が1から2だとします。説明を簡単にするために、私たちのモンテカルロ・シミュレーションでは整数のみを使うことにすると、可能な利益の結果は次のように計算されます。

利益=1+1=2
利益=1+2=3
利益=2+1=3
利益=2+2=4
利益=3+1=4
利益=3+2=5

したがって、利益に関する計算結果の範囲は2ドルから5ドルとなります。変数の最大値と最小値をもとに求めたので、この範囲内に利益の真の値が含まれる確率は100%です。つまり、100%の確率で利益が2ドルから5ドルの間に収まるということになり、振れ幅がわかるわけです。

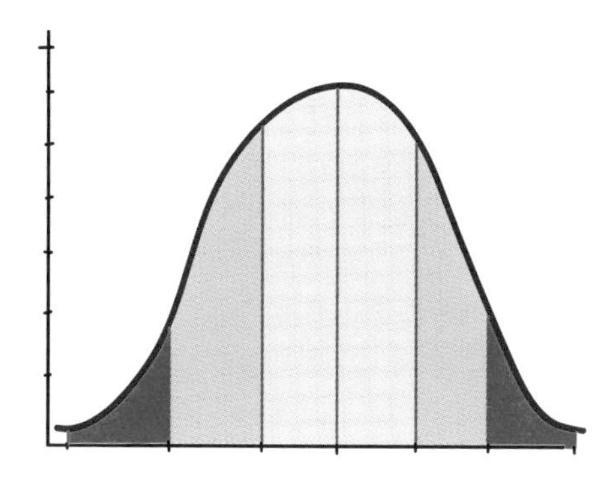

ほとんどのシナリオはこんなに単純ではありません。利益の計算式の場合、各変数の変動幅はもっと大きくなります。そして変動幅の範囲内における特定の値の発生確率は、正規分布と呼ばれる確率分布でモデル化できます。大学で誰もが苦労したベルカーブです。詳細な説明は統計の教科書にお任せしますが、中心極限定理という定理に基づき、すべての変数に正規分布を利用できます。[103]

各変数のデータ数が一定以上（厳密には、30点以上のサンプル数）あれば、中心極限定理の適用対象となり、正規分布やモンテカルロ法を利用できます。なお、計算式中の変数が明らかに正規分布でない場合は、適切な分布を使用する必要があります。例えば、ある変数の値が真か偽しかないなら二項分布を使うべきです。しかし少しでも迷ったら、正規分布を使用してください。

モンテカルロ法では、不確実な変数の変動範囲と正規分布を用いて、各変数の変動範囲内の値をランダムに発生させ、数式に基づき数千通りのシナリオを計算します。各変数の発生頻度は正規分布として仮定されているので、得られる値は上述のベルカーブのようになります。

前述したように、発生確率と紐づけた形で、この分布曲線を一定の幅で切り分けることができます。このようにして、生の数字を統計的な確率に変換することで、将来起こり得る結果の実現可能性を知ることができます。

さて、技術的な話はここまでにして、一般的な事業計画の収支予測ではできないことを、モンテカルロ法ではどのようにできるのかを探ってみましょう。

モンテカルロ法の最大の特徴は、結果の範囲とそれに関連する確率を一定の幅に切り刻むことができることです。スタートアップのビジネスモデルの5年目の利益を例にとると、次のような質問に答えることができます。

- 99%の確率で発生する利益の範囲は？
- 利益が20万ドルから60万ドルの間になる可能性はどれくらいか？
- 利益がゼロ以上になる可能性はどのくらいか？

利用する数式の各変数の範囲に話を戻すと、実は興味深い副次効果があります。例えば、ベストケースがワーストケースよりも50%だけ高い振れ幅の狭い変数と、ベストケースがワーストケースよりも500%高い振れ幅の変数があるとします。どちらの変数で、より多くの分析とデータが必要となるでしょうか？　もちろん、振れ幅が広い変数の方です。モンテカルロ法を使えば、より多くのデータや実験が必要となる致命的なリスクを伴う変数を明らかにできます。ビジネスモデルの中で最もリスクの高い想定がどこにあるのかを、別の視点から見ることができるのです。また、計算式に含まれるすべての変数のwhat-if分析[※2]を、簡単かつ確実に、しかも同時に実施できます。従来の財務モデルの感度分析では1度に2つの変数しか変更できないこととは対照的です。

※2 訳注：仮説シナリオが現実に起きた場合にどうなるのかをシミュレーションする分析方法のこと。

計算式の各変数に別々の振れ幅があることによるメリットがもう1つあり、それは推定した範囲を校正できることです。人間は、将来の不確実な事象を推定するのが得意ではありません。ところが、私たちはいつでも自分が実際よりも多くのことを知っていると思い込んでいるため、一般的に推定範囲を狭くしすぎる傾向にあります。

このような自信過剰の傾向は、事業計画の数値をなるべく正確に見積もろうとするときには、特に危険です。ある調査によると、実際にこのような自信過剰の傾向が見られる【104】だけでなく、校正によってより優れた推定が可能になるとの結果が得られたとのことです。【105】

具体的にはどのような校正なのでしょうか？ 自分で試してみましょう。エッフェル塔を想像してみてください。最小値から最大値まで、エッフェル塔の本当の高さ（メートル）を100％確実に含む高さを範囲で指定してください。さあ、やってみてください。

次に、この問題を幅の推定でなく、最大値の推定と最小値の推定という2つの作業に分けて考えるという方法で校正します。まずは最大値を推定します。エッフェル塔がこれより高いことはありえない高さの最大値を考えます。その高さを少し低くしても、エッフェル塔がそれよりも高くなることは不可能なままでしょうか？ もしそうなら、高さを下げて、高さの最大値をそれ以上下げられなくなるまで、この質問を繰り返します。次に同じプロセスを逆にして、高さの最小値についての質問を繰り返すと（つまり、エッフェル塔がそれより低いことはありえない、高さの最小値は?）、より正確なエッフェル塔の高さの振れ幅を得られます。自分で実際にやってみた皆さんが、その範囲が正確だったかどうかを確認できるように、実際のエッフェル塔の高さを図7-4に示します。

ビジネスモデルの収益計算にモンテカルロ法を適用するための範囲設定をする際にも、同様に実施できます。範囲を決める際にやってはいけないことは、各変数の値を推測し、誤差を吸収するために+/-のバッファを追加することです。この方法は安心感をもたらしてくれるのですが、最初に推測した時点で人為的に範囲が固定されてしまいます。最大値と最小値を別の質問に分けて考えることで、私たちが推測する際に入り込んでくる多くのバイアスを避けられます。こうすることで、モンテカルロ法で計算する際に利用する各変数の変動範囲をより正確に推定できます。そして上述した通り、モンテカルロ法では、数式中の不確実な変数1つひとつについて変動範囲内の値を抜き出し、何千もの順列や組み合わせを何度も計算することで、計算結果として得られる範囲の誤差を平滑化します。これにより、ピンポイントで正確な値を推定するという、人間が得意としない作業から解放されます。

// 図7-4 // エッフェル塔の高さ

さて、話をもとに戻して、個々の投資の影響を定量評価するために、モンテカルロ法のような手法が必要だということについて考えてみましょう。通常の事業計画の収支予測を作成する場合と同じように、理解しようとしている影響を数式の形で表す必要があります。その数式

は通常、新事業のビジネスモデルとその営業ファネルから直接導き出せます。例えば、銀行の新しいクレジットカードを例に考えてみましょう。ある国の国内市場向けにカードを発売するかどうかを決めたいとします。1カ月で5,000枚のクレジットカードが発行される可能性がある場合のみ発売すると仮定しましょう。このクレジットカードの営業ファネルについてわかっている情報は次の通りです。

- 人々はクレジットカードの広告を見て、そのカードの概要情報をウェブページで見るかどうか決めます。
- そのうちの何人かは、そのカードの詳細情報を資料請求します。
- そのうちの何人かは、カードの申し込みをします。
- そのうちの何人かは、カードを非常に気に入って、同じ銀行の別のクレジットカードまで申し込んだり、他の人にそのクレジットカードのウェブサイトを紹介したりするかもしれません。

上記の例で説明に使ったのは、ベンチャー・キャピタリストのデイブ・マクルーアが考案した海賊指標[106]と呼ばれる標準的な営業ファネルで、第4章でも詳しく説明しました。

これで、営業ファネルから各要素を抜き出し、それを使って想定売上を数式として表現できます。数式中の不確実な変数にそれぞれ範囲を設定してモンテカルロ法を適用すると、図7-5のような結果が得られます。

// 図7-5 // 変数の範囲と発生頻度の分布

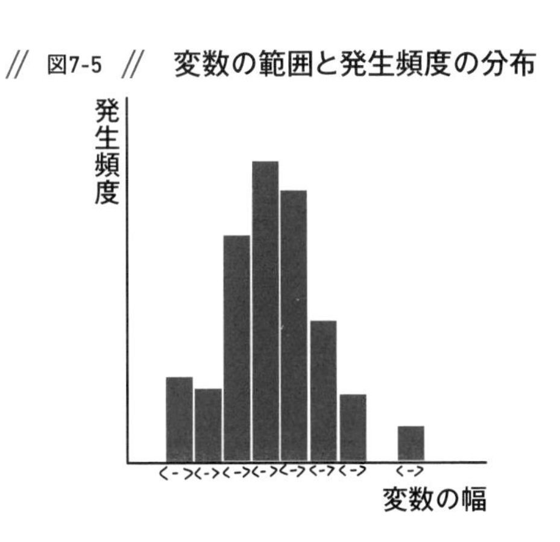

どれほど細かく分割するかにかかわらず、モンテカルロ法を適用することで数式を正確に反映した図が得られます。

このように、この推定方法には、従来の方法と比べて明らかなメリットがあります。それに加えて、この方法は事業の開発ロードマップと密接に連動しています。モンテカルロ法を使って推定を実施すれば、新事業チームは、起こり得るさまざまな結果を念頭において、ビジネスモデルのさまざまな要素への投資を優先づけできます。また、仮説検証の際にも、本来期待される結果に基づいて実験の失敗条件を決定できます。

第5章で私たちは、事業アイデアの価値／コスト比率を検討する際に、シンプルなPERT手法を推奨したことを思い出してください。PERTは、チームが予測の正確性にこだわるよりも、新事業を前進させることに集中する必要がある初期段階において、投資の価値を推定するのに最適な方法です。しか し、新事業チームの成熟度が一定水準を超えたら、それ以降はモンテカルロ法がより優れた予測ツールと言えます。

買収する前に検証する

本章では、スタートアップとの協業形態として主要な4種を検討し、ベンチャー投資部門の成功を定量評価する方法に触れ、さらに新事業の成功確率をより正確に推定する方法についても解説しました。
しかし、イノベーションを一足飛びにはじめたい企業にとって、他に比べて魅力的な選択肢があります。それは「買収」です。

買収は魅力的な選択肢であり、分野や業界を問わず着実に実行されています。例えば、プライス・ウォーターハウス・クーパースは、2016年はヘルスケア業界における「合併マニアの年」[107]になり得ると予測していました。そして実際に、米国だけで30件以上もの買収が実行されました。[108]

イノベーション主導で成長を生み出す主要な手段としてのM&Aの

問題は、たいてい買収の書類に署名した後、現実に直面する段階ではじまります。『ハーバード・ビジネス・レビュー』のレポートによると、買収の失敗率は90%に近いとされています。[109]これは、ベンチャー・キャピタルの出資を受けたスタートアップの失敗率75%よりも（あるいは、少なくとも同程度に）悪い数字です。[110]

なぜ買収の失敗確率がこんなに高いのかについてはさまざまな説が唱えられています。いくつかをあげると、文化の不一致、不明瞭な戦略、デューデリジェンスの不備などがあります。しかし結果はすべて同じであり、事前に想定した利益を買収後に上げられないのです。

以前、あるヘルスケア企業に、外部から買収した製品のビジネスモデルを再検討するチームの支援を依頼されたことがあります。

買収から4年経過しても営業成績はほぼ横ばいで伸び悩んでおり、期待した成長目標に程遠いものでした。現在の成長率では、減価償却費を除いても、収支が合うまでに500年以上かかってしまうほどでした（冗談ではなく、実際の数字です）。

私たちはビジネスモデル・キャンバスを使って、この事業のビジネスモデルとその前提となっている想定の分析をはじめました。

すると、このトリートメント製品のビジネスモデルの各項目には、事実情報よりも未検証の想定が多いことがすぐにわかりました。

では、このトリートメント製品事業で利益計画を達成するために、何をしなければならないのでしょうか？　私たちは、トリートメント事業の成功を妨げているすべての想定を検証するために、実験をはじめました。

実験を繰り返した結果、冷徹な事実が明らかになりました。このトリートメント製品事業の財務的な成功の根幹となる想定が誤りだったのです。同社や業界の制約条件を踏まえると、そもそもこのトリートメント製品を買収すべきでなかったことが、やがて明らかになりました。悪い兆しと言うレベルでなく、あまりに明白すぎる検討結果となってしまったのです。

残された唯一の選択肢は、製品の販売停止、追加投資の停止、事業運営コストの削減など、損失低減策の検討に移行することでした。

1度も目標を達成できていないにもかかわらず将来の成功に向けて長く努力を続けてきた、情熱的なチームの面々が幻滅していく姿を見るのは耐えがたく、本当に心が痛みました。そして、この出来事でつくづく私は考えさせられました。別の方法で、デューデリジェンスをもっとうまくできなかったのだろうか？　どうすれば馬鹿げた財務リターン予測を信じてしまうという罠から逃れられるのか？

もしかすると、より正確なコスト／メリット表の作成に重点をおいた新しいM&Aプロセスが必要なタイミングかもしれません。そのプロセスとは、次のようなものです。

1. まず財務デューデリジェンスを行う。
2. 買収しようとしている事業のビジネスモデルを記述する。
3. 既存のビジネスモデルに含まれる未検証の想定の数を把握する。
4. 財務的リターンと利益率の予測を作成し、未検証の想定が業績に与える影響を理解するとともに、隠れている他の想定を表面化させる。
5. 財務リターンと利益率の前提となっている想定をすべてリストアップする。これらの想定とビジネスモデルとを結びつけ、対象企業のビジネスモデルが示唆する意味合いを理解する。
6. 想定を検証するための実験をする。
7. 依然として買収が理にかなっているかを判断する。

私たちは、世界中の企業が利用している現在のM&Aプロセスが100%欠陥品で、廃棄すべきだと言っているわけではありませんが、改善の余地はあると考えています。上記に提案したプロセスは実験ノウハウへの依存度が高く、こちらの方がよい（あるいは速い）と提唱しているわけではありません。しかし、仮説検証による起業家的な手法をM&Aプロセスに取り入れ、想像で作成した架空の収益予測に真っ向から挑戦することで、結果として最終利益を向上できるかもしれません。

私が強調したいのは、M&Aを避けて他のスタートアップ協業の選択肢を選ぶべきだと主張したいのではない、ということです。しかし、どんなことでもそうですが、その選択肢に適した時間と場所があると思うのです。

2016年の『ハーバード・ビジネス・レビュー』への寄稿でエディ・ユーンとスティーブ・ヒューズは、規模の大小を問わずすべての企業が、ある程度は世の中のために、ある程度はお金のために活動しているのだと述べています。「スタートアップと既存企業の協業を成功させるためには、適切にマッチメイキングするという考え方が重要である」と、彼らはコメントしています。しかし、それと同時に、「相互にメリットをもたらし、プロジェクトを成功させるためには、金銭的な成功以外のものに焦点を当てるミッション志向の協業が有効である」ともコメントしています。

本章では、スタートアップと企業の協業におけるメリットとリスクを検証しました。正しい質問をし、正しい分析を行うことで、成功の可能性を大幅に高めることができることを示しました。

最後に一言アドバイスさせてください。スタートアップ協業と企業の中核事業とは、かけ離れているように見えるかもしれません。そういった視点で見れば、このような提携が全社目標に結びつくのかと懸念するのは当然のことです。しかしながら「イノベーション投資方針」というツールを使えば、全社目標とスタートアップ協業の整合性を保つことができます。自社のイノベーション投資方針との整合性を必ず確認したうえで、個々のスタートアップ協業をはじめるべきです。

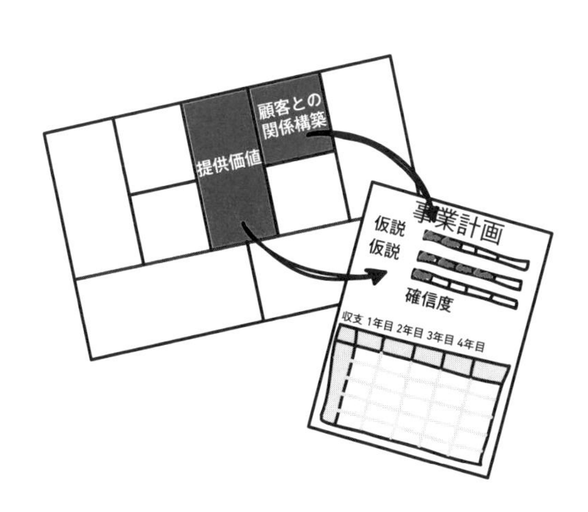

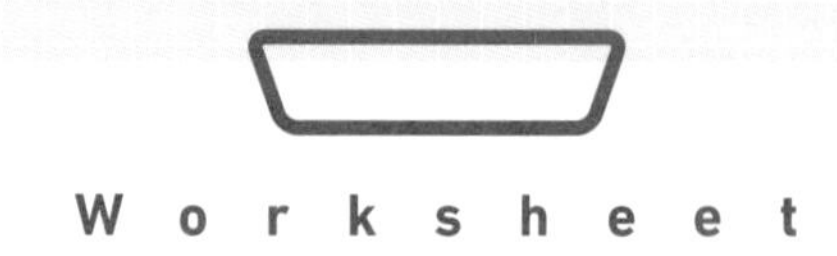

Worksheet

スタートアップ協業に関する成熟度

スタートアップとの協業検討の開始を決める前に、スタートアップ協業に関する自社の成熟度を確認することをおすすめします。そうすることで、協業成功の可能性を事前に推定するのに役立つと同時に、何を改善すべきかについても把握できます。

スタートアップ協業の成熟度テストは、ダンがオープン・イノベーションを目指す企業と仕事をしていた際に開発したもので、11問の選択式の質問で構成されています。各設問には4つの選択肢があります。4つのうち最も自社の現状に近いものを選んでください。各質問について、選択肢1は1点、選択肢2は2点、選択肢3は3点、選択肢4は4点です。すべての質問に回答したら、点数を合計して、自社の評価を確認してください。また、低い得点だった質問は、自社の協業成熟度を妨げている主要因ですので、注意を払うようにしてください。

次の質問に回答してください。

1. 我が社には明確なイノベーション戦略があり、我が社の協業したいスタートアップを見つける役に立っている。

1. 我が社にはイノベーション戦略がない。
2. 我が社にはイノベーション戦略があるが、協業先のスタートアップを探す際には利用しない。
3. 協業先のスタートアップを探す際に、イノベーション戦略で確認することもある。
4. 協業先のスタートアップを探す際には、イノベーション戦略で常に確認する。

2. スタートアップ協業は我が社の成長戦略の中核に位置する。

1. スタートアップ協業は我が社の社員やリーダーの大半から疑いの目で見られている。
2. スタートアップ協業は我が社にとって単に「あったらいいな」という程度のもので、主にマーケティング目的で実施している。
3. 我が社ではスタートアップ協業を特定テーマだけに向けたものと捉えており、特定の場合にだけスタートアップ協業という手段を使う。
4. スタートアップ協業は我が社の成長戦略に欠かせない手段であり、我が社の社員やリーダーは非常に真剣に捉えている。

3. 我が社にはスタートアップ協業の非常に明確で現実的な目標がある。

1. 我が社でスタートアップ協業を行うのは主に「かっこいい」からであり、業界の他の企業もみんなやっているからである。
2. 我が社には一応スタートアップ協業の目標があるが、明確でも現実的でもない。
3. 我が社にはスタートアップ協業の目標があるが、意思決定や評価には利用しない。
4. 我が社のスタートアップ協業の目標は明確で現実的であり、活動の評価に常に利用している。

4. 我が社には非常に明確で透明性の高いチェックリストがあり、すべてのスタートアップ協業の実行前に使用する。

1. 我が社にはチェックリストがない。直感で協業先を選ぶ。
2. 我が社にはスタートアップ協業を評価するチェックリストがあるが、出来が悪くて役に立たないので、めったに利用しない。
3. チェックリストを利用することもあるが、チェックリストは不完全なため、すべての案件で使用するわけではない。
4. 我が社にはチェックリストがあり、すべての案件評価に利用している。

5. スタートアップ協業プロセスの早い段階で法務部門が参画し、後になって問題が表出するのを防いでいる。

1. 我が社では、契約チェック以外に法務部門がスタートアップ協業に関与することはない。
2. 法務部門が参画することもあるが、一部の協業案件だけである。
3. すべての協業案件に法務部門が参画するが、法務部門の意見はあまり参考にしていない。
4. 案件の早い段階で常に法務部門が参画し、法務部門の意見に従っている。

6. スタートアップ協業案件の最終決定は、協業から最も多くのメリットを得る個々の事業部門にゆだねられている。

1. いいえ。すべての協業案件の最終決定は経営トップにゆだねられている。
2. そうとは言えない。すべての協業案件の最終決定は社内で特別に選任されたメンバーにゆだねられている。
3. ときには協業案件の最終決定に、協業から最も多くのメリットを得る個々の事業部門が関与することもある。
4. はい。スタートアップ協業案件の最終決定は、協業から最も多くのメリットを得る個々の事業部門にゆだねられている。

7. 我が社の技術インフラは、他社ソリューションとの協業と連携を容易に実施できるように作られている。

1. 我が社の技術インフラは、石器時代の産物だ。何の役にも立たない。
2. 我が社の技術インフラは古く、努力して他社ソリューションを連携させているが容易ではなく、IT部門に多大な労力がかかっている。
3. 我が社の技術インフラはよくできているが、それでも外部連携にはIT部門のかなりの協力が必要だ。
4. 我が社の技術インフラは1級品であり、外部ソリューションとの連携は容易である。そのうえ、十分に文書化されており、IT部門の関与は最小限で済んでいる。

8. 我が社には社内のイノベーション予算に加えて、スタートアップ協業専用の予算がある。

1. 我が社にはスタートアップ協業専用の予算はない。資金はマーケティング予算、IT開発予算、場合によっては社内イノベーション予算から通常は賄われる。
2. 我が社にはスタートアップ協業専用の予算があるが、目標達成のためには不十分で、他の予算から資金を賄うことも多い。
3. 我が社の社内イノベーションとスタートアップ協業の予算は同一であるが、マーケティングやITといった社内の他の予算とは完全に別である。
4. 我が社のスタートアップ協業予算は他の予算とは別になっており、常に毎年の実施計画に対して十分な予算が確保されている。

9. 我が社にはスタートアップ協業のリスクや不確定性の度合いを評価する分析プロセスが確立されている。

1. 我が社ではリスクや不確定性を気にしない。一旦協業がはじまれば、それらは解消される。
2. 我が社にはリスク評価プロセスがあるが、分析に基づくものでなく、協業に適したスタートアップを見つけ出す我が社の社員の能力に主に依存している。
3. 我が社にはリスクや不確定性を評価するための、事実情報に基づくプロセスがあるが、それによる遅延を避けるため、あまり利用しない。
4. 我が社にはリスクや不確定性を評価する非常に明確なプロセスがあり、例外なくすべての協業に利用している。

10. 我が社にはスタートアップ協業に責任を負う社員専用の研修がある。

1. 我が社では、専門性を持たなくても希望すれば誰でもスタートアップ協業に携われる。また、専用の研修はなく現場での業務を通じて実地でスキルを身につけることになっている。
2. スタートアップ協業に責任を負う社員に我が社が提供する研修は、この仕事をうまくこなすために十分とは言いがたい。研修後に現場で学ぶ部分が多い。
3. 我が社にはスタートアップ協業に責任を負う社員専用の研修があるが、参画時に1度提供するだけである。残りは経験を通じて開発される。
4. 我が社にはスタートアップ協業に責任を負う社員専用の研修があり、最新のスキルを身につけるよう毎年実施している。

11. 我が社には、我が社との協業に必要な事項をまとめた明確な文書があり、支払い条件、ブランド利用、顧客アクセス、データプライバシーなどが記載されている。

1. 文書化？　文書化に割く時間などない。
2. 我が社には文書はあるが、協業前にスタートアップに送付することはめったにない。まず協業契約を結ぶことを優先している。
3. 我が社にはある程度の文書があるが、最新情報が記載されていない。
4. 我が社の文書は最高水準であり、契約締結のはるかに前からスタートアップに公開している。

評点：

22点未満：協業初心者

23点から35点：協業中級者

35点超：協業の達人

自社の成熟度の評点によって、スタートアップ協業の成功しやすさが決まります。もし協業初心者であれば、落とし穴や弱点に気をつけてください。

協業を開始するためには、現時点では優先度を決めて焦点を絞る必要があります。自社がより高い成熟度であったとしても、このテストを繰り返し実施して、自社のスタートアップ協業能力の向上をはかるべきです。

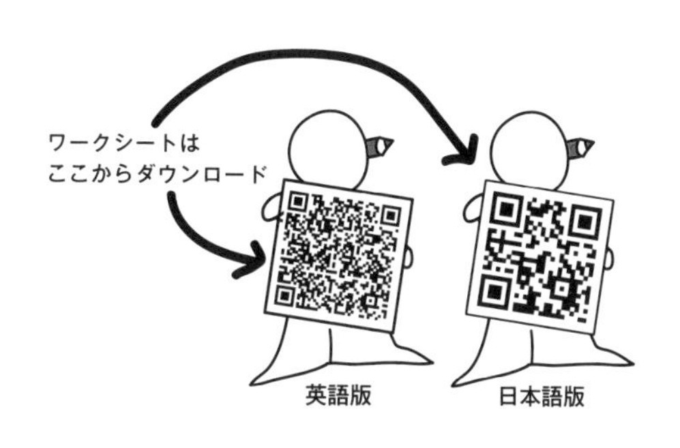

企業のスタートアップ協業には、4つの代表的なモデルがあります。

・有償および無償のパイロット・プロジェクト（試験的な小規模プロジェクト）
・新製品開発、市場調査、技術調査などの共同事業
・ベンチャー投資（新興企業の株式を購入すること）
・買収

これらの協業の違いを理解すれば、それぞれの協業モデルの成功を定量評価するためにどんな指標が必要かを理解するのに役立ちます。

スタートアップ協業の成果を理解し、向上させるために、企業は決算数字以外の協業メリットにも目を向ける必要があります。

スタートアップ協業を開始する前に、企業はその協業がイノベーション戦略と整合していることを確認する必要があります。

イノベーション対談

デビッド・ラッソン

INGベルギー／オランダING　センター・オブ・エキスパートリード・イノベーション

デビッド・ラッソンは、20年以上にわたってINGに勤務しています。この間、営業、財務、オペレーション、IT、そして近年ではイノベーションの分野でさまざまな役割を果たしてきました。最近の同氏の主な目標は、INGをイノベーション力のある銀行にすることです。この目標を達成するために、同氏は世界中のスタートアップ企業との提携に取り組んでいます。

筆者：INGはイノベーションに強い会社として世界中に知られています。少なくとも銀行部門では著名です。それなのに、なぜINGはスタートアップとの提携に興味を持っているのですか？　銀行の「内部の力」では、より「過激な形態」のイノベーションを実施できないと認めたということですか？

デビッド・ラッソン（以下、DR）：そんなことはなく、社内にも非常にスマートでクリエイティブな人材がいます。しかし、私たちはスタートアップ企業と協力することで、社内の能力を補完できると考えています。そして結論から言えば、どんな企業でも内製するものと外部提携するものを、しっかり区分すべきだと思います。すべてを完璧に自前で構築できると考えるのは現実的ではありませんし、誰にもできません。

当社では、「破壊的な賭けの対象」と私たちが呼ぶ分野をいくつか特定しています。例えば、住宅や財務健全性などの分野です。これらの分野では、自ら破壊的ソリューションを構築するか、あるいは私たちの勝利に貢献してくれる他社との提携を模索しています。

フィンテックの流行当初は、既存企業とスタートアップの競争でした、あるいは少なくとも互いにそう思っていました。しかし、今日では競争でなく協業の話だと業界全体が理解したように思います。

筆者：通常念頭においている提携の形態を教えてください。

DR： Yoltのように自社開発のフィンテック・ソリューション構築を模索する社内のイノベーション活動に加えて、INGベンチャーズを通じたスタートアップ投資も行っています。しかし私たちにはM&A部門もあり、スタートアップの買収もしています。そして最後に、社内の問題であれ、顧客が抱える問題であれ、私たちが特定した問題の解決に役立つスタートアップと提携しています。

筆者：これらの活動の成功をどのように定量評価していますか？

DR： 私たちがスタートアップ企業と仕事をするようになって6年以上になりますが、私たちにとっても学びの多い時間でした。どうすればより効果的に協業できるか、どうすれば成功をうまくはかれるかを6年の間に学んできました。

ご想像の通り、私たちは提携の形態ごとに成功の尺度を変えています。そして、それぞれの形態の中でも、できるだけ個別案件ごとに扱うようにしています。これによって、成功と失敗をよりよく理解するために必要なきめ細かさを得られるのです。

しかし、最終的に私たちがやりたいことは、世の中に影響を及ぼすことです。影響にはさまざまなものがあります。顧客向けソリューションについて言えば、ソリューションを利用している顧客数、有償の顧客数、解約数、クロスセルなどの顧客向け指標を見ます。

例えば提携に関しては、1回の提携推進プログラムで提携検討を開始した案件の総数から、POC（実証実験）が成功して商用利用に進んだ案件数を見ます。つまり、どれだけのフィンテック・スタートアップがINGのさまざまな部門に導入されたかを見るのです。私たちはこれを「ローカル・フォー・グローバル」の考え方で行っています。つまり、後で他の事業部門や地域に向けて展開することを念頭におきつつ、1つの事業部門で効果を生み出すことを目標としているのです。そして、これらのPOCのうちどれだけが地域全体に拡大されたかを分析するのです。

ここで重要な点は、私たちは決して100%の導入率を目指しているわけではないということです。もし選んだスタートアップすべてがINGに採用されるよう望むなら、その結果として十分なリスクをとらないことになりかねません。つまり、破壊的なイノベーションではなく、漸進的なイノベーションに投資することになります。だからこそ、私たちは100%を目指さないのです。それどころか、もし100%を達成したら、それは私たちにとって赤信号です。それは選考過程での野心が足りなかったということだからです。一般的に私たちは、導入率50%程度を目標にしています。しかし、これはベンチマークや「必達目標」ではなく、野心やビジョンのようなものです。そうでなく、もし私たちが導入率の目標数値を厳格に守ったら、社内のイノベーションでもスタートアップ協業においても、間違った行動につながりかねないからです。

私たちが常に見ているもう1つの指標は「時間」です。社外ベンダーのソリューションを導入するのに、どのくらいの時間がかかっているか、を見るのです。時間はスタートアップの動きの速さや、スタートアップのテクノロジーが当社のインフラとどれだけうまく連携できているかに影響されるだけでなく、当社のサポートプロセス、例えば調達、リスク管理、法務、コンプライアンス、財務、そして一般的には当社の文化にも大きく影響されるため、非常に興味深い指標です。

一般的に、銀行はスピード感に欠けると言われています。

業界としては、提携や買収のサイクルが長いことで知られており、場合によっては24カ月に及ぶこともあります。しかし、銀行業は規制業種であり、コンプライアンスに違反した場合の罰金は通常8桁の数字になります。私は、銀行が長いサイクルに満足しているとか、サイクルを短縮するために力を尽くしていないと言っているのではなく、スタートアップが銀行と仕事をしたいのであれば、妥当な期待値を持つべきだと言っているのです。例えばINGでは、スタートアップとの提携を決定してから、ソリューションが顧客に提供され、すべての契約書や合意書が締結されるまで、12カ月のサイクルを目指しています。

社内向けのアイデアといっても、サイバーセキュリティやデータ管理などの問題を解決しようとする場合は、それほど簡単には指標が出てこないこともあります。しかし、少なくとも提携開始までの時間に注目するだけでなく、成功とは何か、成功を妨げる不確定性は何かを定めたうえで、実験結果のデータを見て、私たちの考える成功につながる実験結果を得られたかどうかを確認します。

筆者：スタートアップと一緒に仕事をしたいと考えている企業にアドバイスがあればお願いします。また、スタートアップへのアドバイスもお願いします。

DR：既存企業に言いたいのは、スタートアップの視点に立つよう心がけ、独裁的にならないようにすることです。彼らがあなたを必要としているように、あなたも彼らを必要としているのです。自社ができること、できないこと、提携に期待することを明確にして、誠実な心構えで提携にのぞみましょう。自社自身にもスタートアップにも常に公平であること。この考え方は大いに役立ちます。

そしてデータを活用して、常に次の年にはもっとよくなるように、改善し続けることを忘れないでください。

スタートアップへのアドバイスは、銀行が自社のために事業開発をしてくれるとか、銀行があちこちに紹介してくれる、といった余計な期待をするのでなく、協業プロジェクトの目標に集中すべきということです。同時に、ある程度市場で支持されている実証済みのソリューションがあるなら、無償奉仕で仕事を受けるべきではありません。

第 8 章

イノベーション人材の能力の定量評価

Measuring Innovation HR Capabilities

“人を資産として扱う。”

イノベーターの資質とは、生まれつきか、それとも後天的に培われたものか？　あなたは生まれながらにして現状に挑戦し、新しい方法を探すような人間なのでしょうか？　それともあなたの好奇心や探求心は、育った環境や受けた教育を反映して備わった特質なのでしょうか？

人生の多くのことと同様に、この質問の答えは「人それぞれ」です。イノベーターの特性として知られる創造性は、ある程度遺伝するという証拠があります。例えば、2種類の神経伝達物質のシステムが創造性に寄与しており、そのシステムの経路は個人個人で異なることが、小規模ですが数件の研究結果として報告されています。[111]その一方で、創造性が遺伝する確率は約20%にすぎない[111]ことが、双子に関する研究の結果判明しています。他のスキルと同様にイノベーションも学んで習得したり、スキル向上させたりできるのです。

例えば、もし一流のバスケットボール選手になりたいなら、身長が高い方が有利です。しかし適切なスキルがなければ、せいぜい地元で活躍するそれなりの選手にしかなれません。NBAで活躍することは到底できないでしょう。

イノベーション・スキルはどのように計測するのか?

イノベーションの能力も、スピード、持久力、身長、寿命などと同様に、人それぞれ異なります。考えてみれば当たり前の話ですが、人間はそれぞれ異なるのですから、イノベーション能力も異なって当然です。重要なのは、そのイノベーション能力を最大限に生かすためには、その能力を磨く必要があるということです。

もしイノベーターが、ある程度は生まれつき、ある程度は学習で培われるとしたら、イノベーターをバランスよく確保できているかどうかの判断はどうすればよいのでしょうか？　また、全社の長期目標に沿った、適切なイノベーション・スキルを開発できているかどうかを、どう判断すればよいのでしょうか？

イノベーション人材の能力の定量評価は、イノベーション・プロセスの定量評価よりも複雑です。その主な理由は、結果指標や能力開発

// 図8-1 // イノベーション人材の能力開発サイクル

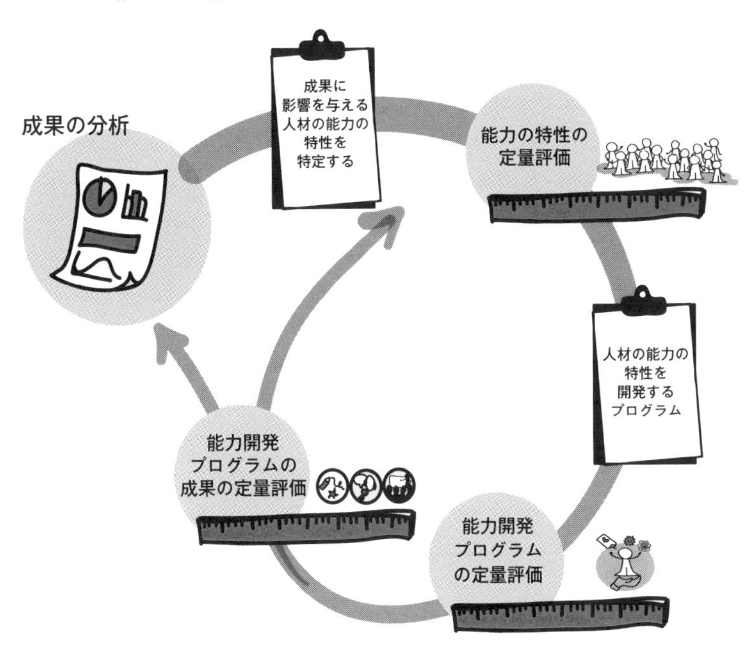

プロセスの定量評価に加えて、各人の特性や特徴を定量評価する必要があるからです。

自社のイノベーション能力を理解することで、能力開発の必要性がわかりますが、それと同時にイノベーション・エコシステムがもたらす成果の見込みについてのヒントを得られる可能性があります。

ある大規模な研究調査では、「統計的な観点から、イノベーション能力で会社の業績を予測できる」という結果が出ています。[112]その調査では、「イノベーション能力とビジネス成果には強い相関関係がある。イノベーターは一般の人々よりもイノベーション・スコアが大幅に高い。さらにイノベーターの母集団の中で、スコア上位層はスコア下位層よりも多くビジネス上の成果に関与している」と結論づけています。

さらにマッキンゼーの調査では、183社を対象にイノベーション能力と利益数字を比較しました。[113]同社の分析によると、イノベーション成果と財務業績の間には強い正の相関関係があります。つまり、従業員のイノベーション能力を予測できることに、実際に大きな価値があるのです。

例えば、事業アイデアの検証実験の実施に問題を抱えている企業があるとしましょう。実験をうまく実施できないということは、チームが持続の段階に到達するまでに時間がかかるというだけでなく、多くの事業アイデアが持続の段階に到達できないことを意味します。その結果、イノベーションのコストは上昇し、利益は減少します。実験実施に苦しんでいる人を早期に発見すれば、人材開発部門はその人やチームに適切なトレーニングを実施して手を打てます。

それに加えて、個々の社員のイノベーション能力を把握できるようになれば、その人を適切なプロジェクトに割り当てたり、補完的なメンバーとペアを組ませたりできるのです。

現実的には、まず自社のイノベーション・エコシステムを精査して、その結果を理解することからはじめるべきでしょう。「我が社が抱えている問題は何か?」と自問自答すれば、自社にどんな能力の開発が必要かをよく理解できます。

例えば、自社のポートフォリオ分布を見て、ポートフォリオとファネルの両方に中核領域の事業アイデアが多いとします。もし自社が解決しようとしている問題が、「会社の将来性を高めるべきであり、そのためにはもっと先鋭的で過激な新しいビジネスモデルが必要である」というものであれば、「中核領域を超越した」アイデアを奨励し、そのための教育を社員に提供する必要があります。

また、平均事業化時間（ATS）が想定外に長かったり、あるいは競合他社に比べて圧倒的に長かったりする場合には、チームがより速く動けるように教育したり、投資委員会メンバーがより速く意思決定できるように教育したりする方法を検討すべきです。

もちろん、1つの指標に影響を与える要因は複数ありますが、「我が社が抱えている問題は何か?」と自問し、その指標に影響を与えている人的な能力特性を理解しようとすることで、継続的な改善の道を歩むことができます。

これまでの経験から、画期的なイノベーション創出という業務には、次のような特性が特に重要であると考えています。

- 学ぶ力
- 好奇心
- 謙虚さ（批判的なものを含めフィードバックを受け入れる力）
- 全体像を把握する能力（大局観）
- 効果的に協業を進める能力
- 他人を鼓舞する能力
- オープンマインドであること

これらの特性と効果的なビジネス実験を設計・実行する能力などの具体的なスキルが相まって、個々の新事業の成功確率が高まるのです。

能力の特性の定量評価と理解

では、どのように能力を定量評価すればよいのでしょうか。世の中には多くのイノベーション能力評価法がありますが、そのうちの1つを本章の最後にご紹介します。他の分野の診断テストと同様に、自社の目標に最も適したものを選択することが重要です。参考にしていただきたい選択肢には次のようなものがあります。ジェフ・ダイアーのベストセラー書籍『イノベーションのDNA』（2012年、翔泳社）【114】、トレンドハンターが提供するイノベーション診断テスト【115】、フォーサイトが提供する診断テスト【116】、ファウンダー・インスティテュートがスタートアップの選考プロセスで使用している診断テスト【117】です。

上記の診断テストであれ、本章の最後に提案する診断テストであれ、その他の診断テストであれ、以下を指針とすることで成功確率が飛躍的に高まります。

- 適切な母集団に診断テストを実施する。目標によっては、診断テストの全社展開を検討する。そうでなく、最初は特定の事業部門や特定の役職層の従業員など、狭いグループで実施することも可能。この判断はあなた次第であり、目標を十分に考慮したうえで判断する。

- 診断テストは経験的なデータを補完するために使用する。イノベーターは従来の従業員の型にはまらない可能性もある。イノベーション能力の定量評価によって、これまで見過ごされてきた個人、ひょっとすると優れた大局観を持ち、リスクをとるのが好きな人にスポットライトを当てることができるかもしれない。

- 診断テストは誰にでも理解しやすいものを使用する。質問内容が明確でないと、得られた結果が現実を反映しない可能性が高い。

- イノベーション能力の診断結果をチームで共有する。社員同士が診断結果を共有することに抵抗がなければ、それはチームにとって大きな価値をもたらす。他人を理解し、共感できれば、お互いの異なる能力を活用して、より大きな成果を得ることができる。

- 診断テストのデータをチーム設計やプロジェクトの人員配置に活用する。強力なイノベーション・チームは、プロジェクトのミッションとビジョンに沿ったものでなければならない。

一般的に、適切に設計されたイノベーション能力診断は、自社のイ

ノベーション人材をよりよく理解するのに役立ちます。また、現状の人材を補完するために、どのような人材を採用すべきか明確になります。

さらに、より詳細な診断テストを行うことで、今後のトレーニングの必要性についても多くの知見を得ることができるでしょう。例えば、特定のグループの従業員に欠けているスキルや、特定の事業部門のトレーニングの必要性について知ることができるかもしれません。

このように、イノベーション戦略の目標に対して適切な人材がそろっているかどうかについて、従業員の診断を行った後で大局的な観点から自問自答する必要があります。

能力開発プログラムの定量評価

米国の国立労働者教育品質研究所（EQW）は、米国の3,100以上の職場を対象とした調査で、従業員の教育レベルが10%向上すると、平均して総生産性が8.6%向上することを見出しました。一方で、保有設備の資産価値が10%向上しても、生産性はわずか3.4%しか向上しませんでした。[118]

人材の能力を向上させる必要がある場合、間違いなく研修プログラムを探すことになります。能力開発活動の形式や規模はさまざまです。1日だけの簡単なワークショップから数カ月にわたる大規模なプログラムまで、また、ピア・ツー・ピア[※1]のセッションからコミュニティ・

オブ・プラクティス[※2]まで、その内容は多岐にわたります。

どのようなプログラムを導入するにしても、おそらく定量的な指標で評価し把握する方がよいでしょう。これらの指標は、研修プログラムの効果、そして最終的にはイノベーション・エコシステムの成果を示す先行指標となります。私たちが強くおすすめする指標は次の通りです。

単位時間(通常は1年)当たりの研修コース数:この指標をテーマごとに検討し、提供しているテーマと診断テストの結果を関連付けてみるとよいでしょう。例えば、診断テストの結果、従業員が斬新なアイデアを生み出すことに苦労していることがわかった場合、1年間に提供しているアイデア研修コースの数を調べてみるのもよいでしょう。

従業員が能力開発プログラムに費やした時間数:これは、労働時間全体に対する割合として計算することもできます。また、これをもう少し細かく、テーマという切り口で見てみるのもよいかもしれません。具体的には、テーマAとテーマBのスキルアップにどれだけの時間を費やしているか、という形で確認します。

対象者全体に占めるトレーニング申込者の割合:自主参加型のプログラムには、この指標が有用です。受講率が低い場合には、いくつかの理由が考えられます。トレーニングの告知が不十分だったのかもしれません。あるいは、対象者がその分野の知識をすでに持っており、当該スキルを高めることに興味がないのかもしれません。いずれにしても、各プログラムの数字を比較し、傾向の把握と改善方法の検討を実施してください。

単位時間当たり(1年など)に、対象とする母集団のうち何人をトレーニングしたかの割合、あるいは対象とする母集団に対して累計何人をトレーニングしたかの割合:強制参加型のトレーニングの場合は、こ

※1 訳注:受講者2人ずつのペアで話し合う形式で、問題解決方法を考えるセッションのこと。
※2 訳注:あるテーマに関する関心や問題、熱意などを共有し、その分野の知識や技能を継続的な相互交流を通じて深めていく勉強会的な活動のこと。

れらの指標が有用です。

出席率：自主参加型のプログラムの場合には出席率もよい指標となります。出席率は、社員がそのプログラムにどれだけ積極的かを示し、ファシリテーターの質を知る手がかりにもなります。いずれにしても出席率の低さは問題で、従業員の将来的なイノベーション能力に影響します。最終的には、イノベーション・エコシステム全体の成果に影響するかもしれません。

脱落率：能力開発プログラムの実施結果を評価し、最終成果への影響を予測するうえで、出席率と同様に脱落率にも着目すべきです。最近の調査によると、繰り返しオンライン・トレーニングを実施している場合、40%から93%の脱落率が想定されるようです。[119]それを踏まえると脱落率40%以下、すなわち修了率が60%以上（開始した100人の参加者のうち、60人以上がトレーニングを修了した）であれば、自分を褒めてよいでしょう。

課題完了率：参加者にさまざまな課題を課しているプログラムの場合は、課題完了率を見ます。

ネット・プロモーター・スコア（推奨度）：能力開発プログラム終了後に、参加者にこのプログラムを親しい友人や同僚に推奨したいか、推奨度をアンケートで回答してもらいます。このスコアから、プログラムの改善点を見出すことができます。

イベント実施頻度と参加者数：コミュニティの勉強会や、ピア・ツー・ピア・セッションのサークル活動を公式トレーニング後のコーチング機会として社内に定着させたい場合、これらのイベントの実施頻度と参加者数を定量評価します。

年間の人材能力開発コスト：能力開発プログラムには会社からの投資

が必要ですので、単位時間（通常は年間）当たりの人材能力開発コストを集計するとよいでしょう。さらに、この数字を売上高に対するパーセンテージで計算することもできます。イノベーション費用の総額に添える形で年間の人材能力開発コストを開示している企業も見受けられます。

個人の能力開発予算の平均使用率：年間10万円など、1人ひとりの従業員に個人裁量で研修の年間予算を与えている組織の場合、個人の能力開発予算の平均使用率を見ることができます。

// 図8-2 // 能力開発プログラムの受講者獲得フレームワーク

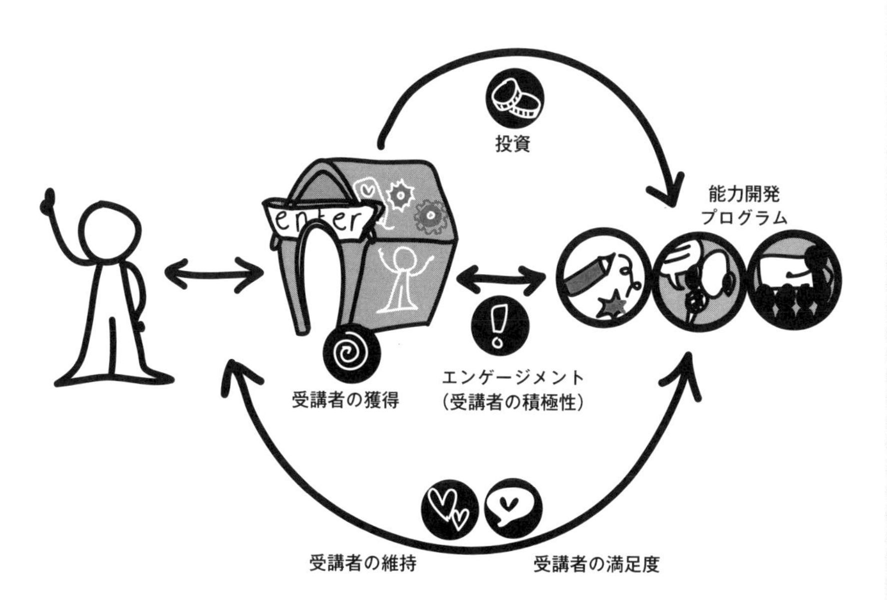

能力開発プログラムの評価指標

受講者の獲得

- 単位時間（通常は1年）当たりの研修コース数
- 従業員が能力開発プログラムに費やした時間数
- 対象者全体に占めるトレーニング申込者の割合（自主参加型プログラムの場合）
- 単位時間当たり（1年など）に、対象とする母集団のうち何人をトレーニングしたかの割合、あるいは対象とする母集団に対して累計何人をトレーニングしたかの割合(強制参加型プログラムの場合)

受講者の維持

- 出席率（自主参加型プログラムの場合は、対象とする母集団に対する累計参加者数の割合）
- 脱落率
- 課題完了率

受講者の満足度

- ネット・プロモーター・スコア（推奨度）

エンゲージメント（受講者の積極性）

- コミュニティが運営する能力開発プログラムの参加者数
- コミュニティが実施する能力開発プログラムの実施頻度

投資

- 年間の人材能力開発コスト
- 個人の能力開発予算の平均使用率

能力開発への投資から期待できる成果について、上記の指標から得られる数字が、ある程度のヒントとなるでしょう。

しかし、能力開発の成果測定の話をする前に、人材とスキルは本質的に多様であり、従業員の能力開発に対する画一的なアプローチは必ずしもよいアイデアではない、という点を強調したいと思います。優れたリーダーは、チームメンバーのキャリア開発プログラムを人材開発部門任せにしません。むしろ、メンバーとの日々の交流に基づいて、コーチング、サポート、指導の機会を個別に設定します。さらに卓越したリーダーであれば、週ごと、月ごとにメンバーがどう成長しているかを繊細に把握し、単に人事部門が提供する全社プログラムを待つのでなく、臨機応変に行動します。[120]そうすることで、過去30日間に仕事で何か新しいことを学んだ、という質問に強く同意したミレニアル世代の社員が39%しかいなかったという、2016年に行われた調査結果も改善されるでしょう。[121]

能力開発の成果を定量評価する

人材の能力開発活動は楽しいだけでは不十分で、すべての能力開発投資が人々の態度やスキルを変容させ、最終的には会社を進歩させなければ意味がありません。

伝統的な会計用語で言えば、労働力のパフォーマンスを表す結果指標は「労働生産性」です。労働生産性とは、ある労働者の集団が一定の時間内に生産する財やサービスの量のことです。[122]

驚くことではないのですが、単純に思える生産性という指標を、イノベーションの文脈で導入しようとしても一筋縄ではいきません。

例えば、懸命の努力をしたにもかかわらず、自分たちの事業アイデアを「止める」ことを余儀なくされたチームのことを考えてみましょう。しかし、そのアイデアを実験・検証する過程で、彼らは新たに別の事業アイデアをはじめるために利用できる興味深い知見を収集しました。さて、どうすればこのチームの生産性を測定できるのでしょう？彼らは新製品をまったく出荷しておらず、1ドルたりとも新たな売上を上げていません。それどころか、単に現金を失っただけです。

別の例として、非常に魅力的な市場で、ある問題を実証完了したチームを想像してみてください。しかし、自分たちの力ではどうにもならない理由で、この先を続けるための社内のサポートを得ることができず、アイデアを棚上げにせざるを得ませんでした。この場合には、労働生産性の指標として何を見ればよいのでしょうか？

これらの例からわかる通り、イノベーションについては、生産性の見方を変える必要があります。イノベーションの業務には多くの不確定性が伴うことから、実証済みの学習や意思決定の実施という観点で生産性を見ていく必要があります。

私たちの考えでは、画期的なイノベーションにおける労働生産性とは、ある労働者の集団が可能な限り最短の時間で生み出した実証済みの学びの量、およびその結果として実施された意思決定の量と定義できます。

さらに、利用する能力指標を組織階層に合わせて変える必要があります。なぜなら、例えばイノベーション・チームの活動効率と、イノベーション投資委員会の活動効率とは異なるからです。

1 イノベーション・チーム

イノベーション人材の結果指標

イノベーション・チームに対しては、イノベーション人材の能力の結果指標として、次のようなものが考えられます。

- **単位時間内に従業員が生み出した、イノベーション投資方針に沿ったアイデアの数**：この指標で、社員が会社の目指す方向性に沿った新たな成長アイデアを生み出す能力を見る。より細かな粒度が必要なら、ポートフォリオ分布（中核領域のアイデア、隣接領域のアイデア、変革領域のアイデア）で分けて、生み出したアイデア数を見てもよい。私たちの経験上、アイデア募集、イノベーション課題、イノベーション投資方針で明確に変革領域のアイデアを求めない限り、ボトムアップで生み出される新たなアイデアのほとんどは、中核領域か隣接領域のアイデアになる。
- **実験効率**：チームの実験回数のうち何回が学びにつながったかの比率
- **独力で設計した実験の数**：知識とその活用力
- **経営陣や投資委員会の意見に左右されずに実施もしくは提案された意思決定の数**

当然ながら、これらの能力指標は第4章で検討した指標とつながっています。具体的には、「学習速度」「新事業全体の確信度」「各段階で費やした費用と時間」です。抽象化の原則に従って、これらの指標は下流の他の指標に影響を与えます。

2 投資委員会

投資委員会の人材の結果指標

投資委員会の人材の能力に関しては、次のような結果指標が考えられます。

- **意思決定の速度**：この指標で、投資委員会が新事業に関して中止、方針転換、継続のいずれかの意思決定に到達するまでの時間を見る。必要であれば第5章を参照して詳細を確認してほしい。私たちは、投資委員会のすべての会議で必要な意思決定がなされることを望んでいるが、意思決定に至らない場合もある。その意味で、投資委員会が新規事業に関する意思決定を下すまでの時間を記録することは有用である。
- **意思決定に至った投資委員会の会議の数**：上記の指標に関連して、意思決定に至った投資委員会の会議数を見てもよい。投資委員会が統治機関として機能していることを把握したいなら、この指標は特に有用である。意思決定が行われていない、あるいは意思決定で終わる会議の割合が少ない場合、投資委員会は統治機関として十分に機能していないと言える。
- **意思決定の質**：単に決断を早く下すだけでは十分ではない。最終的には、これらの意思決定が会社の成長に影響を与える必要がある。したがって、投資委員会の意思決定の質をときどき振り返ることも有用である。振り返りにおいて最も簡単に分析可能な指標は、投資実行の意思決定が、実際に成功した新事業の開発にどれだけ結びついたかである。もし、投資が新事業成功に結びつく比率が低い場合には、投資委員会の研修を倍増するか、問題の根本原因を調査すべきである。「成功率」を追跡調査することで、投資委員会メンバーの知識や能力を高めつつ、時間をかけて改善できる。また、意思決定プロセスそのものを分析することも重要である。これらの調査分析が、投資委員会メンバーが適切な質問をすることを学ぶのに役立ち、その結果として直感でなく検証された学習データに基づいて意思決定を行えるようになる。

上記の通り、これらの能力結果指標は、第5章で検討したファネル指標を反映しています。具体的には、各段階で中止になったアイデア数、次の段階に進んだアイデア数、そして段階別の平均滞在期間といった指標です。そしてこれらの指標は、やはり抽象化の原則に従って、上の階層の指標に影響を与えます。

3 経営陣

経営陣の結果指標

経営陣に関しては、イノベーション人材の能力の結果指標として、次のようなものが考えられます。

- **経営陣が年間にイノベーション投資方針に取り組んだ回数**：この指標は、会社のリーダーが、自社の成長目標を達成するための手段として、実際にイノベーションを先導しているかどうかを示す。
- **イノベーションに費やした時間**：上記に続く指標として、経営者がイノベーションに費やす時間は、イノベーションが戦略的アジェンダの中でどれだけ高い位置を占めているか、リーダーがイノベーションの重要性をどれだけ理解しているかを示す。リタ・マクグラスやマーク・ジョンソンなどの多くの著名な知識人は、特定の企業がイノベーションに真剣に取り組んでいるかどうかを理解するために、経営者がイノベーションに費やす時間を指標にすることを提案している。『ハーバード・ビジネス・レビュー』のポッドキャスト・インタビューの中で、マークは、経営者はイノベーション、特にイノベーション戦略の策定とフォローアップに約10～20%の時間を費やすべきだと示唆している。[123]
- **予算配分の決定速度**：この指標は、経営陣がイノベーションのための予算配分に合意するまでの時間を示す。この指標は、イノベーションが経営陣の議題の中でどれだけ上位に位置づけられているか、企業の将来にとってどれだけ重要であると考えられているか、といったことと相関している。

能力の定量評価についての結論

イノベーション人材の能力の定量評価システムは、イノベーションと人材に対する自社の期待値と同期している必要があります。定量評価システムは各社固有のニーズに合わせて作られるため、企業ごとに異なる可能性が高いでしょう。自社独自の評価測定システムを作る際には、次の点に留意することをおすすめします。

第一に、人材の能力を定量評価する確固たるシステムを構築するためには、努力と成果を混同しないようにする必要があります。米国の人気ドラマ「となりのサインフェルド」シリーズで、ジョージ・コスタンザが、上司に長時間働いていると思わせるために、わざと会社に車を停めておいたことを覚えている方もいるかもしれません。これは、心理学者が入力バイアスと呼ぶ、努力の痕跡を結果の判断に影響させがちな傾向を利用しようとした試みです。ところが、この2つは実際にはほとんど関係がないかもしれません。

フランチェスカ・ジーノは、ハーバード・ビジネス・スクールでの研究と著書『失敗は「そこ」からはじまる』(2015年、ダイヤモンド社)の中で、従業員のパフォーマンスを正確に測定することがいかに難しいか、そしてそのために何をすべきかを調査しました。ある実験では、人々に短いプレゼンテーションを見せ、その出来栄えを評価してもらいました。その際に、一部のグループには準備に8時間かけたと説明し、別のグループには30分しかかけていないと説明しました。驚く結果ではありませんが、スピーチの準備に8時間かかったと思った人たちの方がプレゼンテーションに高い評価をしました。[124]

第二に、能力の定量評価システムで実際に重要なもの、つまり後になって効果を生むものを測定していることを確認しましょう。ある実験では、大学院生のグループにレポートの採点作業をしてもらい、採点したレポートの数かレポートの総ページ数のどちらかを数えるように指示しました。どちらのグループも同じ分量の作業をしたにもかかわらず、ページ数を数えたグループの方が自らの生産性を高く評価したという結果が出ています。[125]

最後に、常に1歩引いて全体像を俯瞰することを忘れないでください。フランチェスカ・ジーノは、以前ある小売企業向けにコンサルティングの仕事を行っていました。その企業では、毎月のボーナスに連動する具体的な売上目標を設定し、従業員のモチベーションを高めようとしていました。すぐに販売成績は向上しました。しかし、従業員が目標達成のために毎月最後の週に余分な商品を自分で買ってその翌週に返品していることに、その会社は数カ月経った後で気づいたのです。本来は小売店の店長が月ごと、週ごとのデータを見比べれば、何が起きているのかは一目瞭然でした。ですから、社員の生産性を判断する前に、目の前のデータがすべてを物語っているかどうかを自問してみてください。くれぐれも、駐車場に一番長く車を停めている従業員が、最高の結果を出しているとは考えないでください。

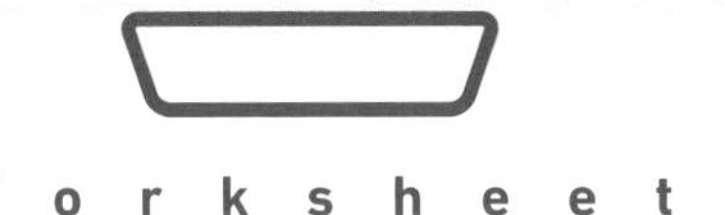

Worksheet

自社のイノベーション人材の能力の定量評価

次の診断テストでイノベーションへの適性を評価できます。忘れないでほしいのは、よいイノベーション・チームとは、さまざまなイノベーション能力の人が混在したチームであるという点です。成果を上げるために、このテストの尺度で高得点をとったメンバーをチームに集めなければならない、ということではありません。

また、現時点でどれほどイノベーション適性が高い人であっても、常に最新スキルを学び、さらにスキルを向上させ続けることが重要です。能力開発は、家の掃除をするようなものだと考えてください。家を最初に買ったときだけでなく、いつも掃除をする必要があるのです。

では、嘘偽りのない態度で次のワークシートの各設問に回答してください。

イノベーション人材の能力の評価結果：

10点〜20点：実証済みの既存アイデアの実行に適している。
21点〜32点：イノベーション適性もある程度あるが、実行作業の実施にも適している。
持続的イノベーションに最も適している。
33点〜40点：画期的なイノベーションに関する強力な能力がある。

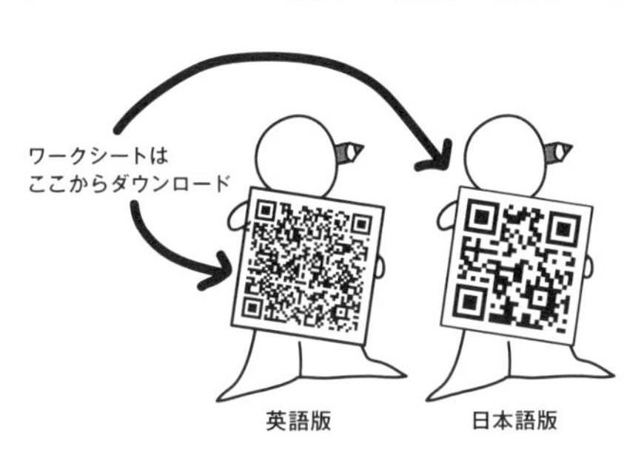

// 図8-3 // イノベーション適性診断テスト

	まったく当てはまらない（1点）	あまり当てはまらない（2点）	やや同意する（3点）	強く同意する（4点）
素早い行動を優先し、詳細を考えるのは後まわしにしがちだ				
失敗を学習の一部と考えている				
詳細な計画の作成は新たなアイデア開発の妨げになる可能性があると思う				
私の最大の強みは新たなアイデアを思いつくことや、新たな解決策を考えることだ				
私は通常、オープンで柔軟な思考様式で課題に取り組み、どのような結果でも受け入れる				
私はフィードバックを歓迎し、そこから改善につなげる				
私は自分のアイデアを効果的に売り込み、他の人を私のビジョンに巻き込むことに一生懸命取り組んでいる				
私にとって、実験はイノベーションにおける最もエキサイティングな工程だ				
「事前に許可を求めるより後で許しを求める方がよい」という格言についてあなたはどう思いますか?				
ある必須の社内プロセスがあり、ただし業務には何の影響も与えない場合、それを無視して作業を進める				

Chapter 8 **Point**

イノベーターに向いた人とそうでない人がいますが、イノベーションは学んで獲得できるスキルです。

能力開発プログラムを設計・展開する前に、まず人材の能力特性を理解する必要があります。

イノベーション人材の能力開発への投資は、イノベーション・エコシステムに直接影響を与えるため、イノベーション・エコシステムの成果という形で定量評価することもできます。

イノベーション対談

クリスチャン・リンドナー

エアバス・ヘリコプター　プログラム・マネージャー

　クリスチャン・リンドナーは、シリアルアントレプレナーとして複数回の起業を経験したのちに、企業内のイノベーターに転身した人物です。インタビュー当時は、テレフォニカの「Wayraアクセラレーター」の一員として通信業界で数年間過ごした後で、エアバスのインキュベーターとアクセラレーターの責任者を務めていました。彼は企業内起業家としても、オープン・イノベーションと社内イノベーションの両方を経験しています。イノベーション分野でのリーダーシップ経験を豊富に持つクリスチャンは、マインドセットを一新するための採用やスキル開発について非常によく理解しています。

筆者：最近では、多くの大企業がイノベーションに関わる社員のスキルアップをはかろうとしています。1日だけのワークショップから、数カ月にわたる企業内起業家プログラムまで、イノベーションに必要なスキルやツールを従業員に教えるために研修を行っているのを目にします。しかし正直なところ、企業からはそれほど先鋭的で画期的なイノベーションは生まれていません。それはなぜでしょうか？

クリスチャン・リンドナー（以下、CL）：私は定量評価が不適切であることが問題の根源だと思います。大企業はたいてい、最初のステップでギャップ分析をしないという間違いを犯します。

　私は、自分たちの出発点を見極めることが、企業が最初にすべきことだと思っています。基本的に、能力開発の取り組みをはじめる前に、社員がすでに持っているスキルは何か、不足しているスキルは何か、あるいはまだ十分に開発されていないスキルは何かを理解する必要があります。

既存事業で習得した多くのスキルは、イノベーションにも役立ちます。しかし、新事業の立ち上げは既存事業の運営とは大きく異なるため、より多くのスキルを身につける必要があります。例えばある企業では、本業では常に100%の品質が求められ、人々の命がかかっている以上失敗は許されません。しかし、イノベーションでは少し事情が異なります。少なくとも初期の段階では、多くの失敗を通じて学ぶのです。ただしその失敗は知的な失敗、すなわち実際に改善につながるような失敗である必要があり、取り返しのつかないダメージを与えるような失敗であってはなりません。

私がこれまでのキャリアで学んだことは、1つのスキルセットを身につけてもそれで生涯安泰ではないことです。人が学べること、学ぶべきことはたくさんあり、たくさんの方法論、たくさんのツールがあるのです。ですから私はいつも、ワークショップやトレーニングプログラムを実施する前に、人材開発の全体像を俯瞰してスキル開発やマインドセットの開発に関するあらゆる側面を検討し、全貌を理解することをおすすめしています。

また、ギャップを理解していなければ、そのギャップを埋めるための効果を定量評価することは非常に困難です。基本的に、人材育成に費やした資金に対する効果を測定すべきです。

他に私が学んだことは、定期的に人材のスキルを定量評価する必要があるということです。スキル評価は、最初に1度やって終わりというものではありません。特にイノベーションに必要とされるスキルは、市場と同じくらい迅速に進化し、環境適応し、変化しています。つまり、明日必要なスキルは、今日必要なスキルとは異なるかもしれないのです。そのため、スキル研修プログラムを常に更新しなければなりません。そうしないと、従業員に時代遅れの方法論やツール、さらにはテクノロジーを教育してしまう危険があります。

さらに、スキルとその効果を切り離して考えるべきではありません。社員は、自分が業務に活用できること、そして最終的に会社に効果をもたらせることについてのみ、スキルアップをはかるべきです。

筆者：能力開発の取り組みについて何も定量評価せず、スキルアップだけをはかることのリスクは何ですか？

CL：一番わかりやすいのは、お金をかけてもその見返りがわからない、あるいはその投資がどのように業績を向上させるのか見えないことでしょう。CFOに対する投資の正当化の話をしているのではなく、努力と効果を結びつける必要があるという話です。

定量評価しなければ、従業員に提供する研修をどう改善すればよいかもわからないでしょう。私が言いたいのは、より楽しい研修プログラムを作ることでなく、社員がより効果的に仕事ができるようにするためのプログラムを作ることが重要だということです。つまり、社員の業務実績を常に定量評価しなければなりません。より迅速に対応できているか、より迅速に決断できているか、イノベーションのコストを下げられているか、より大胆なアイデアを出せているか、チームでパフォーマンスを発揮できているかなど、皆さんにその効果を実感していただきたいのです。そうすれば、能力開発プログラムを改善する方法も見えてくるはずです。

筆者：能力開発プログラムとしては、どのようなものが有効なのでしょうか？

CL：起業家精神やイノベーションは、経験や実行を伴うものです。多くのプログラムは、スキルや方法論を教えることを中心に設計されていますが、マインドセットを教えたり、何かをはじめることの実体験に焦点を当てたりしているプログラムはほとんどありません。

大企業に染まった企業人の起業家精神を高めることを、決して目標とすべきではありません。これは、私の考えでは不可能なことです。多くの人は、安心感や明確なキャリアパス、安定した仕事を求めて、企業でのキャリアを追求しています。そのような人たちの考え方を180度変えさせて、企業幹部の特権である社用車や専用駐車スペースを手放させることは不可能に近いと思います。

能力開発プログラムでは、社員に何かを立ち上げる経験をさせることに重点をおき、また実際にそれが得意な人の数を会社に示すべきです。既存事業をやりたい人と、もう少しリスクに強く、物事を0から1にすることにエネルギーを注ぎたい人とを分けるのです。イノベーション研修プログラムを一部の人だけに受けさせるように、と言っているのではありません。企業としてそれぞれの社員に何を期待しているのか、社員に明らかにすべきだと言っているのです。それを可能にする唯一の方法が、彼らに体験的な学習をさせることだと思います。例えば、事業アイデアへの初期投資額を下げることで、それが可能になります。通常のスタートアップ企業は1万ユーロや2万ユーロでプロジェクトをはじめるのに、社内の誰かにその何十倍もの金額、例えば70万ユーロを与えても、本当の意味での経験にはなりません。

本をたくさん読ませて、研修プログラムに参加させて、特定の作業やキャンバスの使い方を教えるだけでは不十分です。これでは、知識を得たという誤った自信をつけさせてしまうだけです。本来の起業家精神とは実行することなのですが、能力開発プログラムが実行面に焦点を当てていない限り、社員はやり方がわかったと思い込んでしまい、実際にはテンプレートの記入方法しか知らないということになりかねません。だからこそ、事業立ち上げの現場で実際に体験してもらうことに重点をおく必要があるのです。大企業が提供するセーフティネットをできるだけ排除した方がよいのです。

第 9 章

イノベーション文化の定量評価

Measuring Innovation Culture

“究極的には、自分が何者であるか、何者になれるかということに尽きる。”

本章の作成に当たっては、私たちの友人であり同僚でもあるクリス・ベズウィックより多大な協力を得ています。

企業イノベーションの分野では、「イノベーション文化」という言葉をよく耳にします。ネットフリックス、ゴア、ザッポスの各社の成功物語では、イノベーション文化がいつも話題の中心です。逆に、旧来の中核領域を超えて成長できない原因や、最新トレンドを素早く利益に結びつけられない原因を追求する際には、イノベーション文化がやり玉にあげられます。

だからこそ、**イノベーション文化**という言葉が、すべての悩みを解決する魔法の薬のように魅力的な響きを持つのです。自分の組織に強力なイノベーション文化を興したいと思わないリーダーはいないでしょう。しかし、この重要なテーマはあまりにも漠然としており、幻想、思い込み、安易な模倣、そしてたった1回の合宿で完全に文化を変えるという「怪しげな」研修の売り込みなど、何重にも霧がかかっていて実態がよくわかりません。

イノベーション文化とは?

では、イノベーション文化とは一体何なのでしょうか?

すべての文化は、人々を結びつける共通の価値観、信念、習慣、態度、行動様式をひとまとめにしたものです。文化は、そのグループの一員となるために、またグループを繁栄させるために、どのように1人ひとりが行動するのかを示す行動規範として機能します。

イノベーション文化を構築するには、イノベーションを押し進めるのに必要な価値観、信念、習慣、態度、行動を組織として奨励し、褒賞する必要があります。しかし、イノベーションは企業文化の1面にすぎず、倫理、ダイバーシティ&インクルージョン、透明性など、他のさまざまな特性と融合することで企業独自の文化が形成されます。

私たちが顧客企業のリーダーに文化の説明をするときには、よく雲にたとえて次のように説明します。「文化とは雲のようなもので、その存在を見たり、その影響を感じたりできますが、さわれません。しかし、さわれなくとも、文化に影響を与えて望ましい結果を得ることはできます」。

強力なイノベーション文化には多くの利点があります。強力なイノベーション文化を持つ企業はイノベーション文化が弱い企業に比べてよい業績を上げる傾向があります。[126]実際に、世界のイノベーション企業ランキングのトップ企業各社は、売上1ドル当たりの株価が下位企業に比べて圧倒的に高いという「時価総額プレミアム」を享受しています。

上記以外にも、イノベーション文化を含む無形資産とキャッシュフロー倍率との相関関係について調査したジェームズ・R・グレゴリー博士の研究結果があります。比較対象としてキャッシュフロー倍率を使っている理由は、グレゴリー博士が他の財務指標よりも正確に会社の価値を表すと考えたためです。

キャッシュフロー倍率は、1株当たりの株価を1株当たりのキャッシュフローで割り算した数値で、キャッシュフローに対して時価総額がどれだけ高く評価されているかを示します。この調査によって、イノベーション文化が根付いており、それが社員に認知されているなど、強力な無形資産を持つ企業の価値が高く評価され、財務的メリットを享受していることが明らかになりました。[127]

しかし文化は定量測定できるのか?

では、どうすれば文化を定量評価できるのでしょうか? それは無理です。少なくとも直接は測定できません。

環境配慮型のエコ洗剤メーカーであるエコベールの事業マネージャー兼チームコーチであるクレア・ハウズオンと打ち合わせをした際、同氏より次のような話を聞きました。「イノベーション文化の定量評価というのは、科学と芸術の境界点を探るような話です。文化を客観視するために測定可能な事項はたくさんあります。しかしその一方で、全体観のように感覚的にしか理解できないことも、イノベーション文化の評価には必要なのです」。

先ほど、イノベーション文化を雲にたとえたことを覚えていますか？　そうです。雲も測定できないのです。気象学者が雲をはかると言うときには、たいていは雲の特性や雲がもたらす影響を見ているのです。例えば、気象学でよく使われる指標に「雲量」というものがあります。これは、雲が空を覆っている程度を表し、単位はオクタと言います。空全体の面積の8分の1が雲に覆われていることを単位とし、0オクタ（完全に晴れている状態）から8オクタ（完全に曇っている状態）までで表現します。【128】

同様に、企業にイノベーション文化が根付いているかどうかは、イノベーション文化の特性と、その特性が企業の活動や結果に与える影響を見ることでわかります。例えば、測定可能な特性として、従業員の行動や行動がエンゲージメント※1に及ぼす影響が考えられます。強力なイノベーション文化を持つ組織の従業員は、現状を変えることに挑戦したり、試験的な取り組みを行ったりすることを厭わない傾向があります。また挫折や、より重要な点として変化に強いことが多いです。これらの結果、強力なイノベーション文化は、高い従業員エンゲージメントをもたらす傾向があります。

最後に、企業にイノベーション文化が根付いているかどうかは、結

※1 訳注：個人と組織が一体となり、双方の成長に貢献し合う関係のこと。

果を見ればわかります。強力なイノベーション文化が根付いている企業は、定期的に新しいソリューションを生み出し、市場に投入し、財務的にも社会的にもよい結果を生み出しています。ボストンコンサルティンググループの調査によると、常に変革を指向し、その一環として文化にも焦点を当てている企業は、文化を軽視している企業に比べて、飛躍的な業績を達成する可能性が5倍高いことがわかっています。[129]

// 図9-1 // イノベーション文化の開発サイクル

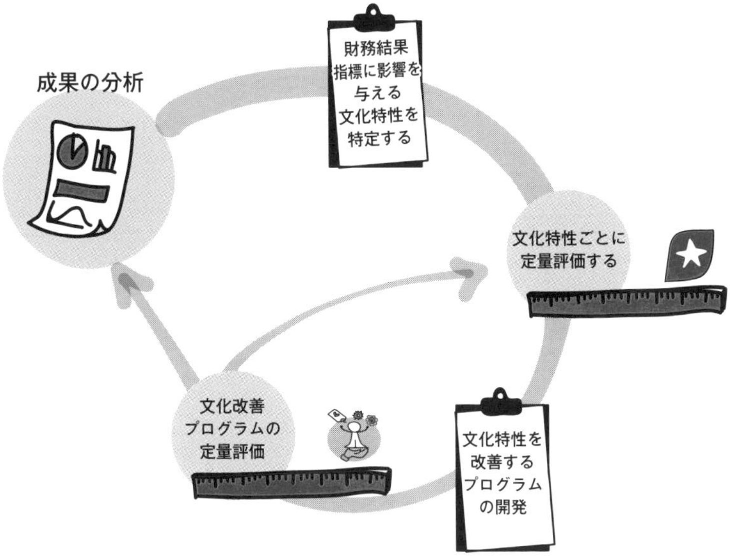

成果の分析

財務結果指標に影響を与える文化特性を特定する

文化特性ごとに定量評価する

文化特性を改善するプログラムの開発

文化改善プログラムの定量評価

実際に自社のイノベーション文化を定量評価するためには、まず自社の成果指標を確認し、その中で文化の影響を直接受ける指標をリストアップする必要があります。次に、選択した成果指標に影響を与える文化の特性をリスト化し、そのうえでこれらの特性が自社に存在するかどうかを確認します。このプロセスは、前章で詳しく説明した人材の能力を定量評価する方法と非常によく似ています。

単純な例として、アイデア創造について見てみましょう。もし、あなたの会社でポートフォリオ分布の目標を定めており、コミュニケーションやトレーニングに力を入れているにもかかわらず、既存事業の改善以外の事業アイデアがファネルに入ってこないことに気づいたとしたら、あなたの会社は文化的な問題を抱えている可能性があります。社内調和と前例重視の文化を持つ企業は、急進的な新アイデアを決して受け入れないのです。

しかし、文化の特性を定量評価することは言葉で言うほど簡単ではありません。なぜなら、測定可能な文化の特性は何百、何千とあるからです。そこでまず、自社にとってどの特性が重要なのかを明確にする必要があります。その際の判断基準は、企業がどんな目的でイノベーションを推進しているかによって変わります。

画期的なイノベーションを成長の道具として考えている企業には、次のような文化の特性を定量評価するようおすすめします。[130]

- 失敗に対する寛容さ
- 多様性（考え方、経歴、性別、そして何よりも意見の多様性）
- 継続的改善の実践と奨励
- 倫理（正直さ、誠実さ、約束を守ること、信頼性、公正さ、他者への配慮、他者への敬意、遵法精神、説明責任[131]）
- あつれきのない協業
- 適応性
- 共感
- 心理的安全性
- イノベーションを自分の日々の仕事の一部だと考えている人員が社内にどれだけいるか（特に部署や役職名に「イノベーション」の文字がない人）

自社内のイノベーション文化の理解度、浸透度を知るためのアンケート調査を、この章の最後に掲載したので、参考にしてください。調査テストや文化診断ツールなど、イノベーション文化の評価に利用可能な調査方法は他にいくらでもあります。しかし、特定のツールの採用を決める前に、その調査の利用方法と、結果に応じて必要になりそうな施策をあらかじめ考慮しておく必要があります。また、定期的に調査テストを繰り返し実施し、定量評価によって自社文化の変化やさらなる施策の必要性を確認することをおすすめします。

現時点の自社文化の特性と、その不足点を把握したうえで、改善に向けた取り組みを開始することになります。

イノベーション文化の開発活動を定量評価する

文化の特性を分析して自社のイノベーション文化の現状を把握すれば、文化の開発活動の定量評価によって自社文化の未来図を描けるようになります。別の言い方をすると、イノベーション文化の開発活動の指標を、将来への先行指標としてある程度利用できます。

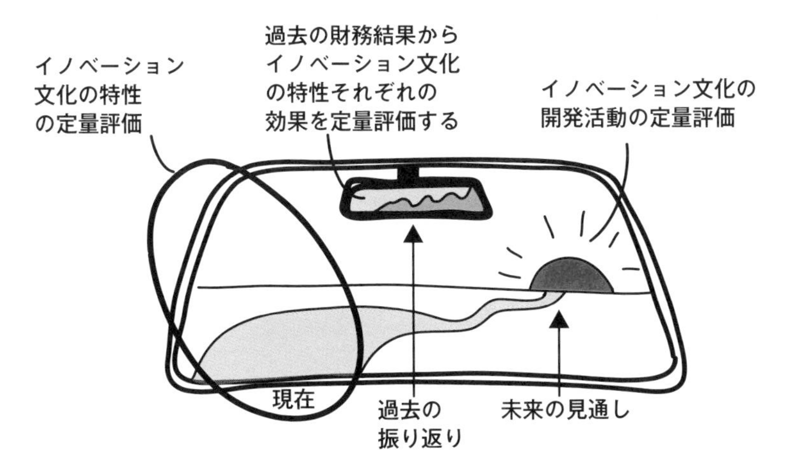

イノベーション文化の開発活動にはさまざまな形式がありますが、ワークショップ形式が最も一般的です。文化開発のプロセスを追跡する指標としては、次のようなものがあります。

単位時間（通常は1年）当たりの研修コース数：
この指標をテーマごとにまとめ、提供している研修のテーマとイノベーション文化の特性診断のテスト結果とを関連付けてみるとよいでしょう。例えば、「新しいアイデアに対する寛容さがない」という診断結果なら、各研修プログラムでは、「多様性と寛容さ」や「リスクに対する姿勢」といった点を重視すべきでしょう。また、倫理的な行動様式に関する意見や苦情が多いなら、倫理関連の研修を何回実施したかを確認できます。

従業員がイノベーション文化の開発プログラムに費やした時間数：
この指標は、利用可能な労働時間全体に対する割合としても計算可能です。また、テーマごとの切り口でもう少し細かく見てもよいかもしれません。具体的には、特性Aと特性Bの開発にどれだけの時間を費やしたかを比較します。

対象者全体に占める研修応募者の割合：
自主参加型のプログラムには、この指標が有用です。応募率が低い場合には、いくつかの理由が考えられます。研修の告知が不十分だったのかもしれません。あるいは、その研修テーマは自分にはあまり関係ないと、対象者が考えているのかもしれません。その場合にはコミュニケーション強化が必要です。いずれにしても、イノベーション文化開発の各種取り組みの数字を比較して、傾向を把握することをおすすめします。

出席率：
自主参加型の文化開発プログラムの場合には、出席率もよい指標となります。出席率は、社員がそのプログラムにどれだけ積極的かを示し、コース内容、フィードバック、ファシリテーターの質を知る手がかりにもなります。

脱落率：

イノベーション文化開発プログラムの実施結果を評価し、最終成果への影響を予測するうえで、出席率と同様に脱落率にも着目すべきです。ここでも、より明確な分析のために、テーマごとに結果を集計して比較可能です。例えば、倫理研修の脱落率とダイバーシティ研修の脱落率の比較などです。

対象とする母集団に対して累計何人をトレーニングしたかの割合：

強制参加型の研修の場合は、これまでに参加した人数が対象者全体の何%に当たるかを調べます。特定のテーマや特定の部門でしきい値を超える参加者数を獲得するまでに、どれくらいの時間がかかるかを確認できます。

課題完了率：

参加者にさまざまな課題を課すプログラムの場合は、課題完了率を分析可能です。課題の一例として、「パルスチェック[※2]」があります。パルスチェックでは、プログラム参加者は、イノベーション文化に関する特定の課題と、それを軽減するために導入された対策の有効性を理解するために、繰り返しインタビューを実施する必要があります。パルスチェックの課題完了率として、これらのインタビューを実施した従業員の数や、インタビューの実施回数を確認します。

ネット・プロモーター・スコア（推奨度）：

イノベーション文化開発プログラムの終了後に、参加者にこのプログラムを親しい友人や同僚に推奨したいか、推奨度をアンケートで回答してもらいます。このスコアから、次回のコホート分析やプログラムに向けて改善すべき点が見えてくるでしょう。しかし、ネット・プロモーター・スコアが高かったからといって、それだけで安心してはいけません。ネット・プロモーター・スコアは満足度をはかるのによいツールですが、いくつかの問題があることは広く知られています。

※2 訳注：従業員満足度の調査手法のことで、1分程度で簡単に回答できる5～15問程度の社員アンケートを毎週、毎月などの高頻度で実施し、エンゲージメントを定量評価する。

年間の文化開発コスト：

文化開発プログラムには会社からの投資が必要ですので、単位時間（通常は1年）当たりの人材能力開発コストを集計するとよいでしょう。さらに、この数字を売上高に対するパーセンテージで計算することもできます。

さて、次は扱いにくい厄介な懸案事項の話をしましょう。文化開発と並行して実施する必要のあるプロセス変更の重要性に触れることなしに、イノベーション文化の開発を語ることはできません。

プロセス変更が先か、文化の開発が先かについては、議論が尽きません。この質問に明確な答えを出すことはできないと思いますが、私たちが強調したいのは、能力開発と同様に、文化の開発に取り組む際には、組織のすべての階層を考慮し、また業務システムの補完的な部分（目標、役割、プロセス、価値観、コミュニケーション慣行、態度や前提）について考慮する必要があるという点です。

例えば、「協業とチームワーク」を組織文化の中核に据えている大規模な自治体を考えてみましょう。[132]この自治体では、委員会の指令の実行や変更はすべて、公開の場で報告、議論、投票しなければならないと法律で定められています。この自治体のリーダーたちは、市民に統一見解を示したいと考えているため、変更の可能性があればすべて、まず内部で審査プロセスにかけられます。その結果、何かを公開する前には何度も内部審査が行われることになります。

それぞれの内部審査員の発表スタイルや、何が重要であるかの認識は異なります。そして、内部審査員が期待するのは、自分のフィードバックが文書や発表資料に反映されることです。その結果、文書作成者は修正内容をすぐに反映しなければならず、公聴会の準備をする時間がほとんどない、という事態に陥りがちです。

基本的に、本来は単純だったはずの提案が、ドラフト文書が内部審査にかけられ、修正され、再修正され、さらに変更されるうちに、社内政治や個人的な争いに巻き込まれ、相反する要求を何とか整合させるという膨大な作業を原案の作成者に背負わせることになりがちです。「合議制」が好ましくないのには、十分な理由があるのです。

上記の例は、協業文化と言えるでしょうか？「私の肩書きの方が格上だから、私の言う通りにしろ」というのは協業でしょうか？

文化が先かプロセスが先かという先ほどの議論への回答は、皆さんにゆだねますが、いずれにしても、文化開発への投資後に何の変化も見られない場合、文化開発への投資を失敗と決めつける前に、プロセス変更を検討する価値があるかもしれません。

イノベーション文化の定量評価の指標

受講者の獲得

- 単位時間当たりの研修コースの数
- 従業員がイノベーション文化の開発に費やした時間数
- 対象者全体に占めるトレーニング応募者の割合（自主参加型プログラムの場合）
- 単位時間当たりに、対象とする母集団のうち何人をトレーニングしたかの割合、あるいは対象とする母集団に対して累計何人をトレーニングしたかの割合（強制参加型プログラムの場合）

受講者の維持

- 出席率（自主参加型プログラムの場合は、対象とする母集団に対する累計参加者数の割合）
- 脱落率

受講者の満足度

- ネット・プロモーター・スコア（推奨度）

エンゲージメント（受講者の積極性）

- コミュニティが運営する能力開発プログラムの参加者数
- コミュニティが実施する能力開発プログラムの実施頻度

投資

- 年間の人材能力開発コスト
- 個人の能力開発予算の平均使用率

イノベーション文化の定量評価についての結論

あなたが今、この章を以前に読んだことがあると感じたとしても、不思議はありません。文化開発と能力開発には、少なくとも定量評価の観点において多くの類似点があるのです。しかし、違いもあります。おそらく最も注目すべき相違点は、文化開発の成果は能力開発の成果よりも定量評価が難しいという点でしょう。したがって、文化については「多様性と寛容さ」や「リスクに対する姿勢」といった文化特性を特定し、開発活動の前後での文化特性の変化を分析するのがよいでしょう。もちろんこれだけでは不十分で、成果を正確に把握するためには、文化特性の定量評価の分析結果をエコシステムの成果で裏付けなければなりません。

文化の定量評価や改善を検討する際には常に、新たな働き方について全社視点でさまざまな可能性をすべて考慮する必要があります。文化開発への投資後に業務パフォーマンスが低下したとしても、必ずしも開発プログラムの失敗とは限りません。自社のプロセス、価値観、インセンティブと、望ましい文化との方向性が一致していないために、パフォーマンス低下が起きている場合もあるからです。

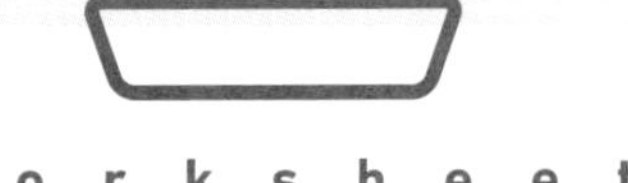

Worksheet

あなたの会社のイノベーション文化を定量評価する

次の診断テストはイノベーション文化の各種の特性について、自社の状況と、自社にどの程度イノベーション文化が根付いているかの、大枠を知っていただくために設計されています。この診断テストは、世界各国の企業向けにイノベーション文化開発の豊富な経験を持つクリス・ベズウィックの協力のもと開発したものです。

この診断テストを社内の人々に配布する際には、部署間をまたがる横の広がりだけでなく、組織階層間の縦の広がりも網羅するように気をつけてください。なぜなら、イノベーション文化とは、部署名に「イノベーション」という文字が入っている人、あるいは社内の組織階層の特定の階層の人だけに関するものではないからです。

組織文化の評価結果：

10点～20点：自社のイノベーション文化はまだ十分に発展していない。
21点～32点：自社にはイノベーション文化が部分的に存在するが、まだ定着していない。
33点～40点：自社には強力なイノベーション文化がある。

一般的な診断テストと同様に、最終結果だけでなく個別の質問に対する回答状況を確認することが効果的です。それに加えて、もし自社のイノベーション文化をさらに詳細に調べたければ、診断テストと並行してインタビューを実施するとよいでしょう。

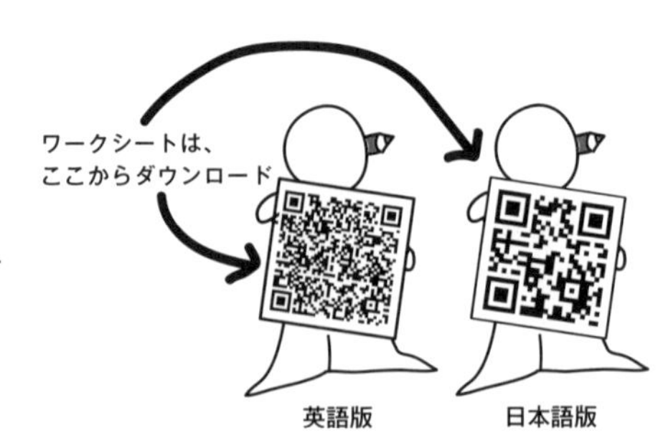

// 図9-2 // 組織文化の診断テスト

	当てはまらない（1点）	あまり当てはまらない（2点）	やや当てはまる（3点）	非常によく当てはまる（4点）
我が社も従業員も常に変化と適応への意欲を示してきた				
自分の新たなアイデアを推進する機会が、すべての従業員に与えられている				
イノベーションへの貢献はすべての従業員の日々の仕事の一部と見なされている				
私たちの会社では、失敗はイノベーションの一部と見なされており、失敗しても特に制裁を受けない				
組織全体や社外まで含め、意見や視点の多様性が求められている				
社内で他の人とのコラボレーションが容易である				
私たちの会社では、会社の成長と存続のためにイノベーションが果たす役割を誰もが理解している				
私たちの会社では、計算されたリスクをとることが奨励されている				
私たちの会社では、現状に疑問を持ち、挑戦する行動が奨励されている				
私たちの会社では、ビジネスのどんな部分であれ、新たなアイデアがオープンに受け入れられ、検討される				

Chapter 9 Point

イノベーション文化は、企業文化全体の一部です。

文化それ自体は定量評価できません。文化のさまざまな特性が結果に及ぼす影響を通して各種特性を定量評価できます。

また、企業文化を向上させるための取り組みも定量評価できます。

イノベーション対談

ポール・コバン

DBS銀行 データ・変革最高責任者

2009年以来、ポール・コバンはDBS銀行の変革を先導してきました。今では、シンガポールに本社をおくDBS銀行は、ユーロマネー、ザ・バンカー、グローバル・ファイナンスといった金融雑誌など、多くの組織から一流の金融機関として認められるようになりました。また、『ハーバード・ビジネス・レビュー』では、ネットフリックス、アマゾン、マイクロソフトと並んで、過去10年間の変革トップ10に選ばれています。

筆者：DBS銀行の変革は世界的に有名です。そして変革の大部分は、文化を変えることであったはずです。文化の変化にどのように取り組んできたのか、また文化の変化をどのように定量評価したのか、詳しく教えていただけませんか。

ポール・コバン（以下、PC）：一般的に、文化を抜きにして変革を語ることはできません。変革とは行動を変えることであり、文化とは行動の集合体です。

もちろん、どんな変革でも進捗状況の定量評価は簡単でないのですが、文化の変化を定量評価するとなるとなおさら大変です。イノベーション文化の進捗を定量評価するためには、イノベーションを非常に明確に定義する必要がありました。DBSでは、最終的に誰もが理解でき賛同できる非常にシンプルな定義に落ち着きました。私たちはイノベーションを、「他とは違うもので、かつ価値を生むもの」と定義しています。

したがって、イノベーション文化とは、「価値を生み、他と異なる何かを開発することを促進する一連の行動」のことです。DBSでは、イノベーションの基本となる5つの行動、すなわち「アジャイル（機敏・柔軟）であること」「学習する組織であること」「顧客にこだわること」「データを重視すること」「実験してリスクをとること」に注目することについて、社内で合意しました。

そのうえで、これらの行動の定量評価を開始しました。定量評価が簡単なものもあれば、そうでないものもあります。例えば、「アジャイル」については、チームがアジャイルの手法や流儀に従っているかどうかを調べました。一方で、「実験」については、別のやり方をしました。自分たちで目標を設定し、それを達成できるかどうかを確認したのです。具体的には、年間1,000回の実験を行うという目標を設定しました。

全体的には、5つの行動すべてについて、その行動の実現を妨げているものを洗い出しました。それはプロセスであったり、従業員の文化的特徴であったり、あるいは社内で利用しているツールや書式であったり、いろいろあります。 次に、もしその障壁を克服すれば望ましい行動がもたらされるかどうかを確認するために、さまざまな実験方法を考えました。そして実験でよい結果が得られたものについては、そのやり方を新しい運営方法として、会社全体に広めていきました。

筆者：これまでの経験から、組織文化は「その地域の文化」と非常に密接に関係していると理解しています。例えば、北欧の企業は非常にコンセンサス重視ですが、これは北欧の文化と紐づいています。東南アジアの地域文化をどんな形で考慮しましたか？

PC：私の考えでは、いろいろな意味で強力な企業文化は社会文化に勝ります。完全に企業文化が優位というわけではありませんが、別の言い方をすると、もし企業文化が弱ければ、すべての面で多かれ少なかれ社会文化に押し流されてしまいます。

私たちは、象徴的な儀式を中心に変革を実施し、その運営を社員に任せています。例えば「レクーン（"Wreckoon"）」という儀式があります。この儀式は、人々が反論したり、反対意見を持ったりすることを許可する一種の無礼講です。これは運営上の工夫ですが、儀式として確立し、名前をつけることで、安全な空間と心理的な安心感を社員に与えています。上下関係の意識が強く、普段はやや控えめなアジアの人々が、この儀式では熱意を持って幅広い議論と創造的ブレーンストーミングを活発に実施できており、アジアの社会文化に適したやり方として成功したのだと解釈しています。この儀式は、正直な意見を共有することに対する安全性を提供してくれるのです。

よって、2万9千人以上の従業員を擁する当社全体に変革を拡大するに当たり、我々が導入するすべての施策が、従業員の社会文化にうまく適合するよう事前に調整し、よく確認しました。ただし、その際には全社に普及させたい行動様式を決して見失わないように気をつけました。

筆者：データ・変革最高責任者として、変化をもたらすために乗り越えたことが多数あったものと思います。読者と共有できる教訓があれば教えてください。

PC：自分や他人を変えたいと思うなら、不快であることを心地よく感じることを学ばなければなりません。そして、批判を受けることにも慣れなければなりません。

例えば、会議の儀式の1つであるMOJOを導入したときには、幼稚園児向けのマネジメントを導入したと非難されました。MOJOとは、すべての会議に必要な重要な2つの役割を表します。1つ目の「MO」はミーティング・オーナーの略ですが、会議の最初に目的を宣言し、最後に会議を要約し、そして社会文化という意味で最も重要な点として、参加者全員に平等に発言権を与えます。もう1つの「JO」はジョイフル・オブザーバー（陽気な監視役）で、会議の最後に30秒で、「MO」がどれだけ上手に3つの役目を果たしたかをまとめます。余談ですが、今ではデジタル版の「JO」アプリがあります。会議の終わりにスマートフォンでアプリを起動し、「MO」を5つの側面で評価します。その月に1度でも「MO」になった人には月末にレポートが届き、5つの軸それぞれの評価がわかります。そのレポートで、自分自身の過去からの傾向や、全社平均との比較も見ることができます。

まあ、中には憤慨する人もいて、そういう人には私が会議の進め方を1つひとつ教えました。そうこうするうちに、次第にどうにかこうにか、少しずつみんなが受け入れてくれるようになりました。やがて、これを幼稚園児向けの管理だと言っていた人や、自分自身では儀式を直接体験していない人も含め、皆が効果を実感するようになったのです。

基本的な考え方として、「もし違和感を感じていないなら、それは今までと違うことをして古い習慣を壊していないからだ」と自分自身に言い聞かせる必要があると私は思います。

変革を進める中でもう1つ学んだことがあります。それは「人が変化を望まないというのは迷信だ」ということです。実際には人は変化を求めています。だからこそ、休暇をとって気分転換したり、転職したりするのです。しかし恐れがそれを妨げているのです。ですから、リーダーの仕事は、変革や変化のプロセスから恐れを取り除くことです。これこそが、新しい行動様式や仕事のやり方に賛同してもらう唯一の方法なのです。

第10章

CFOと株主のためのイノベーション会計

Innovation Accounting for CFOs and Shareholders

“彼らと対峙するのでなく、ともに勝利をつかむのです。”

あなたの会社を経営しているのは誰ですか？　取締役会でしょうか？それとも「ザ・ストリート（“The Street”）※1」ですか？　大株主からの圧力で、企業が長期的にはコスト高の近視眼的な行動をとるようになると、長い間信じられてきました。

そして、取締役会をそのような圧力から隔離することが、企業の長期的な利益だけでなく、株主の利益にもつながると考えられています。この取締役会の隔離論は頻繁に提起され、大株主の権利や関与に対する制限の維持強化、あるいは一部企業のイノベーション能力欠如の正当化など、さまざまな文脈で利用されてきました。

しかし、ハーバード大学法学部のルシアン・ベチャック教授の研究【10】により、それは事実でないことが証明されています。投資家は長期視点であり、自分たちの投資先の将来を気にかけているのです。

長期的な視点でイノベーションを評価する

したがって、企業には将来を見据えた行動を描く能力が不可欠です。真のイノベーションは、たいてい初期段階では市場に認知されません。バイオテクノロジーでも、クラウドコンピューティングや人工知能の分野でも、イノベーションの普及曲線は長く平坦になることが一般的です。今日のイノベーション・プラットフォームを見ても、ネットワーク効果※2が働き、多くの顧客に認知されて成功に至るまでには時間がかかります。

アマゾンのような成功企業でさえ、利益を出すまでに10年かかりました。同社の創業当時は、まだネット販売が広がりはじめたばかりの状況だったからです。投資家との継続的な対話は、イノベーションへの取り組みの長期的な可能性を示すのに役立ちます。【133】

※1 訳注：米国の金融ニュースサイトのこと。
※2 訳注：製品やサービスの利用者が増えるほど、その製品やサービスのインフラとしての価値が高まる効果。その結果、急激な普及が促される。

そして真の課題は、研究開発やイノベーションだけでなく、戦略的な無形資産への投資も含めて会計上の認識方法を変えることです。長期的な視点でイノベーション・プロセスを醸成し、そこから継続的に価値を生み出すために必要だからです。

// 図10-1 // 製品ライフサイクルに応じた会計システム

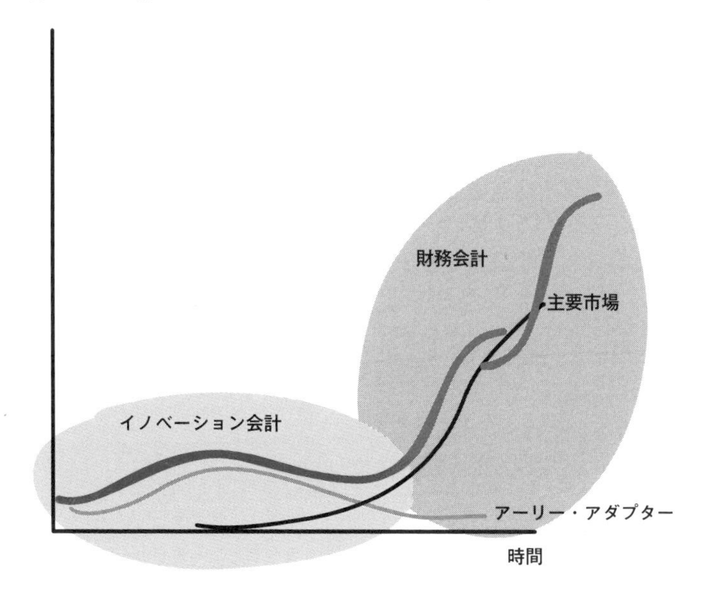

ニューヨーク大学のバルーク・レブ教授は、イノベーション・プロセスから生み出された価値を定量評価するために、投資を戦略的資源に転換しようとする経営者の戦略を追跡することを提案しています。例えばそれは、投資で得た戦略的資源を侵害や劣化から守り、特許を外部にライセンスすることで個別に（あるいは複合的に）生産やマーケティングに実導入することかもしれません。これらの行動はすべて価値創造を目的としており、それによって企業間競争や投資資金の維持を実現しようとしています。

ただし、将来を見据えた活動をどのように報告するかは、企業ごとに異なって当然です。それが企業の内部環境と外部環境の両方に依存するからです。

例えば、過去に私たちが一緒に仕事をした投資会社では、各投資担当者と彼らの業務を軸として組織が構成されていました。同社においては、株主や財務チームが理解しやすい形で、社内新事業への投資を報告することは容易でした。

もう1つの例は、本書の共著者であるエスターがアジアの白物家電メーカーのCFOと電話会議をした際の話です。この会社では、イノベーション費用を計上する際に、石油・ガス会社の鉱物探索コストの計上方法を参考にしていることがわかりました。

これらの企業では、鉱物資源を発見するための投資を探査費用として計上します。そして、発見した資源の技術的な実現性や商業的な採算性を検証するための評価費用を、それとは別に計上します。探査費用と評価費用を分けて表示することで、企業や投資家は、どの費用が投資リスクの高い「探索」活動に関連し、どの費用が通常業務の一環である「実行」活動に関連するかを、明確に識別できます。このように投資回収リスクが高い費用を分けるという会計ルールは、欧州の会計原則であるIFRS第6号で実際に認められています。

イノベーションに関連する費用をこのような方法で扱うことには合理性があります。新しいビジネスモデルを探すための費用を分けて表示することで、投資家はこの費用が投資回収リスクの高い「探索」活

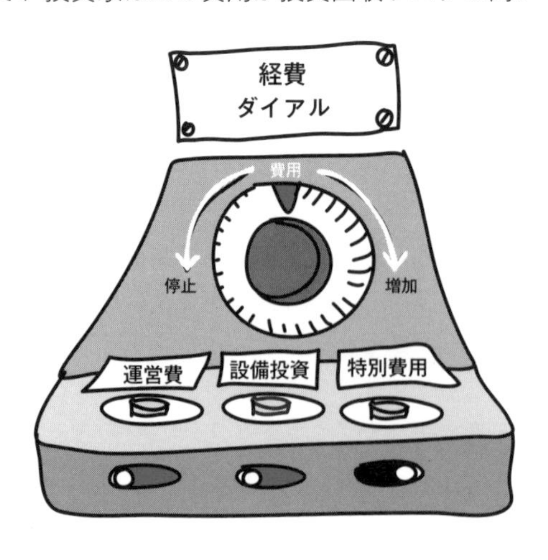

動に関連すると理解できます。一方で、「運営費用」や「改善費用」は一般的に営業活動で投資回収される、リスクの低い「実行」活動に関連します。

企業がイノベーション・エコシステムの効率性と有効性を示す方法は、その企業の設立された場所によっても異なります。例えば、米国と欧州では研究開発活動に関する会計基準に大きな違いがあります。米国の会計基準（GAAP）では、研究開発は費用として処理され資産計上されません。一方、欧州のIFRS規則では、調査研究費はGAAPと同様に毎年の費用として処理されますが、開発中の資産が将来的に商業利用可能と証明できる場合は、開発費を資産計上できます。IFRSのアプローチの利点は、少なくとも研究開発費の一部が資産化され、損益計算書の費用とならず、貸借対照表の資産となることにあります。[134]

バルーク・レブ教授が本章末のインタビュー対談で語っているように、このような会計基準の結果として少なくとも米国では、**「買収に基づいてイノベーション戦略を追求する企業は（買収費用が資産計上されるため）、社内でイノベーション開発をする類似企業よりも、収益性が高く、資産が豊富であるように見える」**ことになります。

イノベーションが機能していることを示す

したがって、イノベーション会計システムの役割は、企業が行っているイノベーション投資と、過去の投資から得られた成果を示すことです。これにより、投資戦略やその企業のイノベーション・エコシステムが機能する仕組みを可視化するのです。

「将来を見据えた優れたストーリー」を語り、過去の成功実績を示すことで、企業はさらなる投資を確保し、既存の投資家とオープンな対話を続けられます。

しかし、イノベーション会計システムの生のデータは、株主にとっても、財務部門で働く管理者などの一部の社内関係者にとっても、必要以上に詳しすぎるかもしれません。そのため、イノベーション会計システムの情報を、株主にとってわかりやすい形で表現する方法が必要となります。

あなたの会社の所在地や、他業界から取得しているインプット内容にかかわらず、イノベーション会計システムの情報を単純化し、CFO、財務担当者、株主のようなイノベーションへの関心が低い人にも容易に理解できる報告書テンプレートを用意することが重要です。

報告書には、イノベーションによる成長の可能性を理解したがっている投資家向けの解説が必要です。社内の財務担当者向けには、過去のイノベーション投資の効果を明快に示す必要があります。そして、イノベーション投資の効率性を明確化したい経営者向けの情報も必要です。言い換えると、報告書には過去の正確な姿と未来の「印象派的な」絵姿の両方を描く必要があるのです。

そこで私たちは、3つのブロックで構成された報告書テンプレートの導入検討をご提案します。

報告書テンプレートの最初のブロックには、過去3年間[※3]に実施された投資によって今年度に得られたメリットを記載します。ここには、過去の投資によって得られた売上、過去の投資の利益率、実施済みの協業やスタートアップ投資の効果、イノベーション投資の効率などのデータが掲載されます。

報告書テンプレートの2つ目のブロックには、今年度のイノベーション投資について、財務的な定量データと非財務的な定量データに分けて、社内外のイノベーション投資を明確に区別して記載します。

最後のブロックには、従業員のスキルアップとイノベーション文化の構築のために行っている投資について、財務的な定量データと非財務的な定量データに分けて説明しています。

※3 訳注：必要であれば、このテンプレートを自社用にアレンジし、5年間の分析を行うこともできますが、5年を超えて分析することはおすすめできません。

INNOVATION REPORT FOR FINANCE

過去3年の投資に基づく成果

	財務指標		
新発売製品からの売上		買収による売上	
新製品活力指数（第6章）		投資からの配当	
新発売製品のイノベーション投資効率		共同事業からの売上	
新発売製品のイノベーション収益率		パイロット・プロジェクトからの売上	

内部イノベーションへの投資

	財務的な定量指標		非財務的な定量指標
イノベーション費用		パイプライン中のアイデア数	
研究開発費		出願特許数	

外部イノベーションへの投資

	財務的な定量指標		非財務的な定量指標
買収額		買収件数	
投資額		投資件数	
共同事業		共同事業件数	
パイロット・プロジェクト費用		パイロット・プロジェクト件数	

人材能力開発への投資

	財務的な定量指標		非財務的な定量指標
内部および外部トレーニングへの投資額		訓練を受けた従業員数	

文化への投資

	財務的な定量指標		非財務的な定量指標
イノベーション文化開発プログラムへの投資額		訓練を受けた従業員数	

報告書テンプレートは何を表すのか?

重要なのは、この報告書テンプレートの記載項目のうち、現時点で会計ベースの企業財務諸表で報告を求められている項目はごくわずかである点です。ほとんどが新たな情報であり、先に述べたように、企業の究極的な目的である「イノベーションによる成長の達成」を評価するうえで重要な情報なのです。

もう1つ注目いただきたい点は、会計ベースの財務報告書と同様に、このテンプレートは事実情報で構成され、経営者の推定、予測、推測、想定が一切含まれないことです。さらに言えば、会計ベースの年次財務報告書と同様に、株主報告の一環として、少なくとも年に1度はこのテンプレートに情報を記入すべきです。私たちのよき友である公認会計士のハンナ・キアトランドはこう言っています。「このテンプレートは、現時点の姿を1度映すだけの道具ではありません。企業が時系列で情報を整理し、イノベーション・エコシステムのパフォーマンスをより深く理解するために役立つはずです」。

明確にしたいのは、私たちが新たな指標リストを提案していないことです。この報告書テンプレートは、これまでの章で述べた各種指標の情報を集約し、見やすい一覧にしたものなのです。

抽象化マップは、社内のイノベーション・エコシステムの改善を促進するための有用なツールです。この報告書テンプレートでは、抽象化マップや社内の他の情報源から集約したデータをもとに、エコシステム全体のパフォーマンスを描いています。

繰り返しになりますが、この報告書テンプレートは事実情報に基づいている点を強調しておきたいと思います。しかし、社内の財務チームや投資家の要望がある場合には、イノベーション会計システムから他の情報を追加することも検討可能です。イノベーション・ファネルのリスク調整済みの価値／コスト比の推定値（第5章を参照）やポートフォリオ分布（第6章を参照）などの情報を追加すれば、より鮮やかな図を描けるかもしれません。信じられないかもしれませんが、財務担当者は数字で埋め尽くされた表よりも図を好みます。それだけでなく、財務担当部門の上層部の一部の人たちは、ポートフォリオのバランスやファネルのパフォーマンスを最終利益と同じくらい気にかけています。

財務部門との上手な付き合い方

イノベーターであるあなたが好むと好まざるとにかかわらず、財務部門とのやりとりは避けられません。結局のところ、組織における投資ポートフォリオの担当部局は財務部門なのです。財務部門が、ポートフォリオのリスクとリターンのバランスをとり、予算を配分し、税務当局や投資家などの社外関係者とやりとりしているのです。

しかしながら、これまでの章で見てきたように、そして皆さんも実際に経験されたと思いますが、財務会計の規則はイノベーションの定量評価には適していません。一方で現実的に考えると、私たちが提唱するイノベーション会計を全社的に受け入れてもらうには、情報を単純化して、馴染みのある財務会計の言語に翻訳しなければ無理かもしれません。また、実際問題として、米国のGAAPや欧州のIFRSのような財務ルールが、私たちが生きている間にイノベーションに対応できるように変わるとは思えません。

したがって、実現性のある成長の選択肢として自社にイノベーションを受け入れてもらい、またイノベーションをどこか遠く離れた研究室で孤立させないためには、イノベーション会計システムの提供する情報を圧縮し、単純化することが必須要件となります。

ここで再度警告しておきたいと思います。私たちはイノベーションを志す人たちが、「私たち対彼ら」という、やや敵対的なスタンスで財務担当者とのミーティングにのぞむのを数えきれないほど何度も見てきました。確かに財務担当者は皆さんほど実験に慣れておらず、ポートフォリオ分布よりもExcelデータに興味があるのかもしれません。しかし、共感なくして協業は成立しません。ですので、ぜひとも彼らの視点で物事を見る努力をしてください。彼らに悪意はなく、同じチームの仲間なのですから。財務部門の同僚を学びの旅に連れて行き、壁ではなく橋を作ってみましょう。意外な発見があるかもしれませんし、Excelシートの向こう側には、最大のイノベーション擁護者たちが座っているのかもしれません。

イノベーション会計を財務会計に結合すれば、自社の全体像を信頼のおけるスコアボードに映し出せるようになり、そのおかげでチームが優位に立ったときには容易にわかるようになります。最も重要な点は、新たなスコアボードで投資家とのオープンな対話が促進されることです。誰があなたの会社を経営しているのでしょうか？ 今こそ、変革のためにイノベーションを目指すすべての人との、情報と信頼に基づいたオープンな協力関係が必要なときかもしれません。

イノベーション対談

バルーク・レブ教授

ニューヨーク大学スターン・ビジネススクール会計・金融専攻

バルーク・レブ教授は、ニューヨーク大学に20年以上在籍しています。それ以前は、シカゴ大学、カリフォルニア大学バークレー校（ビジネススクールとロースクールの共同講座を担当）、テルアビブ大学の学部長を歴任しています。レブ教授は、公共機関の会計、財務、コンサルティングの分野で豊富な経験を持ち、さまざまな組織の役員を務めています。レブ教授は、ベストセラー『会計の再生』（2018年、中央経済社）を含む7冊の書籍を執筆し、また100以上の研究論文が主要な学術雑誌に掲載されています。

筆者：イノベーションでは、失敗はゲームの一部です。しかし理想的には、チームは賢く失敗し、過去の失敗から学んで未来に向けて成長し、失敗からの学びをもとに新たな製品開発を進めるべきです。これを会計的に説明するよい方法はありますか？　また、そうでない場合には、大企業の財務管理者にどのようなアドバイスをしますか？

バルーク・レブ（以下、PBL）：一例をあげてお答えしましょう。製薬会社やバイオテクノロジー企業の業界では、ある薬が試験や臨床試験に失敗して製造中止になったとしても、その薬への投資は通常、完全な損失にはならないことがよく知られています。なぜなら、科学者たちが、そこから多くの学びを得たからです。何をしてはいけないか、どうすれば将来的に改善できるかを学んだのです。失敗したことはよいニュースではありませんが、大局的には完全な損失ではありません。

このように、失敗から学ぶという考えはとても重要なのです。失敗した薬を開発した科学者は、自分たちが試したことについて研究論文やケース・スタディ資料を書けるかもしれません。そうすれば、企業のブランドイメージ強化や、それ以外のマーケティング活動に利用できる可能性があります。

世の中には成功を強調する傾向があり、もちろんそれは理解できますが、失敗を完全に無視するべきではありません。残念ながら、今日の会計報告の手法は学びを記録するのに適していません。しかし実験が思慮深く実施されている限りは、会計報告が学びを記録するのに適さないからと言って人々が実験をするのを妨げるべきではありませんし、財務担当者が実験を奨励する足かせとすべきでもありません。

筆者：人を育てるための投資、さらに言えば、文化を開発するための投資を定量評価することについては、どう思われますか？

PBL：私の経験からわかっているのは、生産性を見なければならないことです。一方で、給与はもちろん純粋な費用です。給与は基本的に過去の役務に対する支払いです。しかし、研究開発やイノベーションに携わる人々の能力向上にかかる費用は、過去の役務に対する対価ではなく、将来の利益を生み出すための投資であると経営陣は考えるべきです。例えば、これらの人々の生産性向上を示すことができれば、なぜその投資が必要だったのかをCFOに説明できます。

かなり前のことですが、私が携わったプロジェクトの話があります。その会社は欧州の大手製薬会社で、中間管理職を対象とした継続的な研修プログラムを実施していました。毎年、何百人という社員が研修を受講していました。その会社では、彼らを欧州域外に3カ月もしくはときにはそれ以上の期間、さらに欧州域内に1カ月半ほど派遣して、大学のコースなどに参加させていました。これは会社にとって大規模な投資でした。私の記憶では、あるときCEOが私のところに来て、「ちょっと相談がある。私は研修投資に満足している。しかし、この投資が本当に何かに役立っていることを示す必要があるのだ」と言ったのです。

このような大企業の大規模な研修プログラムだったので、立派な検証データがそろっていました。研修に参加した人と参加しなかった人のサンプルデータもありました。それを使って、このプログラムに参加した部門と参加しなかった部門の従業員の生産性を調べました。そして、研修投資の価値を証明する興味深い差異をCEOに報告しました。

繰り返しますが、給料やボーナス自体は投資ではありません。しかし従業員への研修は、労働力の生産性に影響を与える重要な投資です。ですから、研修プログラムへの投資を分析する際には、研修受講者の生産性が他の人たちよりも高いことを、何らかの形で示さなければなりません。そうでなければ、本当に時間とお金のムダです。

筆者：イノベーションの定量評価について、財務担当者にはどんなアドバイスがありますか？　また、イノベーション担当者にはどんなアドバイスがありますか？　私がこのような質問をするのは、残念ながら多くの企業で「私たち対彼ら」という、やや敵対的な会話を目にすることが多いからです。

PBL：私もその通りだと思います。私の場合には、知的財産の分野で仕事をした際に同じような経験をしました。ずっと前の話ですが、私は特許法律事務所のプロジェクトをしていました。発明の仕組みを真に理解し、正しい書類を提出するためには、研究開発者と数時間、ときには数日の間、情報共有の打ち合わせをする必要があります。しかし、その業務には大きな問題がありました。30分もすると、イノベーターたちはこんな風に言うのです。「よく聞いてくれ。これ以上時間を割けない。研究室に戻って仕事をしなければならないのだ。君もわかるだろう。もう打ち合わせは終わりだ」。

こんな調子ですので、イノベーションを定量評価するために、イノベーションに取り組む人たちに活動報告の時間を割いてもらうのが難しいのです。彼らに自分たちの素晴らしい活動内容を地道に定量評価させ、報告させなければならないのです。

一概には言えませんが、イノベーターは通常、報告を嫌い、数値化を嫌います。彼らはただ必要な経営資源を得て、それを自由に使わせてほしいのです。だからこそ、資金提供の継続を正当化する数字の提示が、資金提供継続の条件だと理解させる必要があるのです。単なる報告のために報告書作成や定量評価をするのではありません。イノベーション投資を継続するためにCFOや取締役会を説得するには、新しい特許や新技術というだけでは不十分なのです。

もしあなたがイノベーションの責任者で、3年あるいは5年分の予算を獲得したなら（ところで、少し話はそれますが、イノベーションへの資金提供は単年度でなく複数年一括であるべきだと私は思っています）、取締役会は成功に向けた途中経過をどうしても見たいのだと頭に入れておくべきです。正しい方向に進んでいることを示すベンチマークです。「5年分の資金を出すから5年後に結果を知らせてくれ」と言う人はいません。取締役会は少なくとも半年ごとに、何らかの進展があることを確認したいのです。少なくとも多少の進展を。例えば特許をいくつか取得したとか、製品を発売開始したとか、さらにいくつかの製品を開発中だとか。たとえイノベーションの実現はかなり先の話であっても、途中で何らかの成功に向けた途中経過を示せるはずです。

私はいつも、子供を育てることにたとえています。例えば最終的な目標は、子供たちが大学を卒業すること、さらには医学部や工学部を卒業することだとします。そのためには、20年以上の長い目で子供たちを見守ってあげる必要があります。長年の間教育に資金をつぎ込むことになるでしょう。しかし、だからといって3カ月や6カ月ごとの成績を無視するわけではありません。彼らと話をする時間を作って、「いいかい、お前はこれをもっと頑張らなければいけないし、あれももっと頑張らなければいけない」と言うでしょう。たとえ、目標地点が地平線のかなたにあるとわかっていても。

ですから、もしあなたがイノベーターなら、たとえ取締役会から長期的なコミットメントを得たとしても、その過程で定量的な成果を示す必要があります。繰り返しになりますが、忍耐強く、財務担当者と協力して、毎期の進捗状況を報告する必要があるのです。

同様に財務担当者はイノベーターの言葉を学び、彼らを理解するために努力する必要があります。イノベーターの仕事を妨げず、官僚主義的でない報告プロセスを作る必要があるのです。そうしなければ、見映えのよい報告書はできても、イノベーションは生まれません。互いに信頼と理解を得られる、ほどよい報告方法の確立が必要なのです。

第 11 章

明日からはじめよう

Starting Tomorrow

“ やれ！（でなければ、やるな！）
やってみる、
という選択肢はない。 ”

やるか、やらないかだ!
試しにやってみる、ではダメだ

なぜ従来の会計処理だけでは、革新的な企業の真の姿を公平に示すことができないのか、その理由を検証するために最初のたどたどしい1歩を踏み出して以来、私たちは長い道のりを歩んできました。その過程で、イノベーションを定量評価するための、さまざまな側面を検討しました。例えば、個々のチームやプロセスを定量評価するために、表面的な情報を掘り下げていく方法論を確立しました。また、現実的なビジネスモデルのポートフォリオ・マップを作成する方法の習得をお手伝いしました。さらに、文化を定量評価する方法についても検討しました。このようにして、あなたの会社の既存の会計システムを、イノベーション会計がどう補完するのかを見てきました。

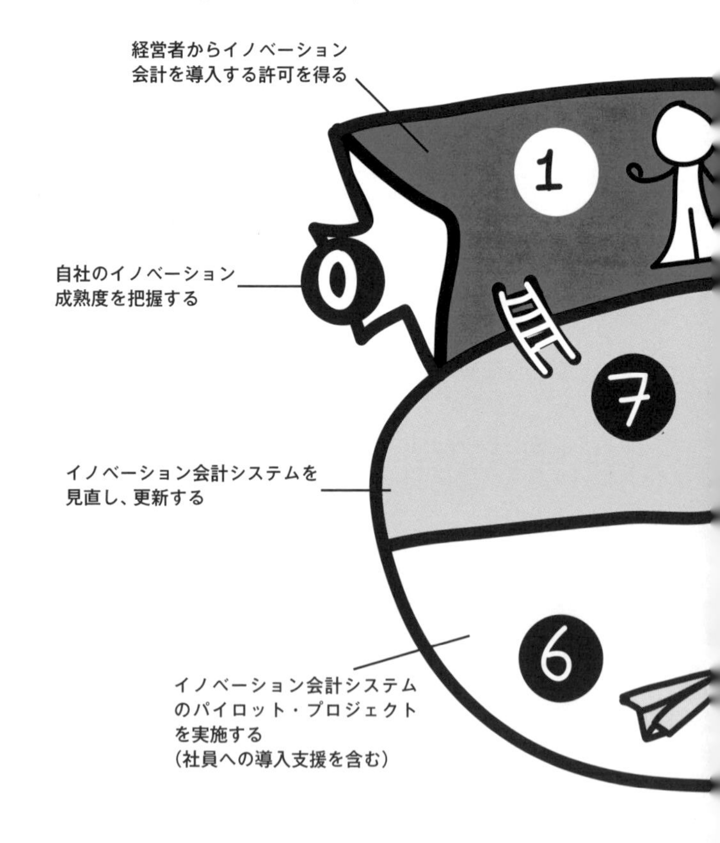

本書のまとめとして、実施ガイドを用意しました。イノベーション会計システムを導入するために必要なチェックリスト、タスク、テンプレート、ツールをまとめてあります。

この本を読むことで、イノベーション会計についての理解を深めていただいたものと思います。次のステップとして、この実施ガイドがイノベーション会計の導入成功へのロードマップとなります。

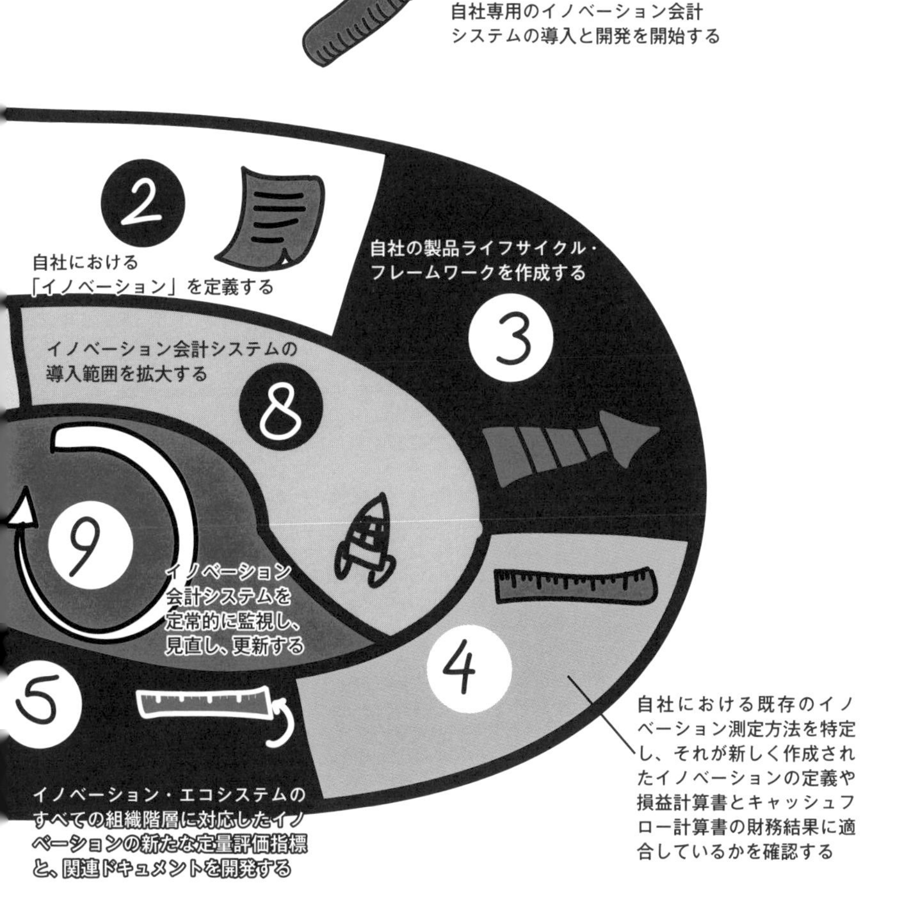

おわりに

読者の皆さんの中には、イノベーション会計システムの開発を任された人も、社内の業務や責任の一端としてプロジェクトに参加した人もいるかもしれません。いずれにしても、本書では成功のために必要なツールとテクニックを紹介しています。最初から自社の目標に完全に合致したシステムを構築できるとは限りません。むしろ、それができたら驚きです。しかし、ちょうどイノベーションと同じで、成功するための最良の方法は、実験を通した学習と開発なのです。

難しいと思ったら、立ち止まって一息ついてください。すべてを1度にやる必要はありません。むしろ、そうすべきではないのです。それぞれのステップは次のステップにつながっており、どの段階でも、周りを見れば一緒に作業をしてくれるチームがいるはずです。自社に役立てるためにイノベーション会計があるのであって、その逆ではありません。イノベーション会計の価値に疑問を持ちつつ、それでも延々とプロセスに沿ってドキュメントの記入作業をひたすら続けているとしたら、何かが間違っています。

しかし、動きの速い現代社会において、イノベーションに取り組まないという選択肢がないのと同様に、何もしないという選択肢はありません。仕事に合ったツールを準備するというのは、何も工場や機械だけの話ではありません。熟練した人材、対象システムやプロセスも必要なツールなのです。

だからこそ、イノベーション会計の旅の、最初の1歩を踏み出しましょう。学び、共有し、実験する。新たな発見をすればするほど、この新たなイノベーション会計システムが、自社だけでなく、利害関係者、顧客、そして社会全体にとって、どれほど強力なツールであるかを、理解できるようになるでしょう。

ダン・トマ
エスター・ゴンス

謝辞

本書を作り上げるためにご協力頂いた皆さんに、本当に心から感謝いたします。

アレクサ・デンベク
アリソン・グリフィス
バルーク・レブ
ブルーノ・ペセック
クリスチャン・リンドナー
クラリッサ・エヴァ・レオン
クレア・ハウズオン
クリス・ベズウィック
デビッド・ラッソン
フランチェスコ・マッツォッタ
ジョン・パトリン
ハンナ・キアトランド
ポール・コバン
ピーター・ルピアネ
スサナ・ジュラード・アプルゼーゼ
タイマン・レベル
トーマス・フォグス-エリクセン
トリスタン・クロマー

本書のプレセールス・キャンペーンとコンテンツへのフィードバックをいただいたサポーターの皆さんにも、ここに感謝の意を表します。

参考資料

＊がついているURLは、編集部で確認したところ掲載終了または
当時とURLが変更されているなどの事情により、アクセスができなかったものです。
ご了承ください。

1. https://hbr.org/2018/06/why-we-need-to-update-financial-reporting-for-the-digital-era
2. https://mashable.com/2011/10/17/gorilla-glass/?europe=true
3. https://www.pcmag.com/news/259303/why-is-gorilla-glass-so-strong#fbid=L9N-72Ja_0YJ
4. https://www.fastcompany.com/1665186/there-are-three-types-of-innovation-hereshow-to-manage-them
5. https://hbr.org/2017/06/the-4-types-of-innovation-and-the-problems-they-solve
6. www.digitaltonto.com/2016/how-smart-businesses-are-turning-academic-research-into-profits/
7. Larry Kelly, Ryan Pickel, Brian Quinn, Helen Walters, Ten Type of Innovation, 208
8. https://sloanreview.mit.edu/article/the-critical-difference-between-complex-and-complicated/
9. https://medium.com/sense-and-respondpress/digital-transformation-is-not-innovation-4a1d03feb4b2
10. https://thefutureshapers.com/digital-transformation-a-metrics-perspective/
11. The Myth that Insulating Boards Serves Long-Term Value, Columbia Law Review, Vol. 113, No. 6, pp. 1637-1694, October 2013
12. https://hbr.org/2017/10/why-ges-jeff-immelt-lost-his-job-disruption-and-activist-investors
13. https://www.innosight.com/insight/creative-destruction/
14. Baruch Lev, Feng Gu, The End of Accounting, 46-48
15. https://www.nytimes.com/2019/05/09/technology/uber-ipo-stock-price.html
16. https://www.sec.gov/Archives/edgar/data/1418091/000119312513390321/d564001ds1.htm

17. https://hbr.org/2010/07/four-lessons-on-culture-and-cu
18. https://www.newyorker.com/tech/annals-of-technology/in-silicon-valley-now-its-almost-always-winner-takes-all
19. https://hbr.org/2018/02/why-financial-statements-dont-work-for-digital-companies
20. Jean E. Cunningham, The Value add Accountant, 27
21. Baruch Lev, Feng Gu, The End of Accounting, 120
22. Baruch Lev, Feng Gu, The End of Accounting, 125
23. https://ir.manutd.com/~/media/Files/M/Manutd-IR/Annual%20Reports/manchester-united-plc-20f-20141027.pdf
24. https://www.sportskeeda.com/football/are-top-level-football-players-employees-or-economic-assets-for-their-clubs
25. https://www.accountingtools.com/articles/straight-line-amortization.html
26. Jay Barney, Firm Resources and SustainedCompetitive Advantage, 99-120
27. https://www.gartner.com/en/marketing/research/innovation-survey-2019
28. https://www.ft.com/content/cdfe1b2c-5abf-11e4-b449-00144feab7de#axzz3l5ez9PAL
※閲覧にはサブスクリプションへの登録が必要です。
29. http://www.strategy-business.com/article/00295
30. http://www.strategy-business.com/article/00140
31. https://web.stanford.edu/dept/SUL/sites/mac/parc.html
32. https://www.newyorker.com/magazine/2011/05/16/creation-myth
33. http://www.thoughtworks.com/insights/blog/enterprise-needs-lean-product-development
34. https://hbr.org/2012/05/four-innovation-misconceptions
35. David Parmenter - Key Performance Indicators pg.5
36. David Parmenter, Key Performance Indicators (Third Edition), 43
37. David Parmenter, Key Performance Indicators (Third Edition), 42
38. David Parmenter, Key Performance Indicators (Third Edition), 45

39. https://www.ideou.com/blogs/inspiration/innovation-accounting-what-it-is-and-how-to-get-started
40. https://www.techopedia.com/definition/3736/abstraction
41. Baruch Lev, Feng Gu, The End ofAccounting, 129
42. https://hbr.org/2016/07/kodaks-downfall-wasnt-about-technology
43. https://hbr.org/2016/03/how-much-is-trump-really-disrupting-politics-as-usual
44. https://warroom.armywarcollege.edu/articles/attack-drones-unmanned-aircraft-disruption-national-security-strategy/
45. https://www.newyorker.com/magazine/2014/06/23/the-disruption-machine
46. David Parmenter, Key PerformanceIndicators (Third Edition), Pg.112
47. https://www.movestheneedle.com/toolkit/
48. https://www.forbes.com/sites/under-30network/2016/02/24/5-things-to-remember-before-founding-your-startup-thisyear/#42029abf7fe3
49. http://theleanstartup.com/principles
50. https://www.smashingmagazine.com/2011/04/multivariate-testing-101-a-scientific-method-of-optimizing-design/
51. https://kromatic.com/blog/iteration-time-to-learn-not-time-to-build/
52. https://agilemanifesto.org/principles.html
53. https://www.pmi.org/learning/library/agile-problems-challenges-failures-5869
54. http://www.davidfrico.com/rico08a.pdf
55. https://arkenea.com/blog/agile-metrics/
56. https://www.plutora.com/blog/agile-metrics
57. https://www.sealights.io/software-development-metrics/10-powerful-agile-metrics-and-1-missing-metric/
58. https://www.intellectsoft.net/blog/agile-metrics/
59. https://blog.innovation-options.com/the-wom-prom-ratio-measuring-productmarket-fit-48b0aebf324c
60. https://edessey.com/incubation-maturity-model/

61. Behrooz Omidvar-Tehrani; Sihem Amer-Yahia; Laks VS Lakshmanan. Cohort representation and exploration. Turin, Italy: IEEE Conference on Data Science and Advanced Analytics (DSAA) 2018.
62. Alistair Croll; Benjamin Yoskovitz. Lean Analytics: Use Data to Build a Better Startup Faster. Sebastopol, CA: O' Reilly 2013
63. https://www.sethlevine.com/archives/2014/08/venture-outcomes-are-even-more-skewed-than-you-think.html
64. Johnson M.., & Suskewicz J. (2020). Leading From the Future
65. https://onlinelibrary.wiley.com/doi/full/10.1111/fima.12205
66. https://www.fastcompany.com/40515712/want-a-more-innovativecompany-simple-hire-a-more-diverseworkforce
67. https://cpb-eu-c1.wpmucdn.com/sites-wordpress.em-lyon.com/dist/d/40/files/2020/03/Intrapreneurship-10-lessons-from-the-trenches.pdf
※編注：原書のURLはアクセス不可であったため、同内容の別URLを掲載しています。
68. https://www.inc.com/jessica-stillman/6-cognitive-biases-that-are-messing-up-your-decision-making.html
69. https://www.inc.com/jessica-stillman/why-mark-zuckerberg-is-a-terrible-role-model.html
70. https://neuroleadership.com/your-brain-at-work/seeds-model-biases-affect-decision-making/
71. https://www.pesec.no/improve-your-thinking-to-avert-bad-decisions/
72. https://www.pmi.org/learning/library/practical-risk-management-approach-8248
73. https://www.pmi.org/learning/library/risk-analysis-project-management-7070
74. For detailed explanations see Program evaluation research task, summary report phase 1 (AD-735) report by the Special Projects Office, Bureau of Naval Weapons, United States Department of the Navy.
75. https://kromatic.com/blog/the-rudder-fallacy-adopting-lean-startup/

76. https://www.weforum.org/agenda/2019/12/davos-manifesto-2020-the-universal-purpose-of-a-company-in-the-fourth-industrial-revolution/
77. https://www.mckinsey.com/business-functions/strategy-and-corporate-finance/our-insights/why-youve-got-to-put-your-portfolio-on-the-move?cid=other-emlalt-mcq-mck&hlkid=8f56643d548b-4f0a970ee85766e3afe5&hctky=1495319&hdp id=21d88d24-5501-45e7-9eb5-22b17cbaba1d
78. https://www.mckinsey.com/business-functions/strategy-and-corporate-finance/our-insights/how-to-put-your-money-where-your-strategy-is
79. Benchmarking Innovation Impact 2020
80. Reset Your Innovation Priorities toReflect the New Reality (2020) D.S. Duncan, A.Trotter, and B.Kümmerli
81. https://www.business-standard.com/article/opinion/new-product-vitality-index-117081801491_1.html
82. https://rebecca-schatz-on-innovation.blogspot.com/2012/10/3m-innovation-new-product-vitality-index.html
83. https://evannex.com/blogs/news/tesla-gains-massive-market-share-from-competitors
84. https://www.investopedia.com/ask/answers/020915/what-difference-between-capex-and-opex.asp
85. https://info.ivalua.com/uk-supplier-led-innovation
86. https://www.canalys.com/newsroom/worldwide-cloud-market-q320
87. https://www.theverge.com/2020/7/22/21334725/microsoft-q4-2020-earnings-azure-surface-xbox-gainsgrowth-profits-sales
88. https://hackernoon.com/is-azure-profitable-3531a14f6233
89. https://www.cnbc.com/2020/02/03/google-still-isnt-telling-us-about-youtube-and-cloud-profits.html
90. ＊ https://hbr.org/2013/05/why-the-lean-start-up-changes-everything
91. E. Ries (2011), The Lean Startup
92. https://kromatic.com/real-startup-book/fake-door-smoke-test
93. https://techcrunch.com/2011/10/19/dropbox-minimal-viable-product/

94. https://www.wsj.com/articles/toys-r-us-bankruptcy-poses-challenge-for-toy-makers-1505832443
95. https://www.theunileverfoundry.com/highlights/hellmanns-quiqup-partnership-for-fresh-delivery.html
96. Mocker V., Bielli S., Haley C. (2015). Winning together: A guide to successfulcorporate-startup collaborations. London: Nesta
97. https://www.bsigroup.com/LocalFiles/en-GB/iso-44001/Resources/ISO-44001-Implementation-Guide.pdf
98. * https://home.kpmg/us/en/home/media/press-releases/2019/09/new-survey-data-indicates-increased-confidence-and-investment-in-innovation-among-fortune-1000.html
99. http://www.infrastructure-intelligence.com/article/nov-2019/innovation-assured-environment
100. https://www.nasa.gov/directorates/heo/scan/engineering/technology/txt_accordion1.html
101. https://www.investopedia.com/terms/m/montecarlosimulation.asp
102. https://hbr.org/1979/09/risk-analysis-in-capital-investment
103. https://www.investopedia.com/terms/c/central_limit_theorem.asp
104. https://www.nytimes.com/2011/10/23/magazine/dont-blink-the-hazards-of-confidence.html
105. https://onlinelibrary.wiley.com/doi/10.1002/9781118983836.ch5
106. https://www.inc.com/walter-chen/aarrr-dave-mcclure-s-pirate-metrics-and-theonly-five-numbers-that-matter.html
107. http://www.pwc.com/us/en/press-releases/2015/pwc-top-health-issues-2016-press-release.html
108. http://www.mobihealthnews.com/content/closer-look-30-mergers-and-acquisitions-2016
109. https://hbr.org/2011/03/the-big-idea-the-new-ma-playbook
110. https://www.inc.com/john-mcdermott/report-3-out-of-4-venture-backed-start-ups-fail.html

111. https://www.biorxiv.org/content/10.1101/700807v1.full
112. https://www.emerald.com/insight/content/doi/10.1108/IJIS-10-2018-0102/full/html
113. https://www.mckinsey.com/business-functions/strategy-and-corporate-finance/our-insights/the-innovation-commitment
114. https://innovatorsdna.com/innovation-assessment
115. https://www.trendhunter.com/innovation-assessment
116. https://aa.foursightonline.com/assessments/e4c6caf4b6eedc2281393a71176ac208
117. https://fi.co/dna
118. https://www.businessknowhow.com/manage/higherprod.htm
119. https://www.researchgate.net/publication/263348990_MOOCs_Completion_Rates_and_Possible_Methods_to_Improve_Retention_-_A_Literature_Review
120. https://hbr-org.cdn.ampproject.org/c/s/hbr.org/amp/2019/03/why-a-one-size-fits-all-approach-to-employee-development-doesnt-work
121. https://news.gallup.com/businessjournal/197234/millennials-job-hopping-inevitable.aspx?utm_source=alert&utm_medium=email&utm_content=morelink&utm_campaign=syndication
122. https://www.oecd.org/std/productivity-stats/40526851.pdf
123. https://hbr.org/podcast/2020/05/to-build-strategy-start-with-the-future
124. https://knowledge.wharton.upenn.edu/article/the-input-bias-how-managers-misuse-information-when-making-decisions/
125. https://hbr.org/video/2235472805001/measure-employee-productivity-accurately
126. https://www.strategy-business.com/article/11404
127. Making Intangibles Tangible: an emerging business issue, Journal of Brand Strategy 2020 vol.8, no.4
128. https://www.nationalgeographic.org/encyclopedia/cloud/

129. https://www.bcg.com/capabilities/digital-technology-data/digital-transformation/how-to-drive-digital-culture
130. https://www.staceybarr.com/measure-up/cant-measure-innovation-culture-quality/
131. https://www.southuniversity.edu/news-and-blogs/2017/07/ethical-principles-for-business-38725
132. https://www.linkedin.com/pulse/20141113051901-3078420-business-processes-impacts-in-shaping-organizational-culture/
133. https://www.weforum.org/agenda/2018/09/when-we-can-t-quite-put-our-finger-on-it-intangibles-and-finding-better-metrics-for-financing-technological-disruption/
134. https://corporatefinanceinstitute.com/resources/knowledge/accounting/capitalizing-rd-expenses/

索引

A ▸ M

ACR 239
ATS 239, 241, 317
AWS 237
BMW 228
CFO 43, 70, 364
CI 234
『Competitive Strategy: Options and Games』 196
CVC 232
CWA 173
DBS銀行 357
DEAD PROJETCT DAY 257
DHL 78
DNB 77
DNV 70
DNV GL 77, 154
DSB 136
DX 33
ECサイトのビジネスモデル 104
EII 230
EQW 320
ESG 256
GAAP 365, 371
GRIレポート 257
『How to value innovation projects』 197
ID 215
ING 307
IPO 42
IPR 235
『Key Performance Indicators』 124
KPI 56
KPMG 217
KRI 56
KSK 67
『Lean Analytics』 122
M&A 232, 296
『Mapping Innovation』 29
MOJO 359
MVP 243

N ▸ Z

NEPI 235
NEXTフレーム 130, 133
NPVI 224
OMTM 122
OPEX 47, 63, 230
PARC 53
PD 215
PERT技法 171
PF 228
『Product Roadmap Relaunched』 130
PROM 100
ROI 176
RONA 43
『Running Lean, 3rd Edition』 101
『The Lean Product Lifecycle』 130
『The Little Black Book of Innovation』 54
Time-to-X 137
TRS 215
T-モバイル 106
VCR 173
VCRrisk 194
VWA 172
W・エドワーズ・デミング 4
what-if分析 292
WOM 100
WPS 99
Wreckoon 359
Yolt 308
Zoom 106

あ ▸ お

アーリーマジョリティ 100
アイヴァリュア 230
アイデア数 190
アイデアポスト 124
アウディ 228
アクセンチュア 148
アジャイル 97, 136, 264, 358

アジャイルソフトウェア開発宣言 97
アジュール 237
アッシュ・マウリャ 101
アップ・ストア 44, 46
アップル 44, 46, 53
アマゾン 104, 237, 357, 362
アマゾンウェブサービス 237
アリスター・クロル 122
アリババ・クラウド 237
アルファ・プロジェクト 174
アレクサ・デンベク 253
アレックス・オスターワルダー 84
『アントレプレナーの教科書』 130
イーベイ 108
意思決定バイアス 159
イノベーション 28
イノベーション・アカウンティング 19
イノベーション・エコシステム
...... 25, 65, 142, 193, 317, 365
『イノベーション・オブ・ライフ』 44
イノベーション・コーチ 151
イノベーション・スコア 315
イノベーション・チーム 328
イノベーション・パイプライン 176
イノベーション・ファネル 211, 218, 240
イノベーション・プラットフォーム 362
イノベーション・フレームワーク 78
イノベーション・プロセス 43, 77, 193, 363
イノベーション・マインド 148
イノベーション・マネージャー 150
イノベーション・リーダー 217
イノベーション会計 19
イノベーション会計システム 34, 52, 80, 365
イノベーション会計システムの原則 61
イノベーション会計の6原則 67
イノベーション会計の目的 32
イノベーション会計のロードマップ 381
イノベーション人材の結果指標 328
イノベーション人材の定量評価 314
イノベーション人材の能力の定量評価 333
イノベーション診断テスト 318
イノベーション定量評価 52
イノベーション定量評価の迷信 52
イノベーション適正診断テスト 334
イノベーション投資の効率性 230
イノベーション投資方針 145, 164, 299
イノベーションによる成長の達成 370
『イノベーションのDNA』 318
イノベーション能力診断 319
『イノベーションの攻略書』 78, 84, 164
イノベーションの種類 29, 58
『イノベーションのジレンマ』 64
イノベーションの定義 28, 35
イノベーション費用 234
イノベーション文化 342, 357
イノベーション文化の
開発活動の定量評価 347
イノベーション文化の定量評価の指標 352
イノベーション利益率 235
イノベーター 76, 314, 376
イノベーターの資質 314
インセンティブ制度 59
インダストリー4.0 64
ウィリアム・ブルース・キャメロン 34
ウーバー 33, 42, 44, 64, 108
ウォーター・スチュワードシップ 256
ウォーターフォール 264
ウォールストリート・ジャーナル 247
ウォルマート 46
馬小屋の現状図 218
売上 102
エアバス 336
エアビーアンドビー 31, 44
営業費用 230
営業利益率 235
エイスース 43
エコベール 343
エスター・ゴンス 130
エスノグラフィー調査 81
エディ・ユーン 299

エド・エッセー 100
エバン・ライアン 130
エピック・バーンダウン 99
エリック・リース 20, 100, 147
エンゲージメント 325, 344, 352
欧州のIFRS規則 365
オスカー・ワイルド 46
オプション価値 43

か▸こ

『会計の再生』 373
海賊指標 100, 295
海賊指標フレームワーク 101, 118
外部人材 149
学習カード 84
確信度 165
拡大エンジン 100
拡大の段階 96
拡大ピラミッド 100
舵の誤謬 198
カスタマー・ジャーニー 121
価値／コスト比 171
価値創造プロセス 43, 47
活動実績指標 97
活動実績の定量評価 80, 83, 93, 98
合併・買収 232
管理的イノベーション会計 142
機会費用 195
企業側のチェックリスト 276
企業とスタートアップの協業形態 261
気候変動への影響 172
基礎研究 32
期待値の管理 145
キャズム 100
キャッシュフロー計算書 40
キャッシュフロー倍率 343
協業の課題とリスク 267
協業のメリット 264
共同事業 281
金銭コスト 169
クイックアップ 260
グーグル・クラウド 237
口コミ効果 44
クラリッサ・エヴァ・レオン 136
クリスチャン・リンドナー 336
クリティカル・シンキング 161
クレア・ハウズオン 343
クレイグ・ストロング 130
クレイトン・クリステンセン 44, 64
グレッグ・サテル 29
経営資源管理 153
経営陣 330
経営陣の結果指標 330
経営陣の誰か1人 152
合意形成ワークシート 35
コーニング 31
顧客維持 102
顧客獲得 102
顧客サービス文化 44
国立労働者教育品質研究所 320
コスト 168
コストの加重平均値 173
コニカミノルタ 78
個別プロジェクトの重要な成功要因 67
コホート分析 121
コミュニティ・オブ・プラクティス 320
コリレーション・ベンチャーズ 145
コンコルド効果 159

さ▸そ

サイクルタイム 98
採算性の段階 92
財務会計が抱える問題 42
財務会計システム 19, 24
財務会計システムの欠点 24
財務諸表の利用価値 47
財務報告 24
財務報告書 41
サステナビリティ 172, 253
サブスクリプションのビジネスモデル 106
ザランド 104
シーン・エリス 100
ジェームズ・R・グレゴリー 343
ジェフ・ダイアー 318

時価総額プレミアム 343
時間コスト 168, 192
事業の運営費用 47
資源 47
市場投入までの時間 137, 242
持続可能性 172, 256
持続的イノベーション 29, 218
持続の段階 124, 232
実験カード 84
実験効率 91
実験速度 88, 92
実験マップ 84
実施結果の定量評価 93, 99
実施段階 279
失敗 146, 373
『失敗は「そこ」からはじまる』 331
ジャガー 228
収穫逓増モデル 45
重要業績評価指標 56
重要結果指標 56
受講者の維持 324, 352
受講者の獲得 324, 352
受講者の積極性 325, 352
受講者の満足度 324, 352
需要段階 279
純資産収益率 43
俊足の馬 218
ジョアンナ・アレン 260
紹介 103
情報を抽象化 62
ジョン・パトリン 225
新規株式公開 42
新旧利益率指数 235
人事 153
新製品活力指数 224
死んだ馬 218
診断テスト 318
人的資源 47
推定ROI 171
推定値の計算方法 170
推定投資利益率 171
スキル開発 336
スコアボード 40
スコット・アンソニー 54
スサナ・ジュラード・アプルゼーゼ 153, 201
『スタートアップ・ウェイ』 147
スタートアップ側のチェックリスト 274
スタートアップ協業の成熟度テスト 300
スタートアップ協業の定量評価 278
スタートアップ投資 283
スタートアップへの投資 232
スティーブ・ジョブズ 53
スティーブ・ヒューズ 299
スティーブ・ブランク 130
スプリント・バーンダウン 99
スポティファイ 44
スポンサー 153
成果段階 279
生産性 374
生存率 239
製品在庫資産 46
製品ライフサイクル 78, 94, 126, 193, 240
ゼロックス 53
戦術的イノベーション会計 77
戦術的イノベーション会計の指標 132
選手の資産計上 48
戦略ダッシュボード 212
戦略的イノベーション会計 209
組織文化の診断テスト 355
ソニヤ・クレソジェビック 130
損益計算書 40

た▶と

大規模出資案件 42
貸借対照表 40, 46
ダイバーシティ&インクルージョン 342
タイマン・レベル 130
タイム・トゥ・X 136
タイム・トゥ・マーケット 137, 242
対面販売のビジネスモデル 116
ダウ・ジョーンズ 40
ダウ・ジョーンズ・インデックス 41
ダッシュボード 84
段階別の滞在期間 170
探索の段階 82

抽象化……62
ツイッター……42, 102, 110, 145
費やした期間……169
デイブ・マクルーア……100, 295
定量評価……45, 52, 76, 122, 165
デジタル・トランスフォーメーション……33
テスト・キャンバス……84
デッド・プロジェクト・デイ……257
デビッド・パーメンタ……124
デビッド・ベネッティ……99
デビッド・ラッソン……307
デュポン……225, 253
デル……43
テレフォニカ……77, 153, 201, 336
テンダイ・ビキ……130
デンマーク鉄道……136
トイザらス……247
投資……325, 352
投資・開発コスト……193
投資委員会……144, 329
投資委員会の落とし穴……154
投資委員会の人材の結果指標……329
投資委員会のメンバー構成……149
投資委員会の役割……148
投資家……40
投資収益率……176
投資分布……215
トーマス・フォグス - エリクセン……70
トッド・ロンバルド……130
ドメイン専門家……151
トリスタン・クロマー……198
トレンドハンター……318
ドロップボックス……106, 243

な▸の

ニーナ・ライグ……154
ニューヨーク・タイムズ……114
ネットフリックス……31, 63, 106, 342, 357
ネットワーク効果……362
年間株主総利回り……215
能力開発……337
能力開発プログラムの成果の定量評価……326
能力開発プログラムの定量評価……320
能力開発プログラムの評価指標……324

は▸ほ

『ハーバード・ビジネス・レビュー』……197, 201, 287, 297, 299, 330, 357
バイアス……159, 294
買収……284
破壊的イノベーション……29, 31
破壊理論……64
馬車馬……219
ハズブロ……248
発見の段階……80
バッセル・エル・クッサ……261
ハッピーカスタマー・ループ……101
パトロン……153
『バリュー・プロポジション・デザイン』……84
バリュープロポジション・キャンバス……128
バルーク・レブ……41, 63, 363, 373
パロアルト研究センター……53
ハンナ・キアトランド……370
ピア・ツー・ピア……320
ピアソン……77
ビジネスモデル……96
ビジネスモデル・キャンバス……128, 249, 297
ビジネスモデル・ナビゲーター……80
ビジネスモデルの指標……102
必要最小限の製品……243
ピボット……243
ビル・ゲイツ……159
ファウンダー・インスティテュート……318
ファネル……211
ファネル・ダッシュボード……186, 240
フェイスブック……43, 46, 110
フォーサイト……318
複式簿記……24
プライス・ウォーターハウス・クーパース……52, 296
フランチェスカ・ジーノ……331
ブラント・クーパー……84
ブルース・マッカーシー……130
ブルーノ・ペセック……160, 197

ブレイクスルー・イノベーション……30
フレッド・ウィルソン……145
プロジェクト価値の加重平均値……172
プロトタイプ……243
文化の定量評価……343
分析フレームワーク……99
平均事業化時間……239, 241, 317
平均事業化率……239
米国の会計基準……365
ヘルマンズ……260
ベロシティ……98
ベンジャミン・ヨスコビッツ……122
ベンチャー・キャピタル……145
ベンチャーボード・ダッシュボード……177
ヘンリー・フォード……218
報告書テンプレート……366
ポートフォリオ……211
ポートフォリオ管理……208, 246
ポートフォリオ棄損率……228
ポートフォリオと投資分布……214
ポートフォリオの概要図……246
ポートフォリオ分布……215
ポール・コバン……357
ボストンコンサルティング……345
ボラティリティ……62

ま▸も

マーク・ザッカーバーグ……159
マーク・ジョンソン……330
マイクロソフト……43, 100, 237, 357
マイケル・コナーズ……130
マイルストーン型の資金調達……147
マウス……53
マッキンゼー・アンド・カンパニー……208, 215
マッチング・プラットフォームのビジネスモデル……108
マンチェスター・ユナイテッドPLC……48
ミーディアム……110
ミレニアル世代……260
無形資産……24, 63, 343
無料スマホアプリのビジネスモデル……112
メディア・娯楽プラットフォームのビジネスモデル……114
メルセデス・ベンツ……228
モンテカルロ法……286
有形固定資産……46
ユーザー生成コンテンツプラットフォームのビジネスモデル……110

や▸よ

有償および無償のパイロット・プロジェクト……280
ユーチューブ……114
ユニオン・スクエア・ベンチャーズ……145
ユニコーン……218
ユニコーン・プロジェクト……176
ユニリーバ……260

ら▸わ

ランウェイ……92
ランニングコスト……230
リアルオプション……196
リーダー……149
リードタイム……98
リーン・キャンバス……128
リーン・スタートアップ……20, 86, 94
リーン・スタートアップ手法……242
リーン生産方式……45
リスク調整済みの価値／コスト比……194
リタ・マクグラス……330
リチャード・ウォー……148
利用開始……102
リリース・バーンダウン……99
リンクトイン……43
ルカ・パチョリ……24
ルシアン・ベチャック……362
レクーン……359
レシオ型指標……238
ローカル・フォー・グローバル……309
ワークシートのダウンロード……18, 305, 354

著者紹介

ダン・トマ
Dan Toma

「The Corporate Startup(邦題『イノベーションの攻略書』2019年、翔泳社)」共著ののち、コンサルティング会社アウトカム社を設立。大企業のイノベーション活動の変革と現実主義の導入支援に尽力。DNB、ING、テレコム・インドネシア、バイエル、DNVをはじめとする全世界の優良企業にコンサルティング・サービスを提供。
2020年にはThinkers50の“management thinkers towatch”のRadar Listに選定される。世界経済フォーラムのデジタル・トランスフォーメーションおよび持続可能性の推進ワークグループにおいても積極的な活動を展開。

エスター・ゴンス
Esther Gons

イノベーション・アカウンティングに焦点を当てたイノベーションソフトウェア企業グラウンド・コントロール社の創業者兼CEOとして、企業の新事業チームの新事業モデル開発を支援。主な顧客企業は、Schiphol Group、DHL、ABN Amroなど。
コーポレート・イノベーション、イノベーション・アカウンティング、ポートフォリオ管理、スタートアップなどのトピックについて世界各国で講演活動を実施。起業家として自身も20年以上の経験を持つとともに、数百社以上のスタートアップへのメンタリングの実績を持つ。NEXT Startup Venturesでは投資家として、Rockstart Accelerator programsおよびLean Startup Machine weekendsではメンターのリーダーとして活動中。

訳者紹介

渡邊 哲
Satoru Watanabe

株式会社マキシマイズ代表取締役
Japan Society of Northern California 日本事務所代表
早稲田大学 非常勤講師

海外の有力IT やイノベーション手法の日本導入と大企業向けのイノベーション支援を専門とする。特に海外ベンチャー企業と日本の大手企業との連携による新規事業創出に強みを持つ。三菱商事、シリコンバレーでのベンチャー投資業務などを経て現職。
欧州で開発された大企業向けビジネスモデル・イノベーション手法の国内向け導入、イノベーションを切り口としたシリコンバレーと日本のイノベーション・コミュニティ運営など、日本のイノベーションを促進するための活動を展開中。東京大学工学部卒。米国Yale 大学院修了。
共訳書、監訳書に『アントレプレナーの教科書』『ビジネスモデル・ナビゲーター』『イノベーションの攻略書』『DX（デジタルトランスフォーメーション）ナビゲーター』（いずれも翔泳社）。

安田 剛規
Takaki Yasuda

昭和電工株式会社　融合製品開発研究所　R&D支援室

平成10年～平成14年にかけて、経済産業省委託プロジェクト「高効率電光変換化合物半導体開発（21世紀のあかり計画）」に従事。特定非営利活動法人LED照明推進協議会技術委員長（平成25年度～平成27年度）を務める。青色LEDエピタキシャル成長、LEDパッケージ事業化検討、LED照明器具開発、LED光源を用いた完全閉鎖型レタス栽培システムの事業化プロジェクト・マネージャーを経て現職。東京大学大学院工学系研究科（工学修士）、名古屋商科大学大学院マネジメント研究科（経営学修士）修了。北陸先端科学技術大学院大学先端科学技術研究科先端科学技術専攻（知識科学）：博士前期課程（東京社会人コース）在学中（2022年8月現在）。
共著での執筆に『LED照明ハンドブック』『LED照明ハンドブック（改訂版）』（オーム社）、『LED照明信頼性ハンドブック』『LED照明信頼性ハンドブック（第2版）』（日刊工業新聞社）。

ブックデザイン　新井 大輔 + 八木 麻祐子（装幀新井）
DTP　アズワン

イノベーション・アカウンティング

挑戦的プロジェクトのKPI（ケーピーアイ）を測定し、新事業に正しく投資するための実践ガイド

2022年10月5日 初版第1刷発行

著者　ダン・トマ　エスター・ゴンス
訳者　渡邊 哲（わたなべ さとる）　安田 剛規（やすだ たかき）
発行人　佐々木 幹夫
発行所　株式会社 翔泳社（https://www.shoeisha.co.jp）
印刷　昭和情報プロセス株式会社
製本　株式会社 国宝社

本書は著作権法上の保護を受けています。
本書の一部または全部について（ソフトウェアおよびプログラムを含む）、
株式会社 翔泳社から文書による許諾を得ずに、いかなる方法においても無断で複写、
複製することは禁じられています。
本書へのお問い合わせについては、3ページに記載の内容をお読みください。
造本には細心の注意を払っておりますが、万一、乱丁（ページの順序違い）や
落丁（ページ の抜け）がございましたら、お取り替えいたします。
03-5362-3705 までご連絡ください。

ISBN 978-4-7981-7439-6　Printed in Japan